Trou de mémoire

ÉDAQ

Cette édition a été préparée grâce à l'aide financière de l'Université de Montréal, de l'Université du Québec à Montréal, du fonds de la Formation de chercheurs et de l'Aide à la recherche (Québec) et à une grande subvention du Conseil de recherche en sciences humaines (Ottawa). Sa publication a été rendue possible grâce à l'aide de la Fédération canadienne des études humaines, dont les fonds proviennent du Conseil de recherches en sciences humaines du Canada.

Hubert Aquin

Trou de mémoire

Édition critique établie par
Janet M. Paterson et Marilyn Randall

Tome III, vol. IV
de l'Édition critique de l'oeuvre
d'Hubert Aquin

BQ

BIBLIOTHÈQUE QUÉBÉCOISE

Bibliothèque québécoise inc. est une société d'édition administrée conjointement par la Corporation des Éditions Fides, les Éditions Hurtubise HMH Ltée et Leméac éditeur.

Données de catalogage avant publication (Canada)

Aquin, Hubert, 1929-1977

Trou de mémoire

Éd. critique

Éd. originale : Montréal : Cercle du livre de France, 1968

ISBN 2-8940-6087-4

I. Titre.

PS8501.Q85T7 1993 C843'.54 C93-096597-3
PS9501.Q85T7 1993
PQ3919.2.A68T7 1993

Cet ouvrage a été publié grâce à une subvention de la Fédération canadienne des études humaines, dont les fonds proviennent du Conseil de recherche en sciences humaines du Canada.

Couverture:
Photographie d'Hubert Aquin, fonds Pierre-Tisseyre.
Page manuscrite du journal d'Hubert Aquin, collection Andrée Yanacopoulo.
Traitement d'images: Danielle Péret.

DÉPÔT LÉGAL : TROISIÈME TRIMESTRE 1993
BIBLIOTHÈQUE NATIONALE DU QUÉBEC

ISBN : 2-8940-6087-4

PRÉSENTATION

La question des rapports entre la vie et l'art a toujours été au cœur de la pensée d'Aquin[1]. Comme l'écrivain américain Henry Miller qui, selon Aquin, se serait « pris lui-même [...] pour le thème premier, voire même exclusif de toutes ses œuvres » (CBA), Aquin déclare : « L'écrivain ne parle que de lui. » (*Journal*, 22 août 1961[2]) Il n'est donc pas surprenant qu'en lisant *Trou de mémoire* le lecteur avisé perçoive un ensemble de données fictives qui correspondent de façon étroite à celles de la vie d'Aquin[3]. Pourtant, il ne s'agit pas seulement d'une écriture biographique, mais d'une écriture historique, forme privilégiée et recherchée par l'auteur pendant de nombreuses années. La vie et l'âme de l'écrivain constituent en effet des assises historiques dans l'œuvre : d'une part, l'Aquin réel faisait partie intégrante de l'histoire sociopolitique que

1. Voir à ce sujet le discours de RR dans *Trou de mémoire*, p. 140.

2. Hubert Aquin, *Journal 1948-1971*, édition critique établie par Bernard Beugnot, Montréal, Bibliothèque québécoise, 1992.

3. Voir Guylaine Massoutre, *Itinéraires d'Hubert Aquin*, Montréal, Bibliothèque québécoise, 1992.

l'Aquin auteur écrivait ; d'autre part, la sensibilité québécoise affichée par le héros de *Trou de mémoire* exprime une prise de conscience et une position politique qui, loin de se limiter à l'auteur, étaient répandues chez un grand nombre d'intellectuels — sinon dans la population en général —, pendant les années mouvementées de la Révolution tranquille.

Parmi les éléments communs entre la vie d'Aquin et les thèmes développés dans *Trou de mémoire*, on trouve la passion pour la course automobile, les habitudes toxicomanes, les nombreuses aventures amoureuses et les voyages en Afrique et en Suisse. S'y ajoutent son admiration pour Nietzsche, pour l'art de la Renaissance, pour le théâtre, ainsi que l'influence de ses lectures (contemporaines de la composition de *Trou de mémoire*) sur l'Afrique coloniale et sur de nombreux sujets psychopharmacologiques qui le concernaient personnellement.

Au niveau politique, ses activités comme indépendantiste engagé dans le RIN (Rassemblement pour l'indépendance nationale), comme orateur et comme révolutionnaire « terroriste » forment un arrière-plan historique et biographique dont les détails seront présentés plus loin.

La relation entre le roman et le contexte sociohistorique de production est capitale dans le cas d'Aquin, car il accordait une grande importance à l'histoire. L'opinion du narrateur de *Prochain Épisode* vaut certainement pour *Trou de mémoire*, sinon pour l'ensemble de l'œuvre aquinienne :

> Événement nu, mon livre m'écrit et n'est accessible à la compréhension qu'à condition de n'être pas

> détaché de la trame historique dans laquelle il s'insère tant bien que mal. (*Prochain Épisode*, p. 94)

Cette trame historique, c'est à la fois l'histoire contemporaine, essentielle à la compréhension du roman, et la période de la Rébellion de 1837-1838, à laquelle la fiction renvoie plusieurs fois.

Contexte historique

1. Les années soixante

La période de la genèse de *Trou de mémoire* correspond aux années de la Révolution tranquille qui, amorcée pendant les années cinquante, éclate lors de la mort de Duplessis en 1959 et de la prise de pouvoir du gouvernement libéral de Jean Lesage en 1960. Nous ne pouvons qu'évoquer les multiples métamorphoses qui ont bousculé, pendant toute la décennie, les structures traditionnelles de la société québécoise[4]. Des changements profonds dans tous les secteurs — économique, politique, religieux, éducatif —, activés par les bouleversements engendrés par la Deuxième Guerre mondiale, se sont manifestés avec une force qui rencontra très peu de résistance. En fait, le slogan des Libéraux, « C'est le temps que ça change », exprimait moins un sentiment nouveau qu'il n'incarnait un réseau de désirs de renouveau déjà formulés et en attente.

---

4. Voir Paul-André LINTEAU, René DUROCHER, François RICARD et Jean-Claude ROBERT, *Le Québec depuis 1930*, tome II, *Histoire du Québec contemporain*, Montréal, Boréal Express, 1986.

C'est dans ce contexte de réforme sociale et culturelle profonde que surgissent plusieurs groupes indépendantistes (avec lesquels Aquin a des liens), notamment celui des revues *Liberté* et *Parti pris* et des mouvements politiques RIN et FLQ.

Fondée en 1959 sous la direction de Jean-Guy Pilon, la revue *Liberté* était surtout consacrée à la critique et à la création littéraires canadiennes-françaises. Lorsque Aquin assume la direction de la revue, elle connaît une politisation croissante, si bien qu'en novembre 1961 il annonce dans un éditorial : « La revue *Liberté* peut être considérée comme une agression[5]. » Sont visés, en particulier, les systèmes religieux, politique et éducatif du Québec. Mais Aquin insiste sur l'engagement de la revue à l'égard de tout ce qui est canadien-français pour « définir, dans son mouvement même, le Canada français et aussi ce qui le détermine ou l'attire hors de ses frontières » (p. 680).

Instituée en 1963, la revue *Parti Pris* regroupait de jeunes intellectuels et des écrivains de tendance socialiste. Du point de vue littéraire, la revue liait la révolution esthétique à la révolution politique. Elle a ainsi publié des essais qui revendiquaient la libération de la société des contraintes d'une esthétique démodée par une révolution sociale fondée sur des principes marxistes. Aquin n'était pas du comité de direction de *Parti Pris*, mais il y a publié plusieurs articles.

---

5. « Comprendre dangereusement », III, nº 5, p. 679.

L'une des influences les plus importantes sur la conception de la révolution prônée par ces revues provenait de la pensée de la décolonisation issue des mouvements de libération des pays colonisés, en particulier celui de l'Algérie en 1962. Ces mouvements ont suscité un ensemble considérable de textes théoriques, tels ceux de Frantz Fanon, *Les Damnés de la terre*[6] et d'Albert Memmi, *Portrait du colonisé*[7]. Les réflexions sur la psychologie et les conditions socio-culturelles du colonisé se sont vite répandues dans les milieux intellectuels et révolutionnaires de l'époque. Aquin poursuivait des recherches sur le complexe du colonisé et adhérait aux théories de la décolonisation qu'il reprenait dans ses essais[8].

---

6. Frantz FANON, *Les Damnés de la terre*, Paris, François Maspero, « Cahiers libres », n°s 27-28, 1961, BIB. L'exemplaire d'Aquin porte l'inscription, de sa main : « Lu par un dément en novembre 63. Montréal. »

7. Albert MEMMI, *Portrait du colonisé*, Paris, Buchet-Chastel, 1957 ; Paris, J.-J. Pauvert, « Libertés », 1966, BIB. La réédition du livre pour le marché québécois (Montréal, L'Étincelle, 1972) est suivie d'une discussion : « Les Canadiens français sont-ils des colonisés ? » Memmi apporte une réponse positive à la question (toute proportion gardée : la colonisation est une affaire de degré) et décrit sa rencontre au Québec avec de jeunes intellectuels, dont Aquin, qui se passionnaient pour son œuvre.

8. Voir, par exemple, « Profession : écrivain », *Parti pris*, vol. 1, n° 4, janvier 1964, p. 23-31 (repris dans *Point de fuite*, Montréal, Cercle du livre de France, 1971, p. 47-59) ; voir aussi dans *Blocs erratiques*, Montréal, Quinze, 1977, « L'Art de la défaite », p. 113-122, « Littérature et aliénation », p. 127-135 et « Le Joual-refuge », p. 137-142.

Selon Fanon, la culture d'une nation colonisée traverse trois périodes que les sociologues québécois de l'époque, en particulier Marcel Rioux, ont perçues dans l'histoire du Québec[9]. C'est au cours de la troisième période, celle qui, au Québec, correspond aux années soixante, que commence la révolution. La production culturelle joue alors une fonction révolutionnaire et devient une arme de guerre : l'écrivain dévoile à ses compatriotes la « misère de leur condition », prise de conscience préalable à toute possibilité de changement. Il n'invente ni un passé idéalisé, ni un avenir meilleur, mais exprime un présent insupportable.

Cette description de la situation du peuple canadien-français marque profondément la pensée d'Aquin. Comme écrivain révolutionnaire, il doit mener la guerre

---

9. Marcel RIOUX, « Aliénation culturelle et roman canadien », dans Fernand DUMONT et Jean-Charles FALARDEAU, dir., *Littérature et société canadiennes-françaises*, Québec, Presses de l'Université Laval, 1964, p. 145-150. Au début, le colonisé éprouve un désir d'assimilation, ce qui le pousse à préférer une culture qui mime celle de la métropole : pendant cette période, l'écrivain produit fatalement des œuvres calquées sur des modèles de la culture dominante, œuvres qui ne peuvent aspirer qu'au statut de bonne imitation. Au cours de la deuxième période (que Rioux situe pour le Québec entre 1935 et 1950), une prise de conscience de la dépossession culturelle inspire une valorisation des origines, une recherche de l'identité originelle par la découverte de la culture indigène et des valeurs perdues. Mais cette étape « folklorique », passage nécessaire sur le chemin de la libération, se situe toujours en marge de la « vraie » culture, celle du colonisateur, sans jamais pouvoir menacer, encore moins remplacer, son autorité. La culture folklorique favorise plutôt le maintien de la culture dominante.

contre l'oppression, aussi met-il en scène dans *Trou de mémoire* une métaphore de la situation du Québécois colonisé à travers le colonisé-révolutionnaire Magnant et son homologue africain Olympe. C'est l'échec qui domine dans ce roman, l'absence d'histoire et de littérature, l'impuissance politique, culturelle et personnelle.

Fondé en 1960, le Rassemblement pour l'indépendance nationale fut le groupe indépendantiste le plus important pendant cette période. Il s'organise en parti politique en 1963 et connaît une radicalisation qui entraîne une scission en 1964. Après un certain succès aux élections de 1966, il ne peut plus faire concurrence au Mouvement souveraineté-association né en 1967, auquel se joindront les membres les moins radicaux du RIN pour former le Parti québécois, sous le leadership de René Lévesque, en 1968. À titre de vice-président du comité exécutif régional de Montréal du RIN (1964), Aquin prononce plusieurs discours à l'occasion des assemblées du groupe, discours qui sont d'ailleurs mentionnés dans *Trou de mémoire* (p. 3).

Quant au Front de libération du Québec (FLQ), il constituait la faction radicale des mouvements indépendantistes : celle qui croyait à la nécessité de la révolution violente. On sait que le terrorisme sporadique des felquistes a atteint son point culminant avec la crise d'octobre 1970.

Aquin, lui aussi, fut séduit par le terrorisme. Dans une lettre à Gaston Miron (le 10 octobre 1963), il écrit : « J'ai frémi au rythme même des déflagrations du FLQ, et nombreux sont les Canadiens français qui ont éprouvé le même tremblement que moi, la même attente inavouable ! » En juin 1964, Aquin répond à l'invitation du FLQ lancée aux membres révolutionnaires du RIN en exprimant sa volonté d'action révolutionnaire : il fait publier dans *Le Devoir* (le 19 juin) un *appel aux armes* révolutionnaire annonçant sa décision d'entrer en « clandestinité » comme agent de l'« Organisation spéciale » (voir les allusions à ces événements dans *Trou de mémoire*, p. 45*).

L'action clandestine aboutit, le 5 juillet 1964, à l'arrestation d'Aquin alors qu'il était au volant d'une voiture volée. Lors de sa première comparution, on ne le considéra pas comme un criminel ordinaire et on lui imposa un traitement psychiatrique en attendant le procès qui allait conclure à son acquittement en 1965. Il passa la période du 15 juillet au 22 septembre à l'Institut Prévost, où il écrivit, en partie, *Prochain Épisode*[10].

2. *Le passé historique*

À l'époque où il concevait les premiers principes et les structures de ce qui allait devenir *Trou de mémoire*, Aquin avait également le projet d'écrire un roman historique en forme de « Journal inédit de Louis-Joseph Papineau ». Certains aspects de l'ouvrage dont il envisageait la rédaction rappellent *Trou de mémoire* :

> Mais ce qui me plaît et me séduit dans le roman — c'est qu'il revêt la forme d'une édition d'un document historique (Journal de LJP) doublé d'un com-

---

10. Voir MASSOUTRE, *op. cit.*

> mentaire de l'historien — en l'occurrence le narrateur. Ce qui fait une double narration dont le principe réside dans la diachronie (1839-1962) et la relation qui peut exister entre l'historien et le sujet qu'il étudie. Ainsi je multiplie, selon de multiples combinaisons, la vie d'un homme par celui [*sic*] d'un autre homme qui tente de comprendre le premier ; et je retrouve même, à l'intérieur de l'*inédit* historique, cette double dimension, puisque Papineau lui-même a un modèle. [...] Le roman multidimensionnel rejoint un ancien projet de roman historique en 1837-1838. De fait, il est la *forme* que je n'avais, depuis un an, réussi à fixer. (*Journal*, 6 août 1962)

Que ce projet de roman historique traitant de la Rébellion de 1837-1838 soit en quelque sorte devenu *Trou de mémoire* n'a rien d'invraisemblable : les phrases qui suivent cette inscription du *Journal* se retrouvent dans *Trou de mémoire* (p. 68*).

Mais les rapports de l'histoire et de la fiction préoccupaient Aquin depuis un autre projet de roman, sans titre, daté du 1er mai 1961. Selon lui, le roman historique « se dévalue au départ quand il s'offre comme histoire moins sérieuse que l'autre ; il entre aussitôt en compétition avec l'Histoire elle-même, et y perd. »

L'union d'un roman historique envisagé, mais jamais écrit (sur Papineau), et du projet de *Trou de mémoire* explique sans doute l'importance du passé québécois dans l'intrigue. La double trame temporelle (1837-1962) du roman sur Papineau est retenue, bien que l'évocation du passé prenne la forme d'une obsession du présent chez P. X. Magnant, qui n'a de cesse de rappeler au lecteur la parenté entre sa révolution et celle des Patriotes. Le parallèle évoqué reprend la pensée de certains intellectuels et révolutionnaires des années soixante (surtout ceux de *Parti pris* et du *FLQ*) qui établissaient avec les Patriotes une relation de fraternité. La présence de ce passé historique dans *Trou de mémoire* a donc la double fonction de signifier ce passé et de le situer comme élément constitutif du présent fictif. Évoquons quelques détails de ce passé historique qui obsèdent Magnant[11].

La fin du XVIIIe siècle au Canada voit le durcissement de nombreux conflits. L'afflux d'immigrants loyalistes désireux d'un régime plus représentatif et le mécontentement des colons entraînent l'Acte constitutionnel de 1791 qui divise le pays en deux colonies : le Haut Canada et le Bas Canada. Mais, au Bas Canada, cette division ne fait qu'aggraver la confrontation entre les anglophones orientés vers une idéologie libérale et les francophones tournés vers les traditions anciennes. Une troisième force émerge : une élite canadienne-française, laïque et bourgeoise. Épousant des valeurs républicaines, elle organise un parti qui s'appelle d'abord « canadien », puis « patriote », dont le chef est Louis-Joseph Papineau (il devient président de l'Assemblée en 1815). La détérioration de la situation politique et économique provoque la

---

11. Voir *Histoire du Québec,* sous la direction de Jean HAMELIN, Saint-Hyacinthe, Édisem, et Toulouse, Édouard Privat, 1976.

Rébellion de 1837-1838, fomentée par les Patriotes qui revendiquent leur indépendance vis-à-vis du pouvoir britannique.

Fervent nationaliste, mais aussi homme politique essentiellement pacifiste, Papineau finit par fuir au début des soulèvements de 1837, se réfugiant aux États-Unis, pour revenir à la fin des troubles comme collaborateur du nouveau gouvernement conjoint (l'Acte de l'Union, 1840). Cette situation confère à Papineau une double identité de héros et de traître, identité qui fascine Aquin : Papineau semble en effet incarner l'agent double qu'est le Canadien français, agent double parce que, selon Aquin, il travaille simultanément pour le Québec et pour le fédéral[12]. (Les événements sont évoqués explicitement dans *Trou de mémoire*, notamment le fait que les Patriotes ne remportent qu'une seule et unique victoire[13] [p. 44]).

---

12. Débat avec Hubert Aquin, Jacques Pelletier et Rénald Bérubé, UQR, 1975, Centre de documentation de l'ÉDAQ.

13. Aquin s'est penché sur la rébellion dans plusieurs articles ; il a également dirigé un numéro spécial de *Liberté* sur cette question (VII, 1-2, janvier-avril 1965), dans lequel se trouve « L'Art de la défaite », p. 33-41. Voir aussi « Introduction et commentaires », dans Louis-Joseph Papineau, *Histoire de l'insurrection au Canada*, Montréal, Leméac, « Québécana », 1968, p. 9-38 ; « Présentation », dans le volume qui contient François-Xavier Prieur, *Notes d'un condamné politique de 1838,* et Léandre Ducharme, *Journal d'un exilé politique aux terres australes*, Montréal, Éditions du jour, 1974, p. 7-9 ; « Présentation », dans Maximilien Globensky, *La Rébellion de 1837 à Saint-Eustache*, Montréal, Éditions du Jour, 1974, p. 7-9.

Le soulèvement, facilement dompté par les forces britanniques, démontre au gouvernement la nécessité de régler une situation qui risquait de devenir plus critique. Le gouvernement britannique réclame une enquête royale sur les problèmes internes à la colonie. Quelques mois à peine après son arrivée au Canada, Lord Durham soumet son Rapport (1839) qui atteste que la source des problèmes de la colonie réside dans la lamentable inégalité entre les deux races (anglaise et française), et que la seule façon de résoudre le problème est d'assimiler au plus vite, pour leur plus grand bien, les Français aux Anglais.

Une phrase célèbre de ce rapport — « C'est un peuple sans histoire et sans littérature » —, devenue un leitmotiv des révolutionnaires des années soixante, est évoquée dans *Trou de mémoire* : « mais justement, ce pays n'a rien dit, ni rien écrit » (p. 58). Les révolutionnaires québécois épousent stratégiquement ce jugement négatif pour mieux souligner le besoin de révolution, en situant la source de la pauvreté non pas dans l'insuffisance de la race, où Durham l'avait placée, mais plutôt dans la domination qu'avaient subie les Canadiens français — celle des Français, des Anglais, des Anglo-Canadiens et des Américains.

La genèse du roman

Bien que *Trou de mémoire* soit le produit d'un travail intense de deux ans, la genèse du roman se situe bien avant 1968, comme en témoigne cette note de 1973 :

> Dans chaque roman (ou téléthéâtre), j'ai toujours eu tendance à faire des plans archi-détaillés et archi-

complexes. En fait, j'ai surplanifié à tout coup ! Pour *Trou de mémoire*, dès 1962, j'avais élaboré un super-plan et le roman — laborieusement fait — n'est sorti qu'en 1968, soit six ans plus tard ! (CC)

L'année 1962 voit Aquin particulièrement actif sur les plans politique, professionnel et créateur. Il s'occupe de la publication de la revue *Liberté* et prépare un numéro spécial sur le séparatisme québécois[14]. De plus, il y publie un article sur « L'Existence politique[15] » et un autre qui sera probablement le plus important de sa carrière politique : « La Fatigue culturelle du Canada français[16] ».

Il travaille aussi pour Radio-Canada et collabore à l'ONF (l'Office national du film) à des projets dont on trouve des traces dans *Trou de mémoire*. Il est le réalisateur de « L'Homme vite » (1964), film sur la course automobile, et devient producteur délégué et réalisateur de deux longs métrages d'une série sur la civilisation française — « La France revisitée » (1963) et « À l'heure de la décolonisation » (1963).

Ces projets lui permettent de voyager : en novembre 1961, il visite Dakar, le Dahomey et Abidjan (mentionnés dans *Trou de mémoire*) et se rend en France le 11 juin 1962. Il se consacre surtout au long métrage « À l'heure de la décolonisation », organisant des entrevues avec Albert Memmi et Olympe Bhêly-Quénum, écrivain dahoméen, dont le nom, lié à celui du roi Ghezzo, lui

---

14. « Le Séparatisme », IV, 21, mars 1962.
15. *Liberté*, IV, 21, mars 1962, p. 67-76.
16. *Liberté*, IV, 23, mai 1962, p. 299-325.

servira d'inspiration pour celui du personnage africain de *Trou de mémoire*. Il se rend ensuite en Suisse romande où il interviewe Charles-Henri Favrod[17] au sujet du « Front de libération nationale » algérien (FLN) et rencontre Georges Simenon, auteur de romans surtout policiers qu'il admire beaucoup.

De retour à Montréal, Aquin fait face, à l'ONF, à de graves problèmes provoqués par les décisions prises en Europe quant aux projets dont on l'a chargé : il perd son poste de producteur-délégué de la série « Civilisation française », situation qui l'affectera profondément[18].

L'été et l'automne de 1962 sont particulièrement importants pour l'évolution de *Trou de mémoire*. Aquin élabore, en août, le projet d'un roman historique sur Louis-Joseph Papineau, dont nous avons déjà parlé, et en met un autre sur pied, daté du 29 octobre, qui deviendra *Trou de mémoire*. En 1962, entre le 24 avril et le 24 octobre (selon les dates indiquées dans les « Deux Cahiers »), il produit une version détaillée mais inachevée d'un texte qui est un avant-texte de *Trou de mémoire*, car il raconte l'histoire de P. X. Magnant et du meurtre de Joan, et l'histoire de sa sœur (Roslyn) qui travaille à

17. Directeur à l'époque de *La Gazette de Lausanne*, FAVROD est l'auteur de *Le F.L.N. et l'Algérie* (Paris, Plon, 1962) et de *L'Afrique seule* (Paris, Seuil, 1962). Il a contribué à un numéro de *Liberté*, « Culture française », qui examine les effets du colonialisme français : « On gouverne dans sa langue », V, n° 1, janvier-février 1963, p. 36-44.

18. Voir AQUIN, *Journal 1948-1971*, Appendice III, p. 368-370.

Lagos. (Le discours délirant de P. X. Magnant dans *Trou de mémoire* reprend parfois textuellement celui de la nouvelle). Les « Deux Cahiers » (voir Appendice I) contiennent une seconde intrigue, celle de l'épouse séparée du narrateur et de leur petite fille morte et enterrée à Toronto (voir *Trou de mémoire*, p. 94).

Entre 1962 et 1966, la politisation progressive d'Aquin le contraint « à faire un travail sans attache et très irrégulier » (*Point de fuite*, p. 33) qui l'empêchera de poursuivre la rédaction de *Trou de mémoire*. Après quelques tentatives pour entrer dans le monde des affaires, il devient courtier en valeurs immobilières en 1963. Il continue à collaborer à *Liberté* tout en s'engageant de plus en plus dans la revue *Parti pris*, où il publie « Profession : écrivain[19] ». Il est aussi employé par l'ONF et par Radio-Canada comme scénariste et signe plusieurs textes cinématographiques et radiophoniques : entre autres, un texte sur Nietzsche (1964). En 1966, il adapte le scénario d'un film de l'ONF intitulé *Faux Bond*, dans lequel il joue le rôle d'un agent double. Sur le plan politique, il continue ses activités auprès du RIN en prononçant plusieurs discours et en représentant le mouvement dans des émissions radiophoniques.

Après la publication de *Prochain Épisode*, lancé le 5 novembre 1965, Aquin se remet à écrire son deuxième roman. Dans une lettre du 22 janvier 1966, il parle de « ranimer un cadavre », celui de Joan, référence sans doute aux textes de 1962 (voir Appendice III). Le travail

---

19. *Parti pris*, vol. I, n° 4, janvier 1964, p. 23-31 ; repris dans *Point de fuite*, p. 47-59.

sur *Trou de mémoire* continue en Suisse, où il s'exile en mai avec celle qui est sa compagne depuis octobre 1965, Andrée Yanacopoulo. Le projet d'exil est motivé par la décision de se séparer légalement de sa femme et par le besoin de reprendre son écriture sans les entraves des retombées de son procès. Ils quittent Montréal pour la Suisse au début de mai 1966. Aquin y reste jusqu'en novembre, date à laquelle il est expulsé du pays, vraisemblablement à cause de ses activités politiques à Montréal. Il se rend en France où il demeure jusqu'au 21 mars 1967.

Pendant cette période d'exil, la rédaction de *Trou de mémoire* continue, de sorte qu'en juin 1966 il annonce à Tisseyre qu'il compte terminer le roman pour la fin du mois. Mais dans une lettre à ce dernier, datée du 23 juillet, il se déclare toujours en train de réviser le manuscrit (voir Appendice III).

Lors de son séjour en Suisse, Aquin ne trouve pas de travail et il éprouve de graves problèmes financiers (voir Appendice III). Mais les interruptions dans la rédaction de *Trou de mémoire* ne tiennent pas seulement à ces difficultés personnelles, elles tiennent également à la complexité interne de l'œuvre :

> Je ne pense qu'à trouver ce joint qui me manque pour terminer *Trou de mémoire* d'un seul trait et sans m'égarer.
>
> Admettons que le récit soit repris par B Quénum — interrompu — puis recommencé plus avant encore par *l'éditeur qui cherche désespérément la vérité et l'image de Joan.* Il prospecte — de façon délirante — le passé récent, le moins récent,

> tout ce qui a précédé ; il cherche Joan plus tristement et plus passionnément encore que cela n'a été fait dans la première partie.
>
> Plus le roman avance, plus la quête de Joan est lancinante, douloureuse, par l'accumulation des découvertes, des aveux, des précisions. (*Journal*, 1er septembre 1966.)

Les problèmes que lui posait l'intrigue du roman apparaissent aussi dans un témoignage d'Andrée Yanacopoulo, selon qui ils auraient eu une conversation au sujet du bon stratagème à adopter pour finir *Trou de mémoire*[20].

À son retour à Montréal, Aquin obtient une charge d'enseignement au Collège Sainte-Marie et devient professeur à temps plein en mars 1968 ; il est aussi producteur consultant pour le Pavillon du Québec à Expo 67. Sur le plan des engagements politiques, ses activités auprès du RIN se poursuivent.

Dans une lettre à Tisseyre datée du 28 décembre 1966, Aquin annonce : « Le texte final de *Trou de mémoire* est terminé. » Il ne l'enverra à l'éditeur que le 14 janvier.

Réception critique

Avec *Prochain Épisode*, Aquin confère à la littérature canadienne-française une identité à la fois québécoise —

---

20. Françoise Maccabée Iqbal, *Desafinado*, Montréal, VLB Éditeur, 1987, p. 267. C'est Andrée Yanacopoulo qui lui aurait suggéré « sans le vouloir » le titre du roman.

dans le sens révolutionnaire que prend ce mot dans les années soixante — et internationale, car son style « fulgurant » semble dépasser les frontières d'une littérature trop longtemps repliée sur elle-même. Toutefois, les attentes suscitées par ce roman ne sont pas toujours confirmées par *Trou de mémoire*. Beaucoup de critiques partagent l'avis de Réjean Robidoux, pour qui le deuxième roman n'est pas « le chef-d'œuvre qu'on eût pu attendre de l'auteur de *Prochain Épisode*[21] ». En 1985, on compte seulement 66 articles et livres consacrés à *Trou de mémoire*, comparativement à 243 pour *Prochain Épisode* (JM). Ce chiffre dénote, par contre, un intérêt légèrement supérieur à celui de la critique des deux romans suivants[22].

Sur le plan institutionnel, *Trou de mémoire* connaît un succès immédiat et obtient le prix du Gouverneur général, refusé par Aquin en raison de son « engagement politique » (voir Appendice III). Cependant, le livre ne remporte pas le succès escompté en librairie : dans une lettre du 13 mai, six semaines après la parution, Tisseyre annonce que le livre « n'est pas bien parti ». Robert Laffont se dit intéressé par la publication du roman en France, mais demande de nombreux remaniements ; le projet ne se réalisera jamais à cause d'un démêlé entre Laffont, Aquin et Pierre Tisseyre. Un deuxième projet de coédition franco-québécoise chez Grasset n'aboutira

---

21. « Romans, nouvelles et contes », *University of Toronto Quarterly*, XXXVIII, n° 4, juillet 1969, p. 474.

22. Les principales études consacrées à *Trou de mémoire* sont répertoriées dans la note bibliographique, p. XLVII-XLVIII.

pas non plus en dépit d'une subvention accordée à cette fin.

La réception immédiate par la critique journalistique est partagée entre d'extravagantes louanges et un certain agacement à l'endroit du langage considéré comme blasphématoire[23] ou bien prétentieusement érudit. Jean Éthier-Blais juge le roman supérieur à *Prochain Épisode* : il révèle, écrit-il, le « passage parmi nous d'un grand écrivain[24] ». À l'opposé, Monique Bosco y voit une « bonne reproduction » du premier roman, manifestant des « fautes de goût volontaires, des vulgarités gratuites, une exploitation naïve et forcée des clichés de l'actualité », le tout aboutissant au « comble de l'aliénation bourgeoise[25] ». On reconnaît en général la présence des mêmes éléments thématiques et formels qui ont plu dans *Prochain Épisode*, reprise que l'on perçoit comme une régression ou un approfondissement, selon le cas. On retient surtout le travail formel centré sur le langage, les éléments baroques et l'anamorphose, la complexité de l'intrigue et de la narration qui, pour certains, apparentent le roman au Nouveau Roman français. Sur le plan thématique, c'est l'évocation de la révolution qui attire l'attention puisqu'elle semble compléter la promesse d'un « prochain épisode ».

Pour la critique universitaire, l'intérêt de *Trou de mémoire*, comme de toute l'œuvre d'Aquin, se situe dans

---

23. Voir Claude DAIGNEAULT, « Il faudrait pourtant que passe à l'auteur cette manie [...] d'écrire en blasphémant », « Hubert Aquin l'illusionniste », *Le Soleil*, 4 mai 1968, p. 44.

24. « Trou de mémoire », *Le Devoir*, 11 mai 1968, p. 15.

25. « Ce "cochon de payant" de lecteur », *MacLean*, vol. 8, n° 6, juin 1968, p. 47.

la composition et les thèmes : les énigmes de l'anamorphose, l'aspect baroque, les circonvolutions narratives comme aussi les techniques du roman policier et l'élément religieux. Au niveau thématique, c'est toujours la question de la révolution qui domine. Par ailleurs, il y a un intérêt grandissant (suivant sans doute la vogue des préoccupations de la critique) pour le travail intertextuel.

Finalement, une tendance plus récente, celle de la critique féministe, porte un jugement sévère sur la représentation de la femme et la violence qui lui est faite dans *Trou de mémoire*[26].

Ce n'est qu'en 1974 que le roman touchera le monde anglophone avec la traduction d'Alan Brown, *Blackout*[27]. La même année, le ministère de l'Éducation du Québec l'écarte de son programme d'études à l'école secondaire.

Stratégies d'écriture

> Et quand tout éclate dans une société, il est peut-être prévisible et même normal que la littérature éclate en même temps et se libère de toute contrainte formelle ou sociale[28].

Dans ces propos, écrits en 1968, Aquin met au jour une des répercussions les plus éclatantes de la Révolution tranquille : la transformation de la littérature. Les années

---

26. Voir, par exemple, Patricia SMART, *Écrire dans la maison du père*, Montréal, Québec/Amérique, 1988, p. 250-254.
27. *Blackout*, trad. d'Alan Brown, Toronto, Anansi, 1974.
28. Hubert AQUIN, « Littérature et aliénation », *Blocs erratiques*, p. 135.

soixante représentent en effet un nouveau moment dans l'histoire littéraire au Québec. La mutation profonde dans la société donne lieu à une révolution littéraire sans pareille. De nombreux auteurs remettent en question les institutions traditionnelles tout en explorant des formes nouvelles. Iconoclastes et innovateurs, Aquin, Bessette, Blais, Ducharme, Godbout, Jasmin, Martin, Renaud — pour nommer les plus connus — transforment de façon radicale les codes et les significations romanesques[29].

Dans *Trou de mémoire*, cette transformation prend une forme complexe (et inédite à certains égards) : dédoublement des personnages et des thèmes, fragmentation des récits, instabilité de la voix narrative et parodie du discours éditorial. Ces stratégies produisent un effet d'incohérence qui est fortement motivé d'un point de vue idéologique puisque, à l'instar des écrivains de *Parti Pris*, Aquin perçoit ce phénomène comme « une des modalités de la révolution ». Son contraire, écrit-il, n'est qu'un piège tendu par la culture dominante :

> Le Canadien français qui n'en peut plus de lui-même cherche à voir plus grand et à se perdre dans un non-groupe, dont il ne discerne pas la position dominatrice, qui lui fournit généreusement une non-identité cohérente. (« Profession : écrivain », *Point de fuite*, p. 53-54)

---

29. Voir Jacques ALLARD, « Le Roman québécois des années 1960 à 1968 », *Europe*, février-mars 1969, p. 41-50, et Jacques COTNAM, « Le Roman québécois à l'heure de la Révolution tranquille », *Archives des lettres canadiennes*, tome 3, *Le Roman canadien-français,* Montréal, Éditions Fides, 1971, p. 265-297.

C'est alors en faveur d'une identité authentique et, en même temps, révolutionnaire que Aquin inscrit l'incohérence à tous les niveaux de *Trou de mémoire*.

1. Créativité langagière

Un élément formel bien aquinien qui contribue à l'effet d'incohérence est ce qu'il appelle la « verbigération » : il s'agit d'une maladie, dont Magnant se dit atteint (p. 21), qui afflige le sujet d'une véritable « graphorrée » — un discours décousu, ressemblant souvent au délire, caractérisé par un taux élevé de néologismes. Décrites dans *Trou de mémoire*, ces « altérations du langage » d'origine psychopathique semblent inspirer le style du roman. L'utilisation d'un lexique savant produit incontestablement un effet de « verbigération » : entassement de mots en apparence gréco-latins qui ne se distinguent guère, pour le simple lecteur, des néologismes. Voilà un aspect difficile de la prose aquinienne et que certains trouvent irritant. Mais il sert des fins à la fois thématiques et stylistiques dans la création d'un discours riche en signification, tout en frôlant la maladie métaphorique dont il est le symptôme.

Deux aspects de cette créativité langagière méritent d'être signalés. Le néologisme peut se construire à partir des règles morphologiques normales, telle que la verbalisation d'un nom comme « soleiller ». Il devient parfois hermétique s'il dérive de noms propres : « Spansule », marque d'un médicament, devient « spansulée » (p. 32) ; « Melpomène », muse de la tragédie, prend la forme d'un adjectif, « melpomène » (p. 144).

Une deuxième stratégie consiste à inventer un mot à partir de morphèmes dont le sens est clair ou accessible. L'utilisation de racines grecques et latines donne à ces mots une apparence scientifique, de sorte qu'ils se distinguent souvent mal de véritables mots techniques. Par exemple, les mots formés avec le suffixe « -gène », comme « idéogène » et « nyctogène ».

2. *L'écriture des variantes*

La créativité langagière ne se manifeste pas seulement par les jeux de mots mais aussi par l'érudition. D'un côté, une grande partie de l'érudition dans *Trou de mémoire* est vérifiable — le taux d'invention étant presque nul —, même si certains détails manquent de précision. Mais d'un autre côté, l'érudition manque d'authenticité : parfois elle ne provient pas de la source donnée en note, mais d'une compilation où Aquin puise aussi bien des renseignements scientifiques que des noms de chercheurs. En plus, de nombreux développements empruntés à d'autres ouvrages s'inscrivent dans le texte sans aucune indication de leur origine.

Dans un article intitulé « L'Originalité[30] », Aquin condamne comme fétichiste et répressif le critère esthétique d'originalité qui, en valorisant le génie et l'inspiration, ne tient pas compte des aspects pratiques et économiques du travail d'écriture. La notion d'anti-originalité est une constante à travers toute l'œuvre aquinienne.

---

30. *Le Cahier*, supplément au *Quartier Latin*, 3 février 1966, p. 3.

Ainsi, en méditant sur un projet de téléthéâtre, Aquin remarque l'aspect archétypal de « tous les sujets qu'[il] invente » et souligne que le « déterminisme culturel qui pèse sur [lui] de tous ses antécédents [l'] inhibe et [le] subjugue à la fois ». Il conclut : « *J'ai* le sentiment d'écrire des "variantes". » (*Journal*, 26 juillet 1961) De même, dans « Profession : écrivain », il annonce que « l'originalité d'un écrit est directement proportionnelle à l'ignorance de ses lecteurs. Il n'y a pas d'originalité : les œuvres sont des décalques. » (p. 49)

Cette fatalité de l'écriture est pourtant accompagnée d'une recherche de l'originalité perçue comme impossible. Tout comme le narrateur de *Prochain Épisode* relève le défi de « faire original dans un genre qui comporte un grand nombre de règles » (p. 7), Aquin adopte le roman policier comme genre à l'intérieur duquel il tentera d'innover. Deux paradoxes surgissent de ces considérations. Premièrement, si *Trou de mémoire* accède à l'originalité par ses innovations formelles, c'est parce que ces innovations disqualifient le roman comme appartenant au genre policier, en vertu justement des règles brisées[31]. Deuxièmement, c'est par le biais d'une stratégie de composition aux antipodes de la notion d'originalité que se compose *Trou de mémoire*, étant donné la présence de nombreux emprunts textuels. Le déterminisme culturel dont se plaint l'auteur dans son *Journal* prend alors la forme d'un

31. Selon Tzvetan TODOROV : « Le roman policier par excellence n'est pas celui qui transgresse les règles du genre, mais celui qui s'y conforme. » « Typologie du roman policier », dans *Poétique de la prose*, Paris, Seuil, 1971, p. 56.

surdéterminisme textuel : l'intertextualité dans son sens le plus large, et le plagiat dans un sens plus strict.

Le rapport entre le déterminisme culturel et textuel s'exprime dans une phrase répétée dans *Trou de mémoire* : l'histoire qui s'écrit est en réalité « écrite d'avance » (p. 42, p. 127). Sur le plan culturel, l'expression renvoie à l'histoire du Québec, une histoire coloniale, qui retrace une volonté historique selon laquelle l'histoire du pays conquis est déterminée par celle du pays conquérant[32].

Au niveau textuel, la notion de l'histoire « écrite d'avance » reprend celle de l'écriture des variantes et de la fatalité de la répétition, que celle-ci soit déterminée par les règles génériques, ou bien par l'impossibilité d'inventer du nouveau (on peut noter, à ce sujet, la thématique héraclitéenne de la répétition et du renouvellement).

Quoi qu'il en soit, la situation aboutit, chez Aquin, à une stratégie de composition par citation inavouée, par collage, stratégie exprimée dans une phrase du « projet de pièce » (sans date) : « Ne rien inventer, ne jamais créer, ni modifier, mais accumuler ». Dans le contexte des réflexions théoriques et politiques sur la fatalité de la répétition (« l'histoire aussi décalque »), il faudrait considérer cette technique non seulement comme un aspect purement formel du style aquinien, mais comme une de ces formes qui constituent une partie importante de la signification du texte. Dans sa recherche pour son cours

32. « [...] le dominé vit un roman écrit d'avance », affirme Aquin dans « Profession : écrivain », *Point de fuite*, p. 52.

sur le baroque, Aquin cite des extraits de Borges qui rejoignent ses propres réflexions sur l'originalité. De « Tlön, Uqbar, Orbis Tertius » (*Ficciones*), par exemple, il note le passage suivant qu'il traduit vraisemblablement de l'anglais :

> Dans la littérature, l'idée la plus courante [à Tlön] est que toutes les productions proviennent d'un seul et même auteur. Les exemplaires, d'ailleurs, sont rarement signés. La notion de plagiat n'existe même pas [...] Les ouvrages de fiction se déroulent d'après un seul schème mais non sans variation permutationnelle. (JJ)

Il n'est guère possible d'établir la liste de tous les ouvrages qui ont servi de sources à *Trou de mémoire*. Nous signalerons les principaux dans les notes et dans la bibliographie. La recherche de ces sources constitue une grande enquête certes compatible avec les desseins d'un auteur qui aime jouer avec son lecteur. Si certaines apparaissent assez clairement, comme dans le cas d'*Anamorphoses ou perspectives curieuses* de Jurgis Baltrušaitis[33], d'autres se dérobent avec insistance. Mais là n'est pas l'essentiel, car l'identification des sources est moins importante que la stratégie de la création « au deuxième degré » qui se développe à travers l'œuvre.

---

33. Jurgis Baltrušaitis, *Anamorphoses ou perspectives curieuses*, Paris, Olivier Perrin, 1955, BIB.

3. Le roman policier

L'intérêt d'Aquin pour la forme policière est évident si l'on en juge par ses lectures : comme Magnant derrière son comptoir de pharmacien, il en a « avalé » des centaines. Cet intérêt sert des besoins aussi bien thématiques que formels et constitue l'ébauche d'une théorie romanesque qui rejoint celle du collage : l'écriture régie par une intertextualité qui transgresse les notions de genre, de propriété et d'originalité littéraires. Comme le dit P. X. Magnant : « Tous les romans sont policiers, c'est l'évidence même et je n'y peux rien. » (*Trou de mémoire*, p. 90)

Dans une réflexion sur le roman, Aquin explique que c'est par curiosité pour l'anormal, la transgression, qu'il arrive à la figure d'Œdipe et à la notion d'énigme, source du drame en ce qu'elle « réunit, dans l'ambiguïté, ceux qui sont inconciliables » (*Journal*, 2 août 1961). Selon lui, l'énigme viendrait de la « double identité » des personnages. Ainsi, la thématique du double est liée à l'utilisation de la forme policière :

> La *double identité* est un lieu commun de tout roman policier : ne dit-on pas une « énigme » policière ? Dans le roman policier, tous les acteurs ont deux identités ! À ce point de vue, le genre policier manifeste la profusion aberrante de l'énigme par rapport aux personnages ; il est une sorte d'aberration du mythe. La structure de base est analogue, mais la médiation est sur-évaluée : le dévoilement (qui signifie celui de la fatalité) s'accomplit en une multitude de temps. (*Journal*, 2 août 1961)

Une deuxième réflexion sur le roman policier évoque une stratégie qui servira plus tard à la rédaction de *Trou de mémoire* :

> Roman policier, axé sur la pharmacopée. Ce qui, en litt. normale, ne pourrait éviter le pédantisme, paraîtra un luxe agréable dans le policier qui appelle le baroque. Je vais m'acheter un traité de pharmacie. (*Journal*, 15 août 1962)

Cependant, ce n'est pas seulement la description du projet de roman qui rappelle *Trou de mémoire*, mais l'existence d'une coïncidence verbale — un cas d'autocitation — qui n'est pas unique dans les écrits d'Aquin. En effet, la première phrase de ce passage, ainsi que l'essentiel de la réflexion sur le pédantisme et le baroque, sont repris dans *Trou de mémoire* (p. 68*).

Enfin, Aquin note dans son *Journal* : « L'idée de faire un roman policier à forme ou ton scientifique (linguistique, anthropologie, philosophie) me poursuit : mais celle de faire tout simplement un roman aussi. » (19 septembre 1962). Le mois suivant, cette préoccupation rejoint une perspective qui lui permettra de combiner la rigueur de la cohérence exigée par l'énigme policière et le désir de briser les structures traditionnelles, c'est-à-dire de retrouver l'originalité par la voie de l'anormalité, par la transgression qui aboutit à l'incohérence. Cette fois, l'inspiration provient de la lecture de *Pale Fire* de Nabokov.

4. Nabokov et la destruction de la forme

À la mention de la « chambre obscure » de l'hôtel Windsor, l'éditeur fictif du texte de Magnant signale une allusion au titre d'un roman de Nabokov[34] et se demande si cette évocation serait révélatrice d'un « culte secret » pour cet auteur (*Trou de mémoire*, p. 49**). On sait que le culte que vouait Aquin à Nabokov n'était aucunement secret.

En mentionnant Nabokov, nous abordons un sujet qui serait aussi pertinent à la discussion de la genèse qu'à celle des sources de *Trou de mémoire*. Si nous préférons le traiter sous la rubrique des stratégies d'écriture, c'est que son apport est surtout d'ordre formel et que la lecture de *Pale Fire*[35] a contribué à la réflexion théorique d'Aquin sur l'esthétique romanesque. Dans la mesure où cette lecture aurait permis la cristallisation d'un ensemble de préoccupations qui aboutiront à *Trou de mémoire*, il convient de citer quelques passages du *Journal* (voir Appendice IV). L'apport de *Pale Fire* à la technique de *Trou de mémoire* (notamment les notes fictives qui commentent le texte, l'accumulation des narrateurs/scripteurs, les formes hétérogènes du récit) et l'insistance sur la destruction absolue du sens en font un texte capital.

> *26 octobre 62. Vendredi soir*
> Épreuve de force : Nabokov vient de publier un roman dont la composition ressemble singulièrement à celle que j'avais commencé de donner au roman que j'écris depuis quelque temps. *Pale Fire* est un roman dont la forme est constituée de plu-

---

34. Vladimir NABOKOV, *Chambre obscure*, Paris, Grasset, 1959, trad. de Doussia Ergaz, édition originale 1934, BIB.

35. Vladimir NABOKOV, *Pale Fire*, New York, G.P. Putnam, 1962, BIB.

> sieurs formes de récit : poème, essais, souvenirs, analyses philosophiques, etc.[36] Je suis devancé — et par celui qui, un été, m'a révélé l'efficacité de l'écriture verbigératrice pour rendre l'obsession sexuelle.
>
> [...] Le lecteur se trouvera médusé, trahi, mis finalement en présence d'une œuvre détruite, d'un chaos — alors que, selon les lois de tous les genres, il était en droit d'attendre le contraire. Après avoir annoncé une construction, je lui dévoilerai un amas de ruines.

Par ailleurs, l'annotation fictive dans *Trou de mémoire*, inspirée par le texte de Nabokov, s'inscrit dans la poétique globale du roman. Indices intertextuels explicites, les notes font éclater les frontières du texte dans un mouvement centrifuge qui, selon Aquin, caractérise le baroque : « les directions multiples conduisant vers un extérieur phériphérique spatio-temporel qui n'est jamais réductible au système opératoire de l'œuvre » (LBA). L'écriture « marginale » se transforme ainsi en une théorie explicite de la production : dans un dossier daté de 1971 (CIT), Aquin compulse une série de citations à des fins de collage qu'il appelle « Inserendes ». Il explique le sens de ce terme dans une lettre à Louis-Georges Carrier : « J'ai trouvé une définition de l'inserende : "glose marginale inscrite par un copiste et indûment insérée dans le

36. Il s'agit d'un poème commenté, sorte d'édition annotée où les explications de l'éditeur constituent, en réalité, la trame de l'intrigue.

texte par un de ses successeurs". » (CBA) Cette pensée centrifuge finira par englober non seulement la pratique textuelle, mais aussi le « moi » de l'écrivain :

> Le texte s'écrit continuellement dans le texte ou le long des marges d'un autre texte. Le moi est un intertexte, la conscience du moi un commentaire désordonné — marginalia parfois indiscernable mais pourtant toujours formante, instauratrice[37].

5. *Le baroque et l'anamorphose*

Un autre élément formel capital est fourni par l'art baroque qui passionnait Aquin (il a donné un cours sur le baroque littéraire à l'UQAM en 1969-1970). Dans la pensée d'Umberto Eco[38], il découvre le concept d'ouverture, essentiellement baroque, qui engage la participation du lecteur dans la création de sens multiples. Cette ouverture est créée par la complexité formelle de l'art baroque dont Jean Rousset[39] a énuméré les traits principaux. Aquin les reprend dans ses notes de cours : par exemple, les énigmes construites par l'artifice et la dissimulation, le trompe-l'œil, l'inachevé, la fluidité, l'incertitude et les points de vue multiples (LBA).

---

37. Lettre à Michelle Fauvreau, publiée dans *Mainmise*, sous le titre « Le Texte ou le silence marginal ? », nº 64, novembre 1976, p. 18-19. Repris dans *Blocs erratiques*, p. 269-272.

38. Umberto Eco, *L'Œuvre ouverte*, Paris, Seuil, 1965, BIB. L'édition de G. Thérien de *L'Antiphonaire* signale l'importance de cette œuvre dans le roman.

39. Jean Rousset, *La Littérature de l'âge baroque en France. Circé et le paon*, Paris, Corti, 1965, BIB.

Ces traits sont tous présents dans *Trou de mémoire*. Mais c'est la technique de l'anamorphose qui figure comme l'élément baroque le plus évident et le plus significatif. Pour l'exploiter, Aquin s'inspire d'*Anamorphoses ou perspectives curieuses* de Baltrušaitis, y empruntant non seulement le principe de composition anamorphotique, mais plusieurs passages qu'il reprend intégralement dans le roman (voir Appendice II).

Rappelons brièvement que l'anamorphose est une déformation de la perspective utilisée dans les arts visuels. À l'origine, l'anamorphose servait à créer l'illusion de la bonne proportion pour une image peinte sur la surface sphérique d'une coupole d'église. Appliquée à une image dessinée sur une surface plane, cette déformation produit une image incompréhensible sans le redressement des bonnes proportions effectué par la projection de l'image dans un miroir cylindrique qui rétablit la perspective normale, ou bien par un changement dans la position du spectateur. L'anamorphose met ainsi en lumière la faiblesse des sens, en particulier celle de la perception humaine, car, une fois redressée, l'image énigmatique révèle sa signification occultée.

Dans *Trou de mémoire*, l'anamorphose est magistralement représentée par le célèbre tableau de Hans Holbein le Jeune « Les Ambassadeurs » (1533) (voir Appendice V). Lorsque le spectateur jette un second regard, de nature oblique, vers les ambassadeurs, la figure d'un crâne apparaît sous une forme anamorphotique. Une fois perçue, l'anamorphose, qui met en scène l'image de la mort, pulvérise les symboles de puissance et de richesse terrestres représentés par les ambassadeurs.

Les analyses de la fonction de l'anamorphose dans le roman reprennent généralement la pensée de l'éditeur fictif qui interprète la figure comme une grille métaphorique du texte (p. 162). Mais voir l'anamorphose comme métaphore du texte, c'est limiter la portée de cette figure qui est aussi métaphore de la lecture puisqu'elle implique la création du sens. En effet, pour qu'il y ait anamorphose, il faut que le spectateur participe activement à la formation du « drame en deux actes ». Or, le regard posé sur la décomposition des formes et du sens — le regard du lecteur qui cherche la vérité du roman — découvre qu'en dernière analyse le processus anamorphotique ne fait que dramatiser l'incohérence inscrite à tous les niveaux de *Trou de mémoire*. Comme l'a écrit Aquin en 1962 :

> Ainsi les parties de mon roman ne seront pas des parties d'un roman — mais des ensembles autistes, des chapitres schizophrènes réunis dans une même salle. (*Journal*, 26 octobre 1962)

*

* *

Perçu à la lumière des autres romans aquiniens, *Trou de mémoire* représente un lieu de convergence qui rassemble de façon singulière les réseaux thématiques et les formes narratives. On y trouve en effet les grands thèmes qui traversent l'œuvre entière : l'amour, la mort, la quête d'identité, la violence et la transgression sexuelle. La situation amoureuse qui sert de prétexte à *Trou de mémoire* reprend les éléments fondamentaux de *L'Invention de la mort* : un amant désespéré devant ce qu'il croit être l'infidélité de son amante mariée tente de se suicider. Mais d'autres dimensions primordiales, notamment le meurtre, la disparition finale des personnages masculins, comme encore le spectre de Hamlet, rappellent vivement *L'Antiphonaire* et *Neige noire*. *Trou de mémoire* contient également des composantes absentes de certains romans : l'élément politique, par exemple, qui s'y affirme de facon percutante (comme dans *Prochain Épisode*), s'estompe dans *L'Antiphonaire* pour disparaître complètement de *Neige noire*.

De même, d'un point de vue formel, *Trou de mémoire* déploie la plupart des stratégies narratives mises en place dans l'œuvre — de la superposition spatiotemporelle qui caractérise *Prochain Épisode*, jusqu'au morcellement du récit dans *Neige noire*, en passant par l'érudition au second degré de *L'Antiphonaire*.

Véritable carrefour de formes et de sens, ce roman possède des traits qui lui sont propres. Solidement ancré dans la modernité, il constitue un lieu de rencontre privilégié des discours théoriques et romanesques aquiniens. Nulle part ailleurs on ne découvre autant de reflets des écrits théoriques de l'auteur, en particulier sur les questions de la décolonisation, de la révolution, de l'originalité, du plagiat et du rôle du lecteur. Cette édition critique nous a révélé que lire *Trou de mémoire*, c'est toucher de façon significative la pensée révolutionnaire et esthétique d'Aquin. Si, par ses thèmes, ce roman renvoie à l'œuvre romanesque, il sollicite tout aussi fortement la lecture des nombreux essais de l'auteur (publiés dans *Point de fuite* et *Blocs erratiques*).

En outre, *Trou de mémoire* représente incontestablement le projet narratif le plus ambitieux d'Aquin. La multiplicité des « paroles en miroir » qui le traversent et la parodie du discours éditorial en font un texte non seulement riche et complexe, mais éclaté : sans frontières, ni limites. Témoignage éloquent de l'immense culture de l'auteur et de son engagement politique, il oriente constamment le lecteur vers des horizons hétérogènes : Nabokov, Borges, De Quincey et Shakespeare, bien entendu, mais aussi Memmi et Fanon sans oublier *Parti Pris*. L'art est véritablement lié à la révolution, le texte à l'intertexte historique et social. En évoquant l'image de la bibliothèque borgésienne, qui fascinait tant Aquin, nous croyons qu'il faudra dorénavant lire *Trou de mémoire* à travers une multitude d'autres discours : ceux-là mêmes qui s'entrecroisent dans les interstices de sa forme anamorphotique.

Note sur l'établissement du texte

Aucun manuscrit de *Trou de mémoire* n'a pu être retrouvé. Comme texte de base, nous utilisons la seule édition qui existe, celle de Pierre Tisseyre (Cercle du Livre de France, 1968). Par contre, il y a deux plans du roman et un avant-texte que nous désignons par « Deux Cahiers ». L'avant-texte, qui est en fait une nouvelle inachevée et l'un des plans sont présentés dans l'appendice I. Nous ne signalons les nombreuses ressemblances entre les « Deux Cahiers » et *Trou de mémoire* que dans les cas les plus importants. En outre, quelques extraits du roman, publiés avant la parution de *Trou de mémoire*, sont répertoriés dans la bibliographie[40].

Les modifications au texte de *Trou de mémoire* se limitent aux coquilles, aux étourderies typographiques et aux erreurs grammaticales, corrections qui ne sont pas signalées. Quant aux références données par l'auteur dans les notes fictives en bas de page, elles sont reproduites sans modification. Pour des raisons de lisibilité, des asté-

---

40. Modifications apportées à ces extraits : suppression de l'annotation fictive, correction d'erreurs typographiques et, dans un cas, ajout de guillemets pour le dialogue et les mots anglais.

risques remplacent les chiffres d'appel utilisés dans l'édition originale. Par ailleurs, les interventions sur les « Deux Cahiers », comme sur tous les documents qui figurent dans les appendices, touchent uniquement à la restitution des termes illisibles et aux erreurs typographiques.

Riche et inventive, la langue d'Aquin pose quelquefois des problèmes dans la mesure où il peut être difficile de distinguer entre une faute typographique et un néologisme. Les cas ambigus sont signalés dans le texte par un [*sic*] ou font l'objet d'une note. D'autres termes — néologismes, expressions québécoises, mots techniques ou obscurs —, qui peuvent créer des difficultés de lecture, sont regroupés dans un glossaire où, le cas échéant, ils sont accompagnés d'une brève explication.

Autre élément : la quantité de noms propres provenant de langues étrangères, en particulier des langues africaines et de l'italien de la Renaissance. La forme utilisée par Aquin se trouve souvent non dans les usuels contemporains mais dans des textes étrangers ou plus anciens. Nous retenons l'orthographe d'Aquin lorsqu'elle correspond à l'usage des sources consultées pour la rédaction de *Trou de mémoire*.

* * *

Nous remercions vivement nos collègues du comité de direction, du comité éditorial et de l'équipe de l'EDAQ pour leur contribution à cette édition. Ce travail n'aurait pas vu le jour sans leur appui moral et intellectuel. Nous remercions également Sylvie Rosienski pour son aide indispensable.

Note bibliographique

I. Ouvrages bibliographiques

MARTEL, Jacinthe, « Bibliographie analytique d'Hubert Aquin, 1947-1982 », *Revue d'histoire littéraire du Québec et du Canada français*, vol. 7, 1984, p. 79-229.

——, « Bibliographie analytique d'Hubert Aquin (mise à jour, 1983-1984) », *Revue d'histoire littéraire du Québec et du Canada français*, vol. 10 (« Éditer Hubert Aquin »), 1987, p. 75-112.

——, « Bibliographie analytique d'Hubert Aquin (mise à jour, 1985) », *Bulletin de l'ÉDAQ*, nº 6, 1987, p. 23-62.

II. Ouvrages critiques consacrés à Hubert Aquin et à **Trou de mémoire**

Collectif, *Le Québec littéraire*, 2 : Hubert Aquin, 1976.

LAPIERRE, René, *L'Imaginaire captif. Hubert Aquin*, Montréal, Quinze, « Prose exacte », 1981.

LAMONTAGNE, André, *Les Mots des autres*, Sainte-Foy, PUL, « Vie des lettres québécoises », 1992.

MACCABÉE IQBAL, Françoise, *Hubert Aquin romancier*, Sainte-Foy, PUL, « Vie des lettres québécoises », 1978.

——, *Desafinado : otobiographie de Hubert Aquin*, Montréal, VLB Éditeur, 1987.

MOCQUAIS, Pierre-Yves, *Hubert Aquin ou la quête interrompue*, Montréal, Cercle du Livre de France, 1985.

RANDALL, Marilyn, *Le Contexte littéraire : lecture pragmatique de Hubert Aquin et de Réjean Ducharme*, Montréal, Éditions le Préambule, 1990.

SMART, Patricia, *Hubert Aquin, agent double*, Montréal, PUM, « Lignes québécoises », 1973.

WALL, Anthony, *Hubert Aquin entre référence et métaphore*, Candiac, Québec, Les Éditions Balzac, 1991.

III. Extraits publiés et traduction de Trou de mémoire

« *Trou de mémoire* » (extraits), *Liberté*, VIII, 5-6 (47-48), septembre-décembre, 1966, p. 46-56.

« Théâtre supérieur », « Écrivains du Canada », *Les Lettres nouvelles*, numéro spécial, décembre 1966 – janvier 1967, p. 179-188.

« *Trou de mémoire* », *Écriture*, 3, Cahiers de la renaissance vaudoise, Lausanne, 1967, p. 117-119.

Blackout, trad. d'Alan Brown, Toronto, Anansi, 1974.

IV. Principaux ouvrages de référence pour* Trou de mémoire *(tous ces ouvrages figurent dans la bibliothèque d'Aquin)

BALTRUŠAITIS, Jurgis, *Anamorphoses ou perspectives curieuses*, Paris, Olivier Perrin, 1955.

BASSERMANN-JORDAN Von, Ernst et Hans Von BERTELE, *Montres, horloges et pendules*, Paris, PUF, 1964.

FANON, Frantz, *Les Damnés de la terre*, Paris, François Maspero, « Cahiers libres », nos 27-28, 1961.

GARNIER, Marcel et Valery DELAMARE, *Dictionnaire des termes techniques de médecine*, Paris, Maloine, 1965.

LEROI-GOURHAN, André et Jean POIRIER, *Ethnologie de l'Union française*, tome 1 : Afrique, Paris, PUF, 1953.

MEMMI, Albert, *Portrait du colonisé*, Paris, J.-J. Pauvert, « Libertés », 1966.

NABOKOV, Vladimir, *Pale Fire*, New York, G.P. Putnam, 1962.

POROT, Antoine, *Manuel alphabétique de psychiatrie*, Paris, PUF, 1965.

Vademecum international, Montréal, J. Morgan Jones, 1965.

Sigles et abréviations

BIB	Signale un ouvrage qui figure dans la bibliothèque d'Hubert Aquin. Pour la liste des ouvrages composant cette bibliothèque, voir *Le Mercure de l'ÉDAQ* (n° 5, juin 1988, p. 1-29) et Guylaine MASSOUTRE, *Itinéraires d'Hubert Aquin*.
JM	Renvoie à la bibliographie analytique d'Hubert Aquin établie par Jacinthe Martel (voir la note bibliographique).

Dossiers des notes de cours et de lecture

Titre abrégé	*Titre des dossiers*
C1972	« Courrier 1972 HA n° 1 »
CBA	« Point de fuite (1970) 15 »
CC	« Copies conformes (1973) »
CIT	« Citations »
JJ	« James Joyce (JCF et HA) »
LBA	« Le baroque »
TR	« Texte du roman (cc) 1973 Œdipe »

TROU DE MÉMOIRE

En guise d'avant-propos

Grand-Bassam, le 28 septembre 1966.

Monsieur P. X. Magnant[1],
123, rue Saint-Sacrement[2],
Montréal.

Cher Monsieur,

Je viens tout juste de relire le bulletin interne du RDA* dans lequel se trouve reproduit le discours que vous avez prononcé lors d'un grand meeting politique à Montréal**. Ce texte de vous m'a réellement bouleversé. Fort heureusement, votre allocution se trouve précédée d'une notice biographique. Vous devez déjà vous demander pourquoi je prends la liberté de vous écrire et qu'est-ce que c'est que Grand-Bassam[3] et où diable cela peut-il se trouver sur la carte du monde... Vous auriez raison de jeter ma lettre au panier ; mais puisque vous avez eu la patience de vous rendre jusqu'ici et que vous m'avez fait

* RDA : Rassemblement démocratique africain. Parti fondé par Houphouët-Boigny. *Note de l'éditeur.*

** Assemblée du RIN[4] (24 juillet 1966). *Note de l'éditeur.*

l'honneur de me lire, je vais d'abord vous dire que je suis en quelque sorte votre lointain collègue. Oui, je suis pharmacien ; et, en apprenant par votre notice biographique que vous êtes aussi pharmacien, je me suis dit : quelle coïncidence étrange ! Mais ce n'est pas la seule ; et c'est précisément l'accumulation de certaines coïncidences qui, à tout prendre, ne sont que des hasards fortuits et dépourvus de signification, oui c'est l'accumulation de ces dites coïncidences qui a prodigieusement frappé mon imagination. Tant de coïncidences fortuites ne sauraient être complètement insignifiantes, ni dépourvues de toute valeur. Je sais que les Fon* sont très enclins à survaloriser tout ce qui est occulte et à édifier interminablement des systèmes de correspondances entre les événements ou entre les hommes — systèmes rigoureusement et absolument invérifiables qui finissent par tout expliquer. En cela, je reconnais que je procède mentalement comme ceux de ma race, et que j'ai tendance, trop souvent, à substituer à la raison un système séméiologique de remplacement. Je le reconnais ; pourtant aujourd'hui, j'ai comme la certitude de ne pas uniquement céder à la déviation caractérielle qui me viendrait de mes origines. Les coïncidences que j'ai déce-

---

* D'après LE HÉRISSÉ (*in : L'Ancien Royaume du Dahomey, mœurs, religion, histoire*, Paris, 1911), les Fon sont apparentés aux Ewe dont ils ont fait dériver leur langue : le fongbé. Groupés depuis longtemps dans les royaumes d'Abomey, d'Allada et de Porto-Novo, les Fon furent conquis par les Yorouba en 1738. Après un siècle de domination yorouba, les Fon, rassemblés autour de Ghezzo, triomphèrent de leurs ennemis[5]. Fait intéressant : le nom du libérateur est adjoint au patronyme de l'auteur de cette lettre. *Note de l'éditeur.*

lées entre vous et moi n'ont rien à voir avec la sorcellerie, ni avec mon aptitude à tomber dans l'occulte comme on fait partie d'une nation... Trop de signes conspirent à m'ensorceler pour qu'il ne s'agisse pas d'un ensorcellement : pour tout vous dire, j'ai le sentiment que nous sommes, vous et moi, incroyablement frères ! (J'allais écrire : jumeaux ! Mais, une fois de plus, je me suis contraint à exprimer moins que je ressens, ce qui veut dire que je m'applique à psalmodier selon le Discours de la Méthode[6] et à taire le chant barbare de mes intuitions. Je n'ai jamais dit à un Européen qu'il était mon ami, à plus forte raison un « frère »... Vous mesurez, dès lors, la qualité de mon trouble et son effet secondaire, comme on dit dans notre métier, quand je vous pressens comme un frère, alors même que la pigmentation de ma peau me conditionne d'emblée à vous désigner comme un Blanc fils d'Européen, comme un sale Blanc ! Et Dieu sait que les Blancs sont de sales Blancs, pour nous du moins...) Quand j'ai parcouru, au début sans ferveur, votre notice biographique, j'ai été saisi non seulement parce que vous pratiquez la même profession que moi, mais aussi par la mention de Bakounine[7] et Thomas de Quincey[8] comme étant « vos auteurs préférés ». Confidence pour confidence (mais vous ne m'avez fait de confidence qu'indirectement et au sens figuré, sous forme de notice biographique et de discours politique), Bakounine et Thomas de Quincey sont les deux seuls écrivains blancs que je vénère et à qui je trouve du génie, mais vraiment du génie ! J'ajoute à ce détail, qui ne concerne que les goûts littéraires, que vous êtes un artisan de la révolution dans votre pays ; or, moi aussi, je travaille humblement à la révolution dans mon pays, la Côte d'Ivoire. Dès maintenant, vous comprendrez que je m'efforce à employer des notions externes à la relation de fraternité qui, pour moi du moins, s'est établie entre nous ; car si je vous dis tout ce que je pense, tout ce que j'ai pensé en lisant le texte hautement incendiaire que vous avez proféré lors d'une grande assemblée populaire à Montréal, je crains fort de vous adresser des éloges qui, à cause même de tout ce qui nous rapproche, pourraient être sujets à caution. En somme je vous demande de croire que mon admiration profonde pour la puissance et l'extraordinaire minutie de votre parole (et, par le fait même, pour votre personne) n'est pas un subterfuge de mes tendances narcissiques. Et puis, au diable : je constate qu'en me contraignant à avoir de la suite européenne dans les idées, je m'embrouille invariablement et, ma foi, je sous-estime celui à qui j'ai l'honneur d'adresser cette lettre ! Avec vous, je dois me départir des réflexes de pensée qui se déclenchent en moi lorsque je m'adresse à un Blanc. Mais vous n'avez rien d'un sale Blanc, vous n'êtes pas européen, même si la teinte de votre épiderme pouvait m'induire en erreur si je vous rencontrais par hasard dans une rue d'Abidjan. Non, vous n'êtes sûrement pas européen, ni cartésien, ni rationaliste humanitariste, ni un prototype scolastique de l'homo sapiens ou de l'homo décadens ; et c'est pourquoi, d'ailleurs, je me sens sur la même longueur d'ondes que vous. Vous vomissez l'affreuse logique qui, vous l'avez si remarquablement dit dans votre discours, « n'est que la déformation professionnelle des policiers et des juges ». Ah ! combien j'ai été frappé par votre exhortation au peuple pour qu'il se mette, au plus vite, à enterrer la logique à six pieds sous terre, à côté des corps pourris de « ceux qui ont passé leur vie à administrer la logique à coups de matraque* ! » Vraiment, monsieur Magnant, je suis, en ce moment même, la proie d'une grande émotion et d'une commotion inexprimable en pensant à vous : je n'ai pas assisté, bien sûr, au meeting populaire où vous avez prononcé mes propres paroles et où vous avez chanté, si je puis dire, un hymne révolutionnaire qui est le double du discours que j'ai donné, il y a deux mois, devant des milliers de compatriotes ivoiriens rassemblés, en grande pompe et aux rythmes des battements des tam-tam dans le parc de stationnement de l'aéroport d'Abidjan. En cette occasion, j'ai, moi aussi, grimpé sur le toit d'une fourgonnette Renault, et fustigé la logique maudite que notre gouvernement nous administre à coups de crosse ! En nommant les choses, souvent on les appelle... Et, après mon discours dans lequel et par lequel je me suis découvert moi-même plus fort que jamais — alors que, juste avant, j'étais accablé de tristesse, croyant l'avoir raté, et tandis que je m'éloignais de la tribune et que je mêlais mon corps épuisé à cette foule en délire —, les policiers de la présidence ont fait leur apparition, noircissant l'horizon de leurs uniformes blancs et de leurs mandats (toujours inédits...) de briser cette réunion populaire absolument exaltante. Ce qui s'est passé, par la suite, je ne m'en souviens presque plus, mais je le sais plus ou moins, comme

---

* Nous n'avons pas pu vérifier l'authenticité des citations qui sont faites, dans la présente lettre, du discours prononcé par P. X. Magnant le 24 juillet 1966, car nous ne disposons pas du texte complet du discours. *Note de l'éditeur.*

si j'avais une lucidité rétroactive, car j'ai lu, comme tout le monde, les comptes rendus incroyablement officiels de nos journaux : j'ai eu amplement le temps de reconstituer, par des lectures ou en écoutant les récits de plusieurs témoins, ce qu'on appelle maintenant « les journées sanglantes de Port-Bouët[9] ». Après un séjour de treize jours dans le petit chef-d'œuvre d'architecture pénitentiaire dont s'enorgueillissent, à juste titre, les nègres très très évolués qui croisent dans les bars climatisés d'Abidjan, j'ai été libéré sous cautionnement et cela, grâce aux pressions exercées sur l'incorruptible magistrature de notre pays par des collègues pharmaciens. On aura beau dire : les pharmaciens constituent un groupe de pression très écouté, en Afrique du moins ! Les habitants de Grand-Bassam étaient, ni plus ni moins, tous malades à la seule pensée que je n'étais pas là, derrière mon comptoir, pour leur vendre leur nivaquine[10] : et je vous fais grâce des simples céphalées, des constipations opiniâtres, des crises d'hépatite et de la terreur d'attraper toutes ces maladies à la fois. Tout cela m'a valu d'être considéré, par les habitants de Grand-Bassam et de tout le cap, comme un droguiste rédempteur, injustement emprisonné dans les cabinets d'aisance du palais présidentiel ou victime d'une stupide erreur judiciaire typique, hélas, de notre chère négritude... J'attends mon procès ; mais je n'ignore pas que la justice de la Côte d'Ivoire est aussi lente à procéder qu'elle est rapide à coffrer, l'un des termes étant inversement proportionnel à l'autre. De plus, je sais que le Conseil des pharmaciens de la Côte d'Ivoire et de la Haute-Volta, à qui j'ai payé régulièrement mes cotisations de membre, me soutiendra peut-être ou fera des pressions secrètes pour que ma cause ne soit jamais entendue. Cela ne fait que cinq ans que je suis installé ici et que je pratique. Avant, je faisais mes études à Dakar (sale ville de Blancs !) ; j'ai passé cinq ans à baver à Dakar pour finalement attraper un diplôme rédigé en latin par quelque Toucouleur[11] qui enseigne son ignorance absolue à tous les boursiers africains qui se ramassent dans cette ancienne capitale de l'A.O.F. J'y ai appris comment rédiger des ordonnances (car, là où il y a un pharmacien, on ne trouve pas de médecin — cela va de soi, dirait le président de notre république en or et en ivoire...) ; j'y ai aussi appris les prolégomènes de notre science, soit : l'art de disposer les tubes et les boîtes de médicaments « artistement », l'art d'empoisonner les adversaires politiques soit par ordonnance (flèches empoisonnées, dose quoad mortem[12]), soit illégalement (en les invitant à déguster un thé infusé avec de la racine de strychnos)... C'est à Dakar que s'est opérée en moi cette grande transformation qui a fait que je suis revenu ici non pas pour vendre des dérivés d'herbes médicinales contre la chaleur, mais, d'abord et avant tout, pour y faire la révolution, cette révolution que vous avez entreprise, presque simultanément, dans votre pays que je n'ai pas encore visité et qu'un Africain n'a de chance de visiter qu'en couchant dans le lit putride du pouvoir afin d'obtenir, en récompense, un poste de délégué permanent aux Nations-Unies ou d'ambassadeur spécial à Washington. Toutefois, il faut dire que nos représentants délégués à Washington ne sont pas que de vains palabreurs ; ce sont des diplomates spécialisés dans les opérations bancaires et dans les cours des devises. Ces grands Ivoiriens, paraît-il, professent la mendicité (ou l'extorsion pure et simple) auprès du gouvernement américain qui, comme tous les coupables, tombe dans le panneau immanquablement. Ces grands diplomates attrapent ainsi une pincée de dollars qu'ils ont toutes les peines du monde à verser complètement dans le budget consolidé de notre république, sans que ce transfert n'entame légèrement la galette... Mais je vous ennuie peut-être avec mes africaneries ; et d'ailleurs, j'en oublie le motif véritable qui m'a jeté sur la vieille Olivetti coloniale que je garde, derrière le comptoir, pour écrire les modes d'emploi des médicaments que je vends à mes compatriotes analphabètes. Oui, j'ai quelque chose de précis à vous dire : dans votre discours, vous citez un passage, d'ailleurs admirable, de Keita Fodeiba[13] à qui, par une générosité sans bornes de votre part, vous avez confié le Ministère de la Justice en Guinée. Or je tiens à vous faire remarquer, sans le moindre reproche, que le citoyen Fodeiba n'a jamais été ministre de la Justice ; il a été et demeure toutefois ministre de l'Intérieur de ce pays voisin. Cette rectification me paraît anodine, voire même insignifiante ; mais je crois m'adresser à l'homme imprégné par les œuvres de Bakounine et de Thomas de Quincey. Donc, vous êtes un perfectionniste du « mal » ; de plus, en votre qualité de pharmacien, je postule que vous êtes infiniment capable de saisir le détail. Notre métier, cher collègue (cela me fait drôle de vous traiter de « cher collègue »), en est un de détail : un milligramme de plus ou de moins ne peut pas être comparé à la marge sur laquelle Houphouët-Boigny joue à la Bourse des Valeurs de Paris et de Zurich. La réalité, comprimé sécable, se mesure en milligrammes qui peuvent être considérés comme des multiplicateurs de rétablissement ou d'aggravation organique. Au début, j'ai choisi la faculté de pharmacie avec le désir secret d'aller à Paris ou, au pis aller, à Dakar ; mais aujourd'hui, je reconnais que j'ai choisi la profession, entre toutes, qui répondait totalement à mes aspirations autant qu'à mes pulsions les plus inavouables. Bon ! Trêve d'effusion africanoïde... Je n'en finis plus d'être moi-même ; mais plus je cherche à me manifester à vous en sollicitant (à distance et ne vous connaissant pas) votre attention et même, l'avouerai-je ?, votre estime, moins j'ai de chances de terminer cette lettre dans les délais prévus par la loi... car, déjà, elle ressemble à un témoignage dactylographié qu'on lit devant un juge ! Ou alors, en fin de compte, cette lettre qui n'en finit plus prend l'allure d'un document interministériel ou d'un arrêté en conseil... Ce que j'écris à la machine — sur cette vieille Olivetti dont le « q », invariablement, crée un embouteillage de caractères — me fascine en retour : c'est un peu comme si la feuille, imprimée par le truchement de cette machine, invulnérable en termes de graphologie, n'avait rien à voir avec un texte de moi. La dactylographie officialise ma logorrhée et lui confère un statut de mandement ou de manifeste politique... Il se fait tard. Mais je tiens à vous dire, avant de parapher ce document dont je m'éloigne à mesure que je le fabrique, par petites fournées de mots, entre deux clients tardifs pris de crampes ou sujets à des crises, oui, je veux vous dire que, par ce même hasard qui apparente nos deux vies, j'ai rencontré une beauté blonde à mon dernier séjour à Lagos* où

---

* Capitale du Nigéria. *Note de l'éditeur.*

je vais, une fois par mois, faire mes provisions de barbituriques « made in England ». De fait, depuis que j'ai rencontré cette personne, j'ai l'intention d'augmenter la fréquence de mes voyages aux entrepôts de Chaucer, Chaucer, Chaucer & Webb, dans cette charmante ville de Lagos où les troubles politiques sont tellement intenses qu'ils devraient m'incliner à procéder par commandes postales, mais qu'importe ! J'ai fait connaissance d'une infirmière du Lagos General Hospital ; plus précisément, elle est directrice adjointe de la pharmacie de l'hôpital. Elle est originaire de Montréal et m'a assuré vous connaître, non pas comme tant de vos compatriotes qui vous connaissent de réputation, je suppose, mais à titre personnel. Elle m'a précisé jusqu'à quel point ; j'en ai conclu qu'il n'y avait pas de relations épistolaires entre Rachel Ruskin — c'est son nom — et vous. Pour tout vous avouer, elle me plaît infiniment, même si elle n'est pas africaine ; et d'autant plus, d'ailleurs, que je n'ai pas à m'afficher à Grand-Bassam avec une Blanche. Nous nous sommes rencontrés à Lagos seulement. Rachel m'a prié de vous saluer en me disant que la seule mention de son nom vous rappellerait des souvenirs... Lesquels ? je le devine un peu depuis que je récapitule, au passé défini, les ellipses et les notations allusives que j'ai retenues des propos de Miss Rachel Ruskin. Elle n'ignore pas que vous êtes pharmacien ; elle m'a même laissé entendre que vous êtes très savant en pharmacie. Je puis vous dire qu'elle m'a fait vraiment un grand éloge de votre savoir pharmacologique ; elle m'a même dit que vous étiez l'inventeur d'un sédatif nouveau, dérivé d'alcaloïdes et de je ne sais plus quoi au juste..., car j'étais tout à son charme et à sa blondeur, émerveillé par ses phrases modulées dans un anglais ravissant. Pour tout vous dire, elle m'a assuré que vous ne manqueriez pas de me répondre si je prenais la peine de vous écrire à l'adresse ci-haut mentionnée : le 123 de la rue Saint-Sacrement. Sans doute est-ce là l'adresse de votre parti politique ou d'un de vos amis intimes ? Car, bien sûr, je lui ai fait part de mes activités extraprofessionnelles en Côte d'Ivoire et, de fil en aiguille, de Montréal à Grand-Bassam, Miss Ruskin a fait des liens fortuits qui n'ont pas manqué de me troubler. Le temps est venu de clore cette lettre et de vous demander d'excuser ma verbalance fonale ; il faut vous dire que les gens, ici à Grand-Bassam, ne sont pas du tout loquaces. Peut-être me regardent-ils avec un brin d'hostilité, car je ne suis pas né ici. Je sais bien ce que les Européens pensent de ces « luttes tribales » entre Africains : la réalité, fort heureusement, est moins dramatique qu'ils ne tentent de le faire croire au monde entier. Mon père, qui avait rang de magistrat supérieur dans l'ancienne A.-O.F.*, a expérimenté avant moi l'exil d'un Fon en territoire étranger, ici même à Grand-Bassam, et m'a dit qu'au fond l'origine raciale importe moins entre Africains que la volonté de faire corps et de se comprendre. Je crois, moi aussi, que les nations naissent de cette projection commune et de cette solidarité voulue, et non pas des ramifications, d'ailleurs souvent contestables, qui relient les Fon aux Ewe, d'après les assertions des ethnologues européens, ou qui opposent depuis toujours les Peuls aux Bambaras[14]. Toutes ces catégories kantiennes ne sont que

---

* A.-O.F. : Afrique-Occidentale Française. *Note de l'éditeur.*

des découpages incohérents de la réalité africaine et des nations réelles qu'elle contient. Les indices encéphaliques, tant cités par un Leroi-Gourhan[15], qui chosifient les Lagunaires ou les Bakoués[16], me rappellent les distinctions archi-subtiles inventées par les scolasticiens du Moyen Âge pour différencier les Dominations des Archanges[17]. La persévérance des savants européens à parler de la « mosaïque » des peuples africains n'a d'égal que l'acharnement de notre bourgeoisie nationale qui, avec ce genre de notions, n'a de cesse de nous mettre le nez sur notre infériorité et sur le fait que, sans notre chère, très chère élite (enfouie sous ses diplômes de la Sorbonne), nous ne pourrions jamais nous sortir du mal d'être nègres... Cette fois, c'est la fin, la vraie fin de ma lettre. Avant de fermer boutique pour la nuit, j'ai un petit service à vous demander : pourriez-vous me faire parvenir de la documentation écrite sur le mouvement révolutionnaire du Québec ? Toutefois, comme mon courrier est aimablement prédécacheté par les services spécialisés de la police, si vous avez l'amabilité de me faire un envoi, voulez-vous l'adresser comme suit : Monsieur le secrétaire général, Conseil des pharmaciens de la Côte d'Ivoire et de la Haute-Volta, 17, rue Leclerc, Abidjan, Côte d'Ivoire. Un ami très intime, qui de fait occupe le poste en question, me fera parvenir toute enveloppe ou tout colis en provenance de Montréal. Sa fonction archi-officielle le protège des investigations épistolaires de la police. Toutefois, je vous recommande de ne pas utiliser des enveloppes à en-tête nominatif : sait-on jamais ? Votre nom figure peut-être en bas de la très longue liste noire des fomentateurs de révolution... On ne prend jamais trop de précautions avec la police : ces gens-là font du zèle comme d'autres sont atteints de paludisme. Le zèle des policiers est une de ces infections pernicieuses qui ne pardonnent pas : c'est connu. J'en fais l'expérience régulièrement, quand je vais solliciter mon autorisation de quitter le pays pour me rendre à Lagos. C'est toute une affaire ; et je ne serais pas étonné d'apprendre que mes déplacements professionnels à Lagos me valent d'être pris en filature par les services secrets du Nigéria, dès que je pose le pied sur le sol quasiment impérial de cette ancienne colonie.

Je vous salue donc, et vous prie de croire, cher monsieur Magnant, à mon admiration sincère et profonde.

Olympe Ghezzo-Quénum[18]

Première partie du récit*

J'étonne, j'éblouis, je m'épuise. Au lieu de me mettre à écrire avec suite et un minimum d'application, je tourne en rond. Je ne fais absolument rien : je me contemple avec une sorte d'ivresse. J'existe, il est vrai, avec une telle intensité que je ne suis plus capable de rien faire d'autre. Je n'en reviens pas. Je viens de commencer un roman infinitésimal et strictement autobiographique dont il me presse de vous livrer — j'ajoute froidement : cher lecteur... — les secrets et de vous raconter (bon, après tout, au point où j'en suis) les péripéties hostiaques. Le roman, d'ailleurs, c'est moi : je me trouble, je me décris, je me vois, je vais me raconter sous toutes les coutures, car, il faut bien l'avouer, j'ai tendance à déborder comme un calice trop plein. Vraiment, je sens que je bave et, pour cette raison même, je choisis illico de m'épancher. Ce qui m'inquiète ce soir, c'est que j'en ai trop pris. Cinq c'est trop. Je tire présentement sur la fin des quarante minutes qu'il faut compter, après l'absorption, pour sentir les effets recherchés, sans tenir compte des effets secondaires

---

* Je me suis permis de découper, assez arbitrairement je le reconnais, le récit de P. X. Magnant. *Note de l'éditeur.*

(affaissement rénal, hyposalivation, etc.) qui, au demeurant, ne m'intéressent pas du tout. Plus encore : je m'en balance avec une désinvolture impayable. Ces fameux effets résiduaires — la petite touche de calcification qui chaque jour incline vers la sénescence qui, Dieu merci, n'est pas pour ce soir —, je sais que je vais les oublier comme jamais on a oublié dans toute l'histoire du stress mondial des origines à nos jours. Déjà, je me sens comme hissé graduellement au-dessus de la crête des effets toxiques. Je suis propulsé vers mon apogée silencieuse par une décharge d'air chaud qui me donne froid dans le dos. La trêve se rompt : le liquide archi-pyrétique de la vie m'inonde avec une violence qui me fait jaillir à tout coup même si je suis habitué à cette violence intime et même si, avec le temps, je devrais me sentir à l'abri de son cher choc secret. À tout coup, la magie m'agite et me fait déplafonner[19] de jouissance. Infaillible, oui, je suis infaillible en cela que je pars à tout coup. L'allumage se fait selon des lois strictement invariables et ces mises à feu, souvent répétées, constituent la preuve que non seulement les lois des corps purs sont invariables, mais que moi aussi, dans ma chair et dans mon corps, je ne varie pas. Les effets secondaires me font penser à la faute originelle qui encombre l'entre-deux-cuisses des gens sans instruction. Mais moi, les effets secondaires, c'est le dernier de mes soucis. Seul m'importe de partir invariablement. D'ailleurs, je le sais et je ne m'en cache pas, je suis parti. Il n'y a plus aucun doute, ni la moindre raison d'en douter ; je suis présent d'une présence réelle, je suis comme jamais un homme n'a été. La qualité du bien-être qui m'habite tient de la luxure plus encore que des dérivés nosologiques du bien-être. Je suis invaincu, rien ne bat ma puissance folle. Je n'en reviens pas. Décidément, je suis parti, mais complètement parti. Cinq, c'est vraiment trop : l'habitude n'amortit pas le jump insensé qui me gagne et me fait toujours gagner. Oui, je crois que j'ai dépassé la mesure : cinq, c'est intenable. J'ai l'impression de me déplacer dans l'espace anti-G[20], mû par quelque Stromboli dont le système de refroidissement à eau, en circuit fermé, vient de se bloquer ; trop tard pour contempler les manomètres, je surchauffe à mort. La poussée me déporte à une vitesse incomptable. L'important est de rester assis tranquille — si l'on peut dire — et de m'occuper, sinon je risque de faire une grande trouée dans le plafond. Je me cramponne solidement à la feuille de papier et je tente, avec des gestes doux, de rester rivé à mon fauteuil suédois ; mais ce n'est pas facile. On a beau dire, j'en connais d'autres, enfin... je voudrais bien les voir à ma place. Ce n'est pas si drôle. Par moments, je suis pétrifié : je me sens décoller comme un immense Néanderthal à trois étages à peine ficelé à son appui-coude[21]. C'est vertigineux. Cinq, c'est sûrement un de ces fameux chiffres sacrés : sacré, je le suis, car je flambe sur place, aliéné dans mon incandescence pyrophorique. L'important est de me taire. Garder silence, ne rien décréter, ne pas proférer d'oracle, ne pas lier conversation, ne rien lier avec personne tant que je me consume, intouchable, dans ce périmètre d'invraisemblance. Me taire, ah oui ! Me taire à tout prix, car je profuse comme une grenade incendiaire, j'éclate de partout, je vésuve de plus en plus, je m'inquiète. Le roman ; il n'y a que ça pour m'imposer silence et me distraire de ma perfection. J'écris, je raconte une histoire

— la mienne —, je raconte n'importe quoi ; bref, j'enchaîne, je cumule, je gaspille les effets secondaires, qu'importe ! Pourvu que je ne parle pas, pourvu que je résiste... Parler me perdrait, car je finirais, chargé à bloc comme je le suis, par m'épancher en rafales et par raconter, n'y pouvant plus tenir, que j'ai tué. J'ai tué, oui ! Que je le copie cinquante fois et cent fois, de gauche à droite, verticalement et en diagonale, sur mon vélin supérieur, mais que je ne le dise pas, car on s'empresserait de chercher un complément direct à mon aveu ; et s'il fallait qu'on me questionne à ce sujet, j'aurais une de ces démangeaisons de faire des phrases, de raconter des paraboles et puis de les expliquer, je me ferais un plaisir de parler parler parler avec une loquacité de lance-flammes. Je le sais : je suis présentement sous le Dunkelschock décrit par le célèbre professeur Delamare dans son ouvrage « La pharmacologie dynamique[22] ». Dynamique, vous l'avez dit, professeur ! Véritable corps glorieux, je suis ma propre fulguration. La gloire, je sais ce que c'est : j'en fais l'expérience savoureuse chaque fois que j'ai recours aux dragées totales[23] en fin de journée. La gloire me connaît et je la connais comme le vicieux, chaque nuit, sait reconnaître son propre plaisir dont la brièveté, hélas, devrait l'incliner à en espacer la venue. Mais la gloire, c'est une plénitude qui dure, l'orgasme qui n'en finit plus de me faire éclore dans une mousse mentale absolue. Écrire un roman parfaitement désarticulé, c'est encore ce que je peux faire de mieux dans mon état puisque je n'ai personne à tuer pour le moment[24]. Chère Joan... Si elle m'observait, ce soir encore, elle trouverait le moyen d'être malheureuse en proportion inverse de mon transport, comme pour m'empêcher de galoper seul sur mon cheval arabe. (Tiens : sur le plan clinique, je ne puis m'empêcher de noter au passage une tendance accusée à la verbigération — tous les chevaux sont arabes, etc. —, cf. : Derobert, « Les psychotoniques[25] », p. 144). Me taire, ne pas décrocher le combiné du téléphone si la sonnerie se fait entendre. Fort heureusement, personne ne doit me joindre par téléphone à cette heure tardive : il est minuit dix. Si, par impossible, Joan apprenait que je l'ai tuée, elle aurait beau jeu de porter mon intervention sur le compte de quelque toxicomanie, voire même de mon option séparatiste. Chère Joan, elle est impayable : elle expliquerait tout par le cri de la race et se croirait du coup digne de figurer au fichier central des victimes d'attentats idéologiques. Une jeune fille plus ou moins anglaise qui ne meurt pas de mort naturelle a tout de suite le réflexe posthume de mettre sa mise à mort sur le dos des « natives[26] ». Il y a tout de même une limite à tout politiser ; et je vois mal un avocat, en Cour du Banc de la Reine, excuser le crime de son client en invoquant son penchant accusé (...fou braque !) pour le séparatisme, d'autant plus que les éditorialistes parlent de la crise séparatiste au passé défini, comme d'un printemps mort. Donc, en tant que tueur séparatiste, j'aurais opéré hors saison, à taux réduits et sans même me préoccuper de faire coïncider mon crime idéologique avec un accès de terrorisme. Non, vraiment, je ne suis pas déphasé à ce point. Disculpation séparatiste, hors d'ordre. Objection maintenue. Merci votre Seigneurie, et j'en profite pour faire remarquer à mon honorable collègue (saoul mort, il est vrai) que la jurisprudence ne tient aucun compte de l'irrédentisme des

Trobriands[27], pas plus que des tendances maniaco-séparatistes des australopithèques ou des caves. Il faut mettre un terme aux droits des indigènes et considérer comme meurtres qualifiés les sacrifices humains qui font partie de leur héritage folklorique. Votre Seigneurie, qui êtes aux cieux, je n'ai pas tué Joan ; pourtant, elle est morte. Son corps, déjà raide, sera découvert demain matin vers sept heures et demie au laboratoire de microbiologie de l'Université McGill, au Redfern Ward[28]. C'est dans ce laboratoire surpeuplé que Joan et moi avons fait l'amour si souvent après les heures de travail et sous le regard curieux des singes Rhésus, fascinés par notre étreinte longue, haletante, compliquée : humaine.

Cinq d'un coup, d'un seul geste incroyable, d'une seule lampée : je n'ai pas fini de soleiller dans tous les sens et pour rien. Les amines surchauffées explosent en moi, m'irriguent, moi, Sahara brûlant, de leurs rigoles serpentines et me fécondent, milligramme par milligramme, comme l'eau le sable. Avaler n'a rien de révolutionnaire : c'est la posture buccale régressive par excellence. Geste féminoïde entre tous, avaler ne me féminise pourtant pas ; au contraire, dirais-je, l'homme prouve sa supériorité par la pharmacopée. Si je n'avais pas découvert ma voie dans la pharmacie, si je n'étais pas devenu pharmacien, j'en serais réduit à n'être qu'un pauvre type dont la fréquence de désir animal et la force de frappe sexuelle délimitent sa seule aventure possible et sa zone d'influence. J'ai compris, moi. Les grands baiseurs d'Images et les grands fourreurs devant l'Éternel existent peut-être, mais selon les mêmes proportions ségrégatives qui régissent la consécration des chefs-d'œuvre par rapport aux œuvres plates. Le sexe, ce n'est pas une vie — sinon pour les forcenés ou les zombies qui, comme chacun sait, reviennent, mais ne viennent jamais ! C'est plus sûr comme ça ; en tout cas, on n'a jamais entendu parler de zombie lassé ou tout simplement désenchanté. Ils reviennent toujours : c'est la preuve même qu'il faut revenir et non pas venir. Ce qui est bon pour les zombies est bon pour moi, et il y a belle lurette que j'en reviens du coït parlementaire du pouvoir avec l'opposition, de ce qui peut avec ce qui n'en peut plus. Il faut zombifier à mort la chambre bassement basse du Bas Canada[29] et tout faire sauter. Maudite machine !* J'ai beau lui enfoncer les caractères romains avec doigté, elle me résiste. Cette patente infernale me freine : ce qu'il me faudrait, c'est une IBM électrique dont chaque caractère éclate sous le seul effleurement de ma pensée gantée et avant même que mes phalangettes n'approchent les petites touches. Écrire avec le vent que je déplace et manœuvre avec mes doigts : avoir du souffle en soufflant sur ce clavier impossible qui seul correspondrait au côté nescafé de ma poudre de bave. Un rien la ferait germer, un rien la liquiderait en mots pour que je cesse de penser à Joan et que j'en finisse avec cette crainte maladive qui me tenaille de tout avouer au premier venu, fût-il un interlocuteur valable. Je suis le tout-puissant. Inutile de chercher ailleurs et, surtout, ne vous cassez pas la tête pour expliquer mon récitatif et n'allez pas chercher à comprendre l'intrigue charpentée que j'essaie vainement de comprendre moi-même avant

---

* Ici commence la partie dactylographiée du texte. *Note de l'éditeur.*

de l'édifier[30]. En dépit d'un frein aérien muni d'un clavier français fabriqué en Ontario, j'éprouve encore — Dieu merci — la gloire fumante dont je ne suis pas le symbole, mais l'incarnation souveraine, pour ne pas dire la dernière. Le soleil n'est qu'un imposteur ; il me plagie chaque jour. Mais un de ces bons matins brumeux, je vais lui lancer mon bref de certiori[31], car il y a un hostie de bout à tolérer les plagiaires et les faussaires, surtout quand ils font mine de se mouvoir selon les élucubrations de Copernic. Le soleil (le faux) peut toujours tomber — entraînant le jour dans sa chute —, il peut même recommencer son manège en forme de cercle vicieux. Il ne trompera pas indéfiniment l'humanité scorbique. Le soleil, c'est moi ! Oui, moi, moi, moi et seulement moi[32] ! Oui, c'est moi le pur flambeau astral, le centre de toutes les circonférences au sommet, le petit sphinx incognito qui s'affale dans son fauteuil suédois quand vient la nuit blanche. La rumeur veut que le soleil aille se coucher ; or, c'est faux, archifaux — et je suis bien placé pour le savoir ! Le soleil paqueté mais dextrogyre ne se couche pas. Il mène une double vie — j'en sais quelque chose. Le soleil ne se couche jamais parce qu'il a trop à faire. À l'instant même, l'astre clandestin écrit un ouvrage cochon et autobiographique ; facile, me direz-vous, d'écrire quand on est soleil... Mais ce clavier nullement électrocuté, ces frappes plombées qui s'emmêlent en diphtongues strictement allogènes[33], ces efforts du bout des doigts, je vous jure : il y a de quoi noircir le disque inflammatoire ! Et puis ce n'est pas si facile qu'on pourrait le croire, au premier abord, d'être soleil : briller, se lever à l'aube, se coucher à l'heure des poules, tourner en rond, c'est une vie de chien !

J'éprouve un frisson global et prolongé ; une sorte d'énergie folle me pousse à communiquer la totalité diastasique que nulle science n'appréhende au vol, que nulle théologie ne péjore et qui, affolante mais innommable, promet une convulsion qu'elle donne rarement... Je suis, à proprement parler, possédé ; mais je sais qu'une dépossession rapide succédera à mon trop pur plaisir. Possédé, je ne possède pas ce qui a la vertu de posséder. Je ne possède jamais ; je brûle, j'immane, je caresse à mort, je fais perdre la raison, je combats la lucidité... car la lucidité, j'en sais quelque chose, c'est la chute — la cassure rythmique qui prélude à la dépression. Je suis le grand manipulateur de forme dans le style « pur baroque[34] » qui me résume divinement. Je suis tout entier dans l'improvisation criminelle qui guide ma main et me fait étrangler tout cou de Joan, me faisant alterner ainsi de la brûlure léthale à l'hibernation soudaine...*

La poussée sexofuge se diffuse à mes propres extrémités. Ainsi tout en moi, même l'hésitation, devient érectile. La zone érogène, sous l'effet psychopompe, se déplace avec rage. J'éprouve un frisson global et indifférencié. Cinq, c'est trop. Joan, mon amour, je t'ai tuée ; je t'ai tuée, je t'ai tuée, je t'ai tuée... Je t'ai brûlée à ma façon comme un soleil occulte. Il a fallu que je t'effleure pour que tu rendes le souffle. Oui, je t'ai tuée. Je suis affreusement clair ; je terrifie et je me sens désolé. Ce n'est pas facile d'être astre et symbole, et d'être placé au centre de ta constellation, mon amour. Je brûle, j'encercle, je frôle, je ne possède jamais. J'ai frôlé Joan, une femme

---

* Fin de la partie dactylographiée. *Note de l'éditeur.*

blonde et douce. Je veux m'étonner et je n'en finis plus de réussir, bien que j'aie franchi depuis longtemps le seuil de la mithridatisation et de l'ennui. La seule explication à cela, c'est que je suis investi d'une puissance d'étonnement et d'une faculté d'invention bien au-dessus de ce qui est moral. Ma santé réside en ma capacité organique de métamorphose et de choc : je suis, à moi seul, une vivante et interminable pentecôte. Joan, chère apôtre, avait un si joli cou, blanc, livide, gonflé par la pulsion de la carotide à fleur de peau. J'aime la fleur de peau, floria noctua africansis[35], espèce infuse entre deux rives jalouses qui, par leur convergence crapuleuse, égorgent la fleur aquatile et fugace qui n'est déjà plus là quand le lit se referme, mais court plus loin vers la bouche d'ombre de la Bénoué*. J'aime la fleur fantôme de ta gorge, fleur fragile que j'ai effleurée l'autre nuit et dont le calice démembré s'effrite en tournoyant sur lui-même comme une feuille morte. Rien n'est plus beau que ce voile de chair qui recouvre la gorge jaillissante d'une femme qu'on invente de seconde en seconde, hésitant méthodiquement entre deux caresses d'appropriation dont l'une des deux ne peut être qu'ultime. Joan est morte égorgée de plaisir — en quelque sorte — et gorgée de noir, nue cette fois devant les singes qui ne la reconnaissaient plus parce qu'elle ne portait pas sa chienne[36] blanche. Elle gît encore au milieu de cet habitacle indigne, blanche et nue, exsangue, elle qui avait rougi de toutes les rougeurs devant le même congrès international des singes à vaccin devant

* Bénoué : un des affluents du fleuve Niger. *Note de l'éditeur.*

qui nous avons fait l'amour combien de fois, pauvre amour. Tu ne bouges plus maintenant ; ton corps mystérieusement immobile n'est plus parcouru par les secousses et les convulsions qui, invariablement, faisaient hurler les singes en chœur. Je me souviens de ce cri strident qui jaillissait de tous les coins du laboratoire, comme pour scander l'orgasme de Joan et aussi le multiplier en décibels jusqu'à ce que le module de son plaisir, ponctué d'ultrasons, engendre mon spasme et mon cri de mort. Pauvre amour, je t'ai laissée seule dans cette jungle sonore, seule et toute nue, morte à jamais au milieu de ces bêtes pré-darwiniennes*.

Il faut bien que ces Macaques Rhésus soient des fins d'espèce pour ne pas se mettre à parler, tout d'un coup, demain matin à sept heures et demie, quand l'appariteur aura son infarctus en découvrant le corps que j'ai

---

* Un ami, qui a des connaissances en paléontologie, m'a fait remarquer que, selon les auteurs modernes, les singes Rhésus ne sont pas dans la catégorie des Primates. Cet ami, à qui j'ai fait lire les passages où Pierre X. Magnant décrit les singes du laboratoire Redfern, de l'Université McGill, croit plutôt que les singes « voyeurs », mentionnés dans le manuscrit, sont vraisemblablement des Gibbons (appelés aussi Wou-Wou) originaires de Java ou de Bornéo, ou bien des Chimpanzés Tchégo dont l'espèce prolifère en Basse-Guinée et jusqu'en Oubangui. Le nom vulgaire de cette espèce africaine est : Koolo-Kamba[37]. Ces quelques précisions ne paraîtront pas inutiles au lecteur qui apprécie la manie du détail et le souci de précision scientifique qui caractérisent la pensée et l'œuvre de l'auteur. Le flou de ses connaissances paléontologiques s'explique par le fait qu'il tenait ces quelques notions d'une façon doublement indirecte, puisqu'il les avait apprises de Joan et dans une autre langue. *Note de l'éditeur.*

laissé à l'endroit même où nous nous sommes étendus pour nous aimer. L'éloquence du corps nu de Joan devrait soudain les faire accéder à la parole humaine — sans autre protocole — et les conditionner à réinventer les mots d'amour qui ne sortiront plus de la bouche de Joan. Mais s'ils retrouvent, par une folle accélération de l'histoire, les mots d'amour que nous échangions devant eux (et depuis la première fois où j'ai pénétré dans leur sanctuaire), ils seraient bien capables, du coup, de trouver les mots qu'il faut pour me dénoncer à la police et décrire avec minutie les derniers moments de Joan, sans oublier ma présence à ses côtés et mon départ solitaire. « Pierre, you choque me[38]... » ; je m'en souviens maintenant. Joan a proféré ces quelques mots les paupières déjà closes, alors même que je prenais une ultime précaution. Justement, cela nous ressemble : quelques mots anglais — les derniers ! — précédés de combien de conversations où nous passions, chacun son tour et pas toujours dans l'ordre, d'une langue à l'autre. Décidément, ces singes pollués ont raté leur dernière chance d'émerger dans l'historicité et dans les annales de la Police de Montréal, en devenant bilingues du jour au lendemain pour décrire la scène d'amour dont ils ont été les voyeurs orgastiques cette nuit même (hier soir déjà) entre dix heures et onze heures quarante-cinq — quinze minutes plus tard, j'aurais été obligé de signer mon nom sur le registre du gardien de nuit qui n'aurait pas manqué, anthropoïde, de s'en souvenir ! Conclusion : si je ne reçois pas la visite de ces messieurs de la Brigade criminelle demain matin, c'est que les adorables petits singes n'ont pas parlé ou bien qu'on n'a rien compris à leur baragouinage bilingue. Les policiers, c'est connu, ne prennent jamais les singes au sérieux. Donc, je suis couvert : ma flamme intérieure peut continuer d'inventer un dôme superlatif qui me tient lieu d'écorce cérébrale. Je m'épanouis selon un modèle antique de temple byzantin où repose, sous les dalles fraîches du croisillon, le corps immobile de Joan. La poussée douce des seins sur la poitrine d'une enfant morte me résume tout entier et m'inonde d'une lactation apocryphe. Lancé en pleine fugue, je décris l'arc immense d'un mausolée qui abrite la dépouille mortelle de Joan. La fêlure vient de se produire. Une seconde de trop dans cette pensée fait craquer de toutes parts le bel édifice qui me surplombait. Joan me hante. J'ai peur. Ce corps désemparé qui repose dans son cercueil tropical, au milieu même de ma fausse joie, je me souviens qu'il porte un nom et la marque indélébile de mon étreinte. J'ai tué Joan ; je l'ai bel et bien tuée avec une préméditation proportionnelle au désir qui me hantait, juste avant, de perforer la grille humide de son ventre. Meurtre qualifié par le désir qui l'a honteusement précédé... Joan !

Dans mon cours, mardi matin, j'ai dit, non sans appuyer sur chaque mot, que « le penthotal et ses frères sont à double visage ; bienfaits de la science, ils peuvent aussi servir au pire mal ». J'ai piqué cette métaphore du double visage dans Forgue, « Précis d'anesthésie chirurgicale[39] » — mais je n'ai pas donné la référence, bien sûr. Dire comme ça à l'avenant « le penthotal et ses frères », c'est proclamer ni plus ni moins que je me considère comme un frère du penthotal — pain total ! —, pour ne pas dire son double. Cette poudre blanche, instable à l'air, scellée dans une double ampoule pour ne pas qu'elle s'altère, cette poudre blanche pareille aux neiges innombrables dont je m'ennuie, j'aimerais l'avoir inventée. Mais hélas, j'avais tout juste quinze ans quand un certain Abbott[40] (un génie) m'a volé la formule secrète du penthotal, sans le vouloir bien sûr. Cette découverte me revenait puisque, par cette poudre, en elle et scellé moi aussi par l'ampoule, je me suis introduit secrètement, sous les espèces poudreuses de la mort, dans le corps rassasié de Joan. Le charme de cette formule hypnique réside moins dans sa toxicité à doses massives que dans la chronométration révolutionnaire avec laquelle elle fait passer de la narcolepsie à la mort. Le découplage s'accomplit implacablement : le remède dépresseur agit à la façon d'une onde de choc, faisant rétrograder son consommateur d'une somnolence douce à la chute phosphateuse dans le coma et la mort prochaine, pour ne pas dire inévitable. Ainsi, la poudre basilaire[41] me paraît avoir la force d'une évidence : elle me donne une certitude et, par le fait même, m'exempte de douter interminablement de tout. Je sais que ce corps blanc et laiteux ne me trompera jamais : c'est un agent parfait, un frère. À forte dose, je tue moi aussi. Oui, je tue doucement, par une progression narcomorphe qui m'absorbe, et je le conduis ainsi vers l'amnésie absolue dont je vis présentement le brûlant contraire. L'afflux désordonné de tant de souvenirs à ma conscience m'induit en un surmenage de mémoire et me gratifie de récapitulations et de tropes dont l'accumulation, depuis quelques minutes, me fait basculer dans une dialectique de remords et de fou rire. Je suis sous l'empire d'une véritable ivresse mnémogène : tout ce que j'ai fait depuis quelques heures me revient et me saoule. J'ai mal au cœur soudain, je titube, l'œil vitreux, sur le corps rigide de Joan qui repose devant moi, sans cesse, dans un flou optique qui me donne le vertige et me donne envie de vomir. Vomir, oui, comme ça ferait du bien : vomir d'une seule vomissure toute cette bave de souvenirs trop frais qui m'est restée sur l'estomac et m'empoisonne...

Minute de silence. J'essaie de récupérer après ce coup de terreur qui m'est arrivé : peu de chose, il est vrai, mais comment m'expliquer ces coups frappés à la porte[42] ? Comment ? Passé minuit, on ne frappe pas ainsi à la porte des gens ; l'heure des visites est outrepassée depuis longtemps. Sur le coup, j'ai frémi de peur : c'est comme si le poing fermé qui s'abattait sur le vantail, par groupes de trois coups, m'en voulait. Je n'ai pas ouvert. Ai-je entendu des pas s'éloigner à la fin ? Je ne sais pas au juste : je suis peut-être en train de devenir crackpot, comme aurait dit Joan... Complètement craqué et dans le pot-au-noir — vase absolu de noirceur, océan de bile sur lequel j'improvise un naufrage. Christ de calvaire en bois d'époque ; et toute une barge de christ reboisés et un chapelet de christ enculés et un saint rosaire que j'égrène, goutte à goutte, comme une éjaculation de Chinois ! Je ne veux plus repenser à l'énergumène (un hostie de presbytérien encore !) qui est venu frapper les trois coups du destin sur le frontispice relaqué de ma porte. Je l'empalerais avec une défense d'éléphant en ivoire dentelé. Et, foi de scout, je lui achèterais un poisson à scie pour qu'il aille se rachever ailleurs que sur mon seuil. Cette visite impromptue m'a complètement désaintciboirisé : les quatre super-réactés biochimiques que j'ai avalés en début de voyage (plus un) ont cessé, dans cette vague d'air froid, de fonctionner à plein et de me propulser sans rater vers le troisième palier de ma décoration intérieure. Les lois inamovibles et strictement fatales de la pharmacie sont conspuées. Pour la première fois dans l'histoire de la Confédération qui m'ensable, l'invariance spansulée[43] se met à varier dangereusement ; le mouvement suisse se détraque. J'ai le sentiment qu'un terroriste a sucé tout le carburant que je gardais en réserve ; un petit hypocrite qui, chaque dimanche, joue les enfants de chœur à la First Church of Canada[44]. Je m'affaisse en plein ciel, victime d'un stratagème de la guerre psychologique. Trois coups frappés à la porte, répétés avec une régularité maniaque et plusieurs fois ; et cela a suffi pour briser ma courbe euphorisée. Le charme est rompu, la biochimie bafouée. À peine croyable, je me sens fatigué : c'est un peu comme si j'avais survécu à Mach 12, traversant autant de fois le mur du son qu'on a frappé de coups à la porte. Je suis épuisé. Si ça continue, je vais dormir les yeux ouverts — comme Joan, en ce moment même, dort dans son coffret de sûreté, à l'abri des singes onanomanes et des vols à main armée. L'excès même de mon investissement d'attaque a épuisé toutes mes réserves et je me demande si, en fin de parcours et au terme de ma nuit nyctalope, je n'aurai pas découvert que le Dunkelschock du célèbre professeur Delamare endort tellement il éveille. Ses propriétés de stimulation du SNC[45] sont en quelque sorte à double tranchant puisque l'intensification générale du tonus se relâche soudain lorsqu'un sale anglican dégénéré, déguisé en destin, vient frapper à votre porte. Cela s'éclaircit : en fait, l'agent psychomoteur porte sur la région pédonculaire et l'émotion contre-tonique (première conclusion) n'atteint donc pas le pédoncule. Le siège de la peur se trouve être diffus, dans la mesure, du moins, où il n'est pas encore localisable ; tandis qu'on sait fort bien que les psychotoniques n'agissent qu'en un point donné et que leur efficacité se trouve réduite à zéro sous l'effet d'un agent dépresseur : événement, lésion organique, peur, etc. À demi envahi par un sommeil que je mérite, je mesure quand même l'importance de ma découverte sur le plan de la pharmacologie. Je viens d'expérimenter moi-même, rat blanc dûment mandaté par une sous-race de colonisés, l'inefficacité du doping incantatoire contre la chienne indécente et nue, cette peur inavouable qui fait trembler ! La peur a encerclé la flamme génératrice et, avec la peur, c'est l'existence intolérable avec ses aléas et ses périodes rampantes, c'est la vie courante immobile qui vient d'affirmer sa prédominance brutale sur l'agent psychotonique qui n'a pas attendu de midi à quatorze heures pour se transformer en agent double[46], me faisant ainsi basculer sans transition dans la glu noirâtre qui me monte à la gorge. Je m'endors ; le maudit naturel revient au galop et pourtant avec lenteur, selon la progression hypocrite de l'engourdissement et de la fatigue. Les paupières descendent d'elles-mêmes sur les dernières molécules psychomotrices qui me permettent encore d'agencer mollement les résultats intuitifs de ma découverte géniale... Je l'ai tuée. Et sa dépouille mortelle, exposée en chapelle ardente, m'infère dans une nuit blanche interminable, qui n'en finit plus. J'ai peur. Le sommeil vient trop lentement ; il vient un peu et s'en retourne, il recommence et cela m'épuise, car je vois encore Joan, couchée nue dans son catafalque et je voudrais la recouvrir d'un grand voile sombre, l'oublier... Joan...*

---

* La dilatation de l'écriture atteint ici son paroxysme, à telle enseigne d'ailleurs qu'il a fallu — depuis trois ou quatre pages — déchiffrer presque au hasard. Le lecteur comprend aisément que notre souci d'honnêteté nous a souvent conduit à émonder la terminologie voisine de l'indécence de ce texte. Il nous semble légitime d'établir ici même une division de chapitre, même si celle-ci ne repose pas sur un découpage choisi par l'auteur lui-même. Selon toute vraisemblance, il s'est passé quelque chose entre le nom de Joan que Pierre X. Magnant a écrit en dessinant des volutes et des formes ovoïdes qui emplissent toute la page de son cahier, et ce qui suit. S'est-il reposé quelques heures avant de reprendre sa séance d'écriture ; ou bien s'est-il passé une nuit complète ? Il est difficile de l'établir avec certitude. Il se peut aussi que la modification considérable du lettrage soit due à l'absorption, par l'auteur, d'un médicament qui aurait altéré sérieusement sa coordination musculaire. D'ailleurs, nos connaissances en pharmacie ne nous permettent pas d'induire avec certitude que la dégradation progressive de l'écriture manuscrite (dans les pages précédentes) provient d'un facteur biochimique. *Note de l'éditeur.*

Suite*

Mes frères, ce qui nous unit à jamais, c'est moins une idéologie commune que la certitude sanglante de tremper en même temps dans une conspiration criminelle que la jurisprudence fédérale et britannique condamne incontestablement. Nous sommes frères par le sang que nous ferons verser un jour, plus encore que par le sang noir qui coule dans nos veines et sur nos drapeaux**. Ce congrès n'a rien de commun avec les congrès qui se tiennent chaque année à Montréal et qui déversent leur clientèle adultérine dans les boîtes de nuit de Montréal, deuxième ville française du monde — hostie ! Notre congrès se déroule sous l'empire d'un projet sanguinaire et non pas sous les bannières polychromes derrière lesquelles nous défilons chaque 24 juin. Je vous le dis, l'indépendance n'est pas un char de la Saint-Jean-Baptiste[47]...

Dans l'ensemble, ce début me déconcerte un peu. À force de vouloir prédire mes discours sur papier, je

---

* Ce passage commençant par un début de discours a été écrit après la mort de Joan. On le verra bien. *Note de l'éditeur.*

** Il s'agit peut-être du drapeau rouge et noir arboré par le groupe de Réginald Chartrand[48]. *Note de l'éditeur.*

m'épuise ; je me lasse surtout et j'ai le sentiment de tricher. Il faut que les phrases incendiaires qui sortiront de ma bouche, en cette occasion, portent la marque du lieu même où se tiendra le congrès et du tonus particulier de la foule : il m'apparaît sacrilège de précontraindre l'inspiration comme si c'était du béton qu'on peut couler dans des coffres faits d'avance.

Une seule stylistique est possible : écrire au maximum de la fureur et de l'incantation. De cette façon-là, je ne serai pas déphasé par rapport à l'exaltation collective que je provoque. Et si, par miracle, je me trouve une octave ou deux au-dessus du déchaînement collectif, il me sera possible de renoncer à mon excès prémédité et de gloser en chute libre... Voici enfin que je surmonte ma fatigue, sous l'effet émerveillant des capsules idéogènes : je vois clair, la brume se lève sur le souvenir innommé de Joan et de ce roman qui a suivi et auquel je n'ai pas assez donné suite... Mais, ce soir, le roman ne me vient pas aussi spontanément ; je pense à ce discours que je dois prononcer bientôt, le premier depuis la mort de cette chère enfant que j'aime encore. Mais où la retrouver ? Où flotte-t-elle encore au-dessus du sol sombre ?...

Bref, je quitte Joan (parce que son souvenir m'emplit de tristesse) et je monte lentement les marches qui conduisent à la tribune où je parlerai ; déjà cette tribune me procure une situation de hauteur, propice à la domination. Je plane quelques secondes au-dessus de ma proie. Puis, quand un silence de mort règne dans la salle, j'inaugure mon discours par un cri prolongé et strident : (tonnerre d'applaudissements, noteront les journalistes, ou encore : longue ovation pendant laquelle le public s'est levé...) révolution ou suicide ! ! ! Le seul ennui avec ce début incroyable, c'est l'enchaînement : car il faut reprendre avant que la foule ne relâche sa tension. Cette reprise présente des difficultés techniques sur le plan du ton, du volume en décibels et de l'indice de gutturalisation qui, comme chacun sait, est indicatif d'une volonté de harcèlement. Le début que je préconise se compare non pas à une déclaration de guerre, mais à un cri de guerre. La reprise doit établir nettement son style de combat qui est celui de la guérilla sans pitié[49]...

You're killing with your independence, m'a-t-elle dit un jour. Mais, cette fois-là, j'étais peu disposé à lui en vouloir, car elle disait cela alors même que je dépendais follement d'elle pour le dénouement de mon plaisir. Cruelle, va... Elle a choisi mon point extrême de vulnérabilité, alors que j'étais lancé dans un sprint divin vers une ligne d'arrivée dont le toucher m'a fait chavirer une fois de plus dans une crise inondante, puis, après, dans une torpeur bienfaisante. Je suis très killing en effet, mais cela n'a rien à voir avec mon fanatisme guerrier, non plus qu'avec l'arbre généalogique de Joan ou le mien propre. (Je suis d'ascendance bulgare, deuxième génération, côté maternel, avec une goutte de sang cri : la goutte qui fait déborder le cher calice.) Bien que fier, à juste titre, de mon métissage, j'en tire un faible parti. Le Cri est mort en moi, scalpé par l'autre clan de ma solution génétique. L'homme tribal, coureur des bois, s'est fait assimiler par l'homo bulgarus qui, à son tour, s'est fait assimiler par de vulgaires Canadiens français. Cri balkanisé, je me suis empressé d'étrangler l'Indien taré que mes ancêtres d'adoption ont d'ailleurs chassé avec assez de bonheur, un peu à la manière des sportifs d'aujourd'hui qui procèdent, avec un civisme typiquement WASP*, à l'éradication des ouistitis et autres vermines. Le sauvage absolu crie de nouveau, à la pleine lune, cri étouffé qui a ressuscité une fois de plus lorsque Joan, amoureuse exemplaire, a rendu l'âme sans pousser un cri[50]... Je suis très, très — et non sans une pointe de coquetterie — vraiment très et merveilleusement killing. Aussi bien l'avouer : j'ai tué le Cri survivace qui a tué Joan sur l'autel des Primates de McGill. Je l'ai réduit à l'état mortuaire de colonisé en lui suçant, jusqu'à ce que mort s'ensuive, un fleuve majestueux qui coule à grands cris dans ce roman vaseux...

J'ai désappris — avant de naître — les danses de guerre de mon peuple conquis par des Français en dentelle qui, une fois encabanés ici, ont été conquis inlassablement et infiniment sur écran géant avec sous-titres en anglais. Deux fois conquis[51] (sans compter le bacille bulgare qui galope sur tout ce qui est vaincu), je suis en quelque sorte le spécialiste de la conquête : j'en connais par cœur toutes les modalités d'application et tous les épisodes paranoïdes. La conquête, ça me connaît ; car j'ai eu le temps, depuis le temps, d'explorer cet état constitutionnellement oscillatoire et cet aller et retour écœurant entre l'exaltation et la narcose, entre une tentative de révolution et une tentative de suicide — ce dernier rendu impossible par la perfusion du fameux poison résurrectionnel qu'on s'empresse de combattre, aussitôt qu'il est inculqué, par une injection surdosée de sulfonal contre-résurrectionnel qui est suivi de près, selon les ordonnances du conquérant, par l'absorption d'un produit antagoniste, et ainsi de

* WASP : White Anglo Saxon Protestant. *Note de l'éditeur.*

suite... Poison d'abandon contre poison de survivance, cri mort contre cri ressuscité, conquête oui, conquête non ! Qui n'a pas connu ce two-steps binaire ne connaît rien à la conquête, et il se peut alors que cette ignorance soit imputable au syndrome du conquérant (intoxication aiguë, à base corticale, contre laquelle je jure solennellement de ne jamais prendre une mesure efficace...). Conquête est aube noire et longue, deuil blême, face de carême pour ne pas dire sainte face — ce qui revient à double face ! ! ! Le conquis vit entre chien et loup, et, pour lui, chien fidèle, il n'y a qu'un jour au calendrier : un samedi saint sans lendemain... Oui, le conquis s'est taillé une toute petite place entre la mort et la résurrection, il est mort et attend dans une espérance régressive et démodée un jour de Pâques qui ne viendra jamais. Il se trouve coincé fortuitement entre deux événements : sa mort passée et son impossible résurrection pascale. Il se traîne ainsi, moyennant 10 à 20 grammes par jour d'eau bénite par voie intraveineuse, dans un interminable samedi saint dont la platitude quasi proverbiale est égale à son allongement temporel. Le conquis, confiné à l'attente visqueuse, se suicide sans dérougir et se ranime sans cesse, fatigué à la longue de tuer ce qui est mort en lui et d'exaspérer la fraction d'existence qui lui est déférée selon la Common Law, le Home Rule et l'hostie de Magna Carta[52] — avec laquelle, pour ma part, je ne manque jamais de m'essuyer délicatement les fesses, votre Seigneurie...

La seule compensation du conquis absolu serait de comprendre pourquoi et de quelle incroyable façon il se fait enculer par l'histoire ; mais justement, par définition, il a perdu la vue. Il n'y voit goutte, sans quoi, j'ose croire, il ferait autre chose que de rapatrier inlassablement des petites languettes d'un papyrus qui moisit (si tant est qu'il existe, tabernacle...) dans la cave à vin du British Museum, et autre chose aussi que de se chicaner sur l'interprétation intentionnellement intentionnelle des fragments dérisoires d'une histoire pornographique qu'on se racontait à Londres, à la belle époque, quand le lumpen-prolétariat, tel le soleil victorien, ne se couchait jamais[53]... Oui, la lucidité agirait sans doute comme un facteur de détoxication et débalancerait ce charmant équilibre où tout le poids graisseux du conquérant écrase, avec des raffinements de Chinois, le corps famélique et déboîté de celui qui attend de ressusciter pour prendre une petite bouchée et quelques libertés. Donc, selon la dialectique du fédéralisme copulateur, il ne saurait y avoir de lucidité que fédérale ou (ce qui revient au même) si le conquis devient lucide, il faut lui donner une promotion, le tenir dans un état voisin de l'anesthésie générale ou, à la rigueur, lui proposer de prendre un premier rôle dans la grande comédie musicale qui tient l'affiche depuis 1837 à guichets fermés...*

---

* Il nous paraîtrait inconvenant de publier les cinq pages qui font suite aux derniers mots du passage. En toute honnêteté, je tiens à prévenir le lecteur qu'une césure qui ne serait pas annoncée produirait une impression de discontinu, alors même que le texte de P. X. Magnant se caractérise, à tout le moins, par sa consistance interne et son style « legato ». De plus, je crois nécessaire d'évoquer la scène du viol que l'auteur raconte avec force précisions. Une fois le lieu choisi, le narrateur emploie un stratagème audacieux pour arriver à ses fins : le fait qu'il utilise la médiation (inconsciente) de certaines personnes est sans doute l'aspect le plus incroyable de sa machination qu'il raconte dans un style cinétique qui reproduit ce qu'il raconte. *Note de l'éditeur.*

Suite II

...par mon blitzkrieg[54] hydroxyle. Joan s'est rendue après un combat valeureux, d'autant d'ailleurs que son issue était connue d'avance, étant donné le style elliptique de mon attaque et ma supériorité naturelle. Elle s'est rendue de la même façon qu'on se rend à l'évidence, découvrant soudain sa puissance polémique, et s'empressant de hisser un carré de soie de chez Dior en guise de drapeau blanc. C'est ce qu'a fait Joan, expérimentant ainsi la défaite totale qui, à bien des égards, la rapproche de moi... En effet, dès l'instant où je la réduisais à la défaite totale et irréversible, comment ne deviendrait-elle pas ma sœur selon la défaite ? Conquise, elle a changé du tout au tout et s'est laissée aller à toutes les modalités de la banqueroute vénérienne. D'un seul coup, Joan a épousé mon être-conquis jusqu'à devenir ambiguë soudain, changeante, hypocrite par moments, insaisissable comme un Cri sous le regard du premier colon, masquée comme je le suis ; mais je savais encore lire à travers ce voile de dissimulation en réinventant, sous les traits de ma conquête, ma face de conquis. Étrangement, après cette nuit de noces et de tribulations, je suis redevenu conquis à nouveau tellement j'étais séduit par ma nouvelle conquête : Joan... que j'avais investie de nuit sans peur et sans reproche me dominait de façon inédite. Dès ce jour, notre histoire était écrite d'avance (bien que dans nulle langue écrite !) ; mais je me perds, j'ai le vertige... Quelque mécanisme vient de se détraquer dans mon inverseur de vie, 1837 cc à injection directe et arbre à cames en tête. Bête à mots, ma pensée s'essouffle à vouloir rattraper les mots qui viennent de s'échapper en peloton en dépit de toute vraisemblance et en dépit de leurs tendances à la baisse. Certains observateurs ne cachaient pas leur pessimisme ; et d'ailleurs, ces idéateurs se sont empressés subitement de liquider tout leur stock de mots pour investir dans les services publics — ce qui a eu pour conséquence de faire monter l'indice combiné Dow-Jones de 2.3 en trois jours (indice fragmentaire, cela s'entend, car les autres compartiments boursiers, toujours selon Dow-Jones, un maniaque des indices, ont ondulé, mais à peine : il s'agirait plutôt de microfluctuations qu'il est permis de considérer comme normales en régime dégueulasse et carrément capitalistique...). Chose sûre, cela n'a rien à voir avec le plein régime que j'essaie de maintenir dans cette compétition romanesque avec les mots que, foie de veau..., je ne réussirai pas à rattraper, pas plus d'ailleurs que je ne serai en mesure de rattraper Joan qui, après avoir pris le virage de la narcose, a dépassé depuis déjà longtemps la ligne d'arrivée qui se trouve justement devant la grande estrade peuplée de singes dont une bonne partie s'est justement anéantie à force d'éjaculer pour chaque courbe de Joan. Je suis en train de courir les 24 heures du Mans[55] (Laughter...), ce qui ne veut pas dire que je me rendrai jusqu'au bout de cette épreuve d'endurance qui, chaque année en juillet, fauche sa petite moisson humaine. Non seulement je cours les 24 heures du Mans, mais encore, tout en actionnant mon levier à tubercule dans les cinq rapports de vitesse dont je dispose, j'écris un hostie de roman sur un calepin que j'ai assujetti sur le tableau de bord avec du scotch tape on the rocks[56]... J'ai l'intuition que Joan, invaincue dans sa beauté folle, est loin en avant de moi, exploitant sa super-cylindrée à mort et la faculté d'adhérence de ses Dunlop SP 16 qui crient pour ne pas lâcher... Mais ce n'est pas facile d'avoir un œil sur le compte-tours, un autre sur la piste chaude et un autre sur le quadrilatère funèbre du petit calepin où j'écris, va comme je te pousse, l'histoire romantique d'un cri aigu et d'une femme invaincue, mais violée, délirante et lâchée complètement et sans aucun sens de la mesure ! Et avec ça, je fais mon chemin sur un ruban d'asphalte, croisant tant bien que mal entre les autres concurrents qui, eux, ne semblent pas écrire de romans, dérivant avec plus ou moins de précision, tel un radical de Sétif[57], dans chaque virage cyclénique. Et avec ça, je suis pressé, très pressé en vérité : j'ai autre chose à faire que poursuivre l'ombre de Joan sur un palier de vitesse. Et je ne peux pas me permettre d'improviser, alors que je fonce dans le Tertre Rouge[58] avec une ferveur de séminariste et des théories plus ou moins fumeuses sur la façon dont l'aigle fond sur sa proie : cette problématique d'oiseau, c'est bien beau, mais je ne sais toujours pas exactement ce que je vais dire à ce congrès, devant la foule haletante des partisans... En ce moment, je roule comme un fou devant cette foule d'inconnus qui ne se lassent pas de me regarder passer et repasser et chercher, en hurlant de mes quatre morceaux de chair Dunlop, la forme fugace de Joan qui se venge de ma première victoire (voir Mao*...) en me faisant baver sur cette patinoire brûlante où je m'épuise. Car, d'après les règlements de la FIA**, je n'ai pas le droit de faire des raccourcis à travers les champs pour rattraper Joan et lui faire une queue de poisson dans un passage désert... et qu'elle soit obligée de donner un violent coup de frein pour m'éviter... Ah, si je pouvais au moins déchirer le calepin à roman qui m'empêche de lire le manomètre de pression d'huile ou si je pouvais déchirer la piste ou la date même à laquelle je dois prononcer mon discours... Si je pouvais tout déchirer, le texte mal esquissé de mon discours et celui du roman qui ne verra jamais le jour, selon toute vraisemblance... Mais, à moins de m'effacer totalement, je ne réussirai pas à déchirer la date du 18 février 1965***, ni le texte intégral de mon discours qui fut remis, ce jour-là, aux journalistes qui, d'ailleurs, m'ont fait une publicité gratuite avec des manchettes étalées, en caractères gras, sur trois et même

---

* J'ai trouvé dans Mao Tsé-Toung, *in : La guerre révolutionnaire*, p. 94 : « Il est indispensable de gagner la première bataille[59]. » Cette première victoire à laquelle se réfère P. X. Magnant, c'est peut-être justement celle des Patriotes à Saint-Denis — et non pas le viol de Joan dont il est question plus haut. *Note de RR.*

** FIA : Fédération internationale automobile, 8 place de la Concorde, Paris. Tout ce passage métaphoriquement situé pendant la course du Mans est révélateur des fixations automobiles de l'auteur. *Note de l'éditeur.*

*** J'ai personnellement assisté à cette grande assemblée séparatiste[60]. *Note de l'éditeur.*

sur cinq colonnes*. À la limite, je ne m'appartiens plus ; ce discours fougueux et triste du 18 février ne peut être considéré comme ma propriété littéraire — une propriété que je pourrais librement spolier ou anéantir !... Je me souviens, non sans un petit pincement au cœur, de cette foule compacte qui me demandait, ni plus ni moins, de la violer[61] et de lui faire le coup du hold-up mental avec violence. Mais moi je ne parlais pas à ces 800 personnes, mais à une d'entre elles, Joan, qui se tenait au fond de la salle, drapée dans sa pelisse « rouge révolution d'octobre[62] » dont la pureté fauve faisait tache et constituait, pour moi, un point de repère tout indiqué sur lequel je pouvais régler ma distance focale. Et quand mon regard se portait sur cette tache de sang, au fond de la salle, je ne manquais pas de voir Diane** qui était assise, sans le savoir, dans le même axe. En somme, je faisais d'une pierre deux coups. Joan ne pouvait deviner qu'en accommodant ma lentille rapprochante sur elle j'accrochais immanquablement une autre femme, assise quelques rangées seulement devant Joan. La paresse m'a toujours incliné à combiner, en un seul balayage optique, l'attaque

---

* En date du 19 février 1965, le quotidien *La Presse* titrait, sur trois colonnes et deux lignes : « Pierre X. Magnant lance un appel aux armes » ; le même jour, le *Star* faisait une manchette de six colonnes en page 3 : « Separatist rally qualified "a prelude" to civil war in Canada ». Puis, plus loin : « There is no substitute for rebellion[63]. » *Note de l'éditeur.*

** Ce nom de Diane ne réapparaîtra qu'à quelques reprises dans le récit autobiographique de P. X. Magnant. Il s'agit sans doute d'un épisode sentimental qui est antérieur à la rencontre de Joan. *Note de l'éditeur.*

savante et persistante que je devais mener de front contre deux ennemis. Ce 18 février, j'ai poussé cette tactique de paresseux à son point optimum d'efficacité et d'audace ; il faut dire, toutefois, que la chance avait pré-arrangé cette mise en scène à mon avantage, disposant Joan et Diane à l'autre extrémité de ce triangle suraigu[64].

Aussitôt après mon discours, j'ai fui la tribune et la salle, comme terrorisé par l'explosion si soudaine des applaudissements. Je venais de déclencher une sorte de crise violente dans la foule. Le fracas subit de cette jouissance collective m'a fait comprendre que je venais de perpétrer un viol impudique au terme duquel la partenaire multiple a échappé un cri rauque de plaisir. Quand on viole, on ne s'attend pas à l'orgasme de la « victime » ; de là, sans doute, mon comportement de fuyard devant ce magma impersonnel de chair qui m'imposait le spectacle surprenant de son spasme ! J'avais peur, en quelque sorte, parce que je venais de dévoiler cet inconnu innombrable et tumultueux — tandis que, tout au long du discours, je ne l'avais pressenti que sous les espèces d'une ambiance et d'un décor... J'ai réussi à me faufiler dans cette forêt hurlante et sans visage ; j'ai glissé à Diane, en passant, un message elliptique où je l'exhortais à faire comme si nous ne nous connaissions pas, en attendant que je rétablisse le contact ; puis, quelques pas plus loin, j'ai signifié à Joan qu'elle devait me suivre hors de la salle. Dans le hall surencombré du Windsor, j'ai pratiqué, dans la détresse, une sorte de slalom géant (mais sans descente...) et me suis finalement glissé dans une cage d'ascenseur où Joan, mine de rien, m'a rejoint juste avant que les portillons automatiques ne s'enclenchent. Nous étions seuls dans ce monte-chair strictement hermétique, mais ce n'était pas le moment ni le lieu de commettre une bévue...

— Ne sortons pas ensemble, lui dis-je en sous-entendant qu'il y avait une atmosphère de danger autour de notre assemblée politique et, dès lors, qu'il fallait multiplier les précautions. Je sors au quatrième ; toi, continue jusqu'au cinquième, puis redescends par l'escalier de secours et viens me retrouver au 405... et assure-toi de ne pas avoir été suivie...

Il n'en fallait pas plus pour lui faire le coup du grand moment : mes phrases à cycles fermés l'avaient pavlovée superbement. Joan, fascinée, m'a vu disparaître comme un vrai conjuré dans l'entrebâillement ésotérique des deux vantaux coulissants d'ascenseur. L'œil magique n'ayant rien perçu d'anormal, la petite cage s'est refermée avant de reprendre son simulacre d'ascension vers le sommet du Windsor. Le public devait être victime d'une crampe collective à force d'applaudir ce prophète volatile dont le temps d'incarnation correspondait très exactement à celui de son discours lapidé. C'est bien beau, les discours ; il n'en demeure pas moins que, durant tout ce temps, je n'avais pas cessé d'être conscient que la clé de la chambre 405[65], chaude contre ma cuisse, me permettrait, une fois les discours finis, de dégrafer les multiples cuirasses qui me privaient encore de la nudité lyrique de Joan, et de la rejoindre dans une étreinte dont le déploiement rhétorique me procurerait encore plus de plaisir que le discours qui (je ne le savais pas alors) est passé à l'histoire. L'arrivée de Joan à la porte de la chambre 405 où je l'attendais n'a rien d'un moment historique ; pourtant, je ne puis dissocier ce chef-d'œuvre d'entrelacement du discours qui l'a précédé — discours véritablement extraordinaire puisqu'en le proférant, dans la salle surpeuplée de l'hôtel Windsor, je me suis métamorphosé irréversiblement en homme dangereux : oui, les mots que j'ai lancés au public m'ont enfanté. Je suis né à la révolution en prononçant les paroles sacramentelles qui, de fait, ont engendré plus de réalité que jamais mes entreprises ne l'avaient fait. Ma naissance seconde a suivi ce baptême improvisé, de la même façon qu'une confirmation brûlante a succédé, ce jour-là, à notre premier sacrilège. Lancé comme je l'étais sur le corps vivace de Joan, j'aurais pu, ma foi, pousser le blasphème jusqu'à nous cimenter par un mariage indissoluble, sur ce lit doublement double, et tuer Joan juste après, sur place, afin de lui administrer l'extrême-onction pour finir la journée en beauté... J'en conviens, si ce n'était pas l'onction, c'était autre chose : mais il y avait quelque chose d'extrême en nous, ce jour-là : notre plaisir, ce cher et bienheureux orgasme onctueux qui m'a délivré des 800 guerriers déchaînés (le public...) qui m'ont encerclé jusqu'à ce que Joan, rompant à jamais le cerne fatal, ait frappé trois petits coups à la porte du 405 — trois coups de théâtre qui préludaient rituellement à l'incroyable spectacle total* qui s'est déroulé entre le chambranle et le guéridon, espace qui peut sembler trop exigu pour la pompe scénique, mais qui, en fait, se dilate à volonté selon les caprices mêmes du plaisir et en fonction de la plénitude infiniment

---

* Je me permets de renvoyer le lecteur au chapitre étrange signé de la fausse RR, mais que j'ai inséré dans le livre, voir page 138, par simple préoccupation d'honnêteté. *Note de l'éditeur.*

durable de cette succession phosphateuse d'instants nus...*

Je vis sous une telle propulsion secrète que le temps se trouve disloqué et semble mettre une éternité à passer. Oui, le temps s'allonge indéfiniment et m'instaure majestueusement dans sa propre immobilité. Toute diversion de ma stase euphorique paraît superflue ; la drogue, savamment dosée, m'induit en une existence intransitive qui me comble. Je ne vais nulle part, sans doute parce que tout est fini ; je suis, moi plus que tout, fini, absolument fini[66], en proie à cette obsession de la finition irrémédiable — de ce terme qui jette un discrédit implacable sur tout ce qui l'ignore : sur tout ce qui semble continuer et sur tout ce qui persiste à durer en dépit de toute vraisemblance et contre toute logique... Dans cette chambre obscure du Windsor**, quatre étages au-dessus des autres, j'ai découvert, dans l'étreinte brûlante de nos deux corps, l'impossibilité strictement totale et irréversible de notre amour. Oui, c'est là, sur cette couche louée pour l'occasion, que j'ai compris que notre amour était sans avenir, et cela, même si les murs de tout l'hôtel répercutaient, dans le bruit et la fureur[67], l'avenir exaltant que je venais de dévoiler à tous mes frères. Dès l'instant où Joan s'est

---

* Passage déchiré ; impossible de le retrouver, même partiellement. *Note de l'éditeur.*

** V. Nabokov a déjà intitulé un de ses romans *Chambre obscure*, et cela, bien avant de devenir un écrivain célèbre. P. X. Magnant s'est sans doute approprié cette expression ; mais doit-on comprendre qu'il vouait à Nabokov un culte secret[68] ? Il y aurait une thèse intéressante à faire à ce sujet. Enfin... *Note de l'éditeur.*

avancée sur le tapis oriental de notre chambre ; oui, dès l'instant où elle a fait son apparition et dès l'instant où je suis entré en elle, une odeur de morgue s'est substituée au parfum délicat de Joan et, au fond de l'orgasme incohérent et divin, ce n'est pas l'amour que j'ai touché, mais la chair durcie d'un cadavre qui, par sa présence insolite, présageait un projet de meurtre absolu*... Notre pays est un cadavre encombrant ; l'assassin n'avait que faire de cette masse inanimée qui lui bloquait la route et, histoire d'en faire profiter la science tout en s'en débarrassant, il a transporté le cadavre dans un laboratoire où quelque méchant mélomane dirigeait un chœur de singes... Maintenant, qu'allons-nous faire du cadavre ? Une autopsie ? D'accord, mais allez-y mollo et les yeux bandés — ne serait-ce que par pudeur. Puis, après un stage d'une durée moyenne dans les congélateurs grand format de la morgue, et si personne ne réclame le corps de Joan, on enverra une plainte pro forma à l'assemblée plénière des Nations Unies au sujet de cet assassinat doublement anonyme (car on ne connaît pas plus le nom de l'auteur que celui de son répondant) qu'on ne peut qualifier, à moins de délirer, de crime politique ! D'après l'indice combiné Dow-Jones et certains détails qui ne trompent pas, il

---

* Maintenant que les événements connus se sont produits, il me serait facile (mais ne serait-ce pas tricher ?...) de conférer aux aveux abscons de P. X. Magnant le caractère d'une prémonition ; mais, en procédant de la sorte, j'extrapole — ou plutôt, je force le sens d'un passage dicté, peut-être, plus encore par le hasard de l'« inconscient » que par le désir de formuler par énigmes des projets inavouables. *Note de l'éditeur.*

s'agirait plutôt d'un crime parfait[69] qui, de par sa perfection même, rejoint le crime lèse-majestiste des anciens Romains et constitue la seule abomination totale ! Les crimes parfaits posent un problème grave en théologie ; les Coptes ont beau œcuméner sous la coupole de Bramante* avec les Anglicans, les Adventistes et les Syriaques, les grands théologiens n'en arrivent pourtant pas à circonscrire le crime parfait qui, cher lecteur, n'est qu'une des nombreuses modalités du grand mystère de la transsubstantiation[70]... D'aucuns affirment que l'existence même de crimes parfaits constitue un obstacle majeur à la nouvelle vague d'œcuménisme[71] qui, comme chacun sait, n'en finit plus de se briser sur les appontements vétustes conçus par le Bernin** ; la notion même de crime parfait

---

* Il semble bien qu'il s'agisse ici de la coupole de Saint-Pierre-de-Rome. Bramante en a conçu le plan original. *Note de l'éditeur.*

** Bernin est un des grands architectes baroques, à qui on doit tant de monuments de Rome. Les « appontements vétustes » se réfèrent sans doute au pont Saint-Ange, un des chefs-d'œuvre du grand artiste. *Note de l'éditeur.* (Cette note de l'éditeur révèle une culture assez déficiente. Le pont Saint-Ange n'est sûrement pas le chef-d'œuvre du Bernin : les dix statues colossales d'anges qui ornent ce pont romain ont été exécutées en 1688 d'après des dessins du Bernin. Ce sont, en quelque sorte, des œuvres du Bernin « au deuxième degré ». D'autre part, le pont lui-même ne doit rien au grand artiste : il a été construit en l'an 36 de notre ère par Hadrien. Selon les grands historiens de l'art, le chef-d'œuvre du Bernin est la statue appelée « La transverbération de Sainte-Thérèse[72] ». Le fameux groupe sculpté se trouve dans l'église Sainte-Marie-de-la-Victoire à Rome. *Note de RR.*)

se superpose, dans l'esprit de certains fidèles, à la notion du sacrifice de la messe. En fait, la perfection inhérente au crime annule la notion même de crime : la messe aussi n'est que la réitération quotidienne interminable d'un scandale. Le cadavre blafard qu'on abandonne aux regards impurs des sous-hommes, oui, ce cadavre qui traîne comme un lambeau de chair vive finit par défier toute entreprise subséquente et par obstruer gravement tout effort d'intellection. La dépouille mortelle de Joan, exposée en chapelle ardente, me plonge en une nuit blanche pendant laquelle je ne franchis jamais le seuil de l'endormissement, ni celui de la néantisation d'une pure catalepsie. Je veille. Et cet état vigile m'interdit la lucidité aussi bien que le vrai sommeil, le travail euphorisant de l'esprit aussi bien que le repos restaurateur.

Il ne peut y avoir de crime parfait[73] ! Bon... (enfin, une réaction d'hygiène). Fermons l'enquête, bon Dieu, et ne parlons plus ni du crime parfait, ni de son impossibilité implacable, ni de la perfection du buste de Joan, ni même des diverses théories littéraires du crime parfait : tout cela n'est qu'un leurre et mérite d'être sanctionné par la loi au même titre que les crimes non parfaits et avec la même délicieuse sévérité. Un arrêté en conseil des ministres (22 saints-ciboires qui nous gouvernent !...) devrait, du jour au lendemain, bannir cette obsession de la conscience d'honnêtes citoyens qui, le soir, en pyjama, consomment du crime-parfaitement-écrit, produit hypnotique (1 gr. pur de phétotal surcuit, plus ½ gr. d'excipient parlé) en vente libre dans toutes les pharmacies et sans ordonnance. Passe encore la pilule contraceptive qu'on vend moyennant une ordonnance papale ; mais le fameux roman policier qui raconte un crime parfait, cela choque l'esprit. C'est encore plus nocif que les goofballs* qu'on vend dans toutes les prisons. Je préconise, pour le bien commun et le commonwealth de tous et chacun, que nos ministres procèdent légalement et radicalement contre toute entreprise ou toute tentative d'endoctrinement qui postulent la possibilité du crime parfait. Tout cela est franchement immoral. Par conséquent, j'espère qu'on décrétera l'illégalité de ce qui est immoral, et cela, avec autant d'ardeur que s'il s'agissait de transgressions de la loi qui violent, elles aussi, saint tabernacle, les hosties de canons de la morale. Aïe... Si seulement je pouvais me laver le cerveau avec un super-détergent à action mousseuse instantanée et ne plus revoir, au centre de mon insomnie, le corps blanc de Joan dont le poids mort et la présence folle m'accablent et me tuent. Mais admettons qu'un vague fumiste assimile la mort de Joan à un crime, voire même à un crime parfait : qu'est-ce que cela peut me faire ? ? ? Rien, moins que rien ! S'il y a autopsie, on découvrira forcément quelques indices probants du syndrome de mort et aussi, dans le sang de Joan, un équilibre acidobasique rigoureusement incompatible avec la normalité, peut-être aussi des traces d'absorption de penthiobarbital (cf : rapport du médecin-légiste, re : Joan W. Ruskin, 1247, avenue Greene[74], Montréal, cadavre découvert au cœur de la science et dans un laboratoire simiesque...). Ce rapport fera peut-être état de la présence intruse d'un hypnotique dans le sang de la

---

* Les journaux de Montréal ont été remplis, en 1964-1965, par un prétendu trafic de barbituriques à la prison de Montréal. *Note de l'éditeur.*

belle inconnue, mais il ne peut en déduire logiquement la façon dont ce produit a été absorbé par la douce et tendre victime. La logique policière veut que, dans pareils cas, l'on s'empresse de recourir à l'hypothèse du suicide, à moins que l'on ne se laisse guider par toute une gamme d'indices qui véhiculent moins de certitude : cerne bleu autour du cou, ecchymoses diverses, empreintes digitales d'une autre personne sur les vêtements de la victime, sur le parquet et les montants des cages tout autour... autant de preuves d'une lutte préalable à la mort et d'une intervention maligne ! En conclusion, rien ne ressemble moins à un crime (du point de vue d'un enquêteur ordinaire) qu'un crime parfait. La mort de Joan, par exemple, est riche en vraisemblances contradictoires et comporte des vertus anxyolitiques qui, exploitées rationnellement, conduisent à un déficit rationnel implacable, voire même au suicide. Pauvre lieutenant-détective de la sûreté municipale... Je l'imagine en train de résumer la situation à sa femme qui regarde son mari droit dans les yeux, croyant qu'il est devenu fou...

— Voyons, Alphonse, si tu racontes ça à ton chef, il va te mettre en vacances forcées... ou, peut-être même, au service de la circulation. Tu racontes n'importe quoi : cette histoire de fille morte parmi les singes, ça ne tient pas debout... J'ai l'impression que tu lis trop d'histoires de fous...

Pauvre lui : comment faire comprendre à sa femme que la mort de Joan lui semble suspecte ? Il ne lui reste plus qu'à se confier aux singes eux-mêmes ; mais allez donc faire la conversation aux singes... Il n'en faudrait pas tant pour se faire interner avec eux et finir ses jours en cherchant leurs poux... faute d'avoir trouvé la bête noire des humains ! Les cadavres ne sont pas toujours éloquents, Dieu merci ! Joan n'a pas dit un mot ; les singes non plus... J'en viens moi-même à croire vraiment à la mort naturelle de Joan — dans la mesure, du moins, où personne encore ne s'est mis en tête qu'un sale assassin a laissé sa trace indélébile sur le corps pur de la belle Anglaise ! Et si je me trompe, tant pis ! Je me serai trompé, c'est tout... De toute façon, la présente confession calme mon staccato chimique et me ramène dans la voie de la vérité. Finalement, j'ai raison parce que je raconte tout, quasiment par principe... Oui, j'ai raison d'imprimer à ce vergé de Hollande la motivation cristalline du meurtre de Joan. Je vois clair en moi et cela me fait du bien de l'écrire en toutes lettres, de gauche à droite, par petites bouffées de mots qui tachent, sous une pression adroite, la feuille d'une somme incalculable de petites taches de sang*...

---

* Ce détail est faux : le manuscrit de P. X. Magnant est écrit noir sur blanc. Nous avons noté, à la lecture, plusieurs modifications de la page conçue (nombre de mots par ligne et de lignes par page). De plus, le graphisme semble déréglé quant aux proportions et quant à la lisibilité. Pour revenir au rouge « présumé » des caractères, ce détail (pur mensonge) indique la propension de l'auteur à établir des correspondances entre son récit et le corps de Joan, donc une volonté explicite de faire un produit littéraire. Les relations ainsi établies entre le rouge de l'encre et celui du sang de Joan nous laissent deviner que l'auteur ne recule pas devant le mensonge pour frapper l'imagination du lecteur. *Note de l'éditeur.*

Suite III

...Je me vois écrire ce que j'écris, conscient à l'extrême de recouvrir le corps de Joan d'une grande pièce de toile damassée d'hyperboles et de syncopes : j'improvise un véritable tissu d'art*, mot à mot, afin d'en vêtir celle qui est nue, mais morte, oui, morte de sa belle mort parfaite. Écrire ce roman me sauve de l'incohérence stérile du monologue parlé. Je constate, non sans une grande jubilation intérieure, que cette activité transitoire — écrire ! — devient l'activité principale de ma vie. Écrire m'empêche de tout dire : c'est une lente et dure propédeutique de l'existence, un apprentissage détaillé de la

---

* L'auteur invoque la notion de « tissu d'art » pour qualifier ce récit qu'il confectionne avec passion : le « tissu d'art » signifie justement l'œuvre superficielle, mince et opaque[75]. Le récit de P. X. Magnant se trouve d'emblée investi de propriétés masquantes. Dans cette optique, la littérature se trouve dépourvue de toute fin autonome, de toute fonction expressive. Elle est un masque absolu, un voile opaque, chargé d'hyperboles, un voile aveugle qui cache la réalité et doit la cacher ! En quelque sorte, P. X. Magnant défonctionnalise la littérature : il en fait un tissu dont on recouvre une morte dont la nudité est, ni plus ni moins, effrayante. *Note de l'éditeur.*

révolution, l'acte privatif par excellence — donc celui qui engendre la plus grande insatisfaction et qui, par conséquent, incline à l'explosion déflagrée de l'action. Il faut tout nommer, tout écrire avant de tout faire sauter ; il faut tout épeler pour tout connaître, appeler la révolution avant de la faire. L'écrire minutieusement, c'est préfacer sa genèse violente et incroyable...

Mais justement, ce pays n'a rien dit, ni rien écrit[76] : il n'a pas produit de conte de fée, ni d'épopée pour figurer, par tous les artifices de l'invention, son fameux destin de conquis : mon pays reste et demeurera longtemps dans l'infra-littérature et dans la sous-histoire. C'est tout juste s'il enfante quelques malades comme moi, de ci de là, en pur gaspillage et sans les nommer... Les fabricants d'histoire ne savent plus où donner de la tête : ils s'en vont, dans la vie, avec quelques bonnes répliques, mais il n'y a pas de contexte, ni même de sous-textes dans lesquels ils pourraient insérer leurs périodes. Alors, ils restent là, debout, avec leurs apocopes à la main, hébétés, plantés comme des cocus dans une intrigue muette qui, fertile en sous-entendus, n'est finalement entendue par personne ! On a beau ramper sur les tréteaux ; croyez-moi, ce n'est pas une sinécure que de donner la réplique à des aphones et de trouver le ton juste quand tout est silence, même le reste... Le Québec, c'est cette poignée de comédiens bègues et amnésiques qui se regardent et s'interrogent du regard et qui semblent hantés par la platitude comme Hamlet par le spectre. Ils ne reconnaissent même pas le lieu dramatique et sont incapables de se rappeler le premier mot de la première ligne du drame visqueux qui, faute de commencer, ne finira jamais. Chacun a son texte sur le bout de la langue, mais quand on met le pied sur scène où déjà se taisent les autres personnages de cette histoire inénarrable, vraiment on ne sait plus quoi dire, ni par quel bout commencer, ni quel mot proférer pour que, d'un seul coup, tous les personnages retrouvent la mémoire en même temps que le fil de l'intrigue[77]... Alors, on hésite, on perd pied, on attend qu'un autre cave rompe le silence ! Il suffirait d'un seul blasphème, d'un seul Christ métonymique pour métamorphoser ce morne silence en bruit d'enfer ! Mais ciel ! les murs sont barbouillés de slogans anti-blasphème... Alors, on finit par se tourner la langue de feu[78] sept fois avant de lâcher un saint-ciboire ou quelque petite burette débordante du sperme christologique ! On n'éclate pas. Le silence est d'or : on le fond en lingots en forme de pénis, on en fourre dans toutes les dents carriées, on le négocie chaque jour sur le parquet de la Bourse de Montréal — communément appelée Montreal Stock Exchange. On fait des Christs en or, des crucifix en or, des calices en or ; les saints-ciboires en sont archi-plaqués et les saints-sacrements d'ostensoirs en débordent dans toutes les directions. Oui, tout un peuple, aurifié, avec gueule d'or sur fond blême, se tait à force de ne pas vouloir s'exprimer tout haut. Les mots hostiaques font peur. Personne n'écrit sauf moi. Bien sûr, me direz-vous, il y a les protonotaires qui écrivent et les greffiers ; à ce compte-là, les médecins qui font des ordonnances pour suppositoires écrivent ! Mais moi, j'écris au niveau du pur blasphème[79] : oui, j'écris ce que je comprends, ce que je projette de faire, ce que j'ai fait (pauvre Joan...) ; mais cela ne fait que commencer. Les plombs n'ont pas fini de sauter ; Joan est morte, mais cela n'est qu'un début... C'est comme une préface laconique à la martingale d'attentats et de crimes que je projette de faire. Tout se passe sous le signe du blasphème et de l'action. Par l'action matricielle de la parole, l'action passe à l'action, raflant d'un geste hâtif tout l'or du silence et le dépouillant, par surcroît, de sa plénitude significative. Dès lors, le silence est réduit à n'être plus qu'une modalité rhétorique du vide qui, comme chacun sait, n'a d'autre fonction que de valoriser la parole et si possible le râle affreux des blasphèmes. Ainsi, en toute dernière analyse, on peut dire que le silence n'a de statut propre qu'en fonction du blasphème qui est le cri sauvage ; le silence ne peut être conçu autrement que comme un intervalle entre deux cris. La révolution, dans son être global, n'est qu'un immense et inaudible cri, cri funèbre et inédit proféré par une nation... et non pas le bégaiement informel que je sténotypie[80] avec tristesse sur ces pages pour oublier l'inoubliable nudité de Joan. Mon informe lamentation n'a de sens que si, de cette façon, je peux encore retarder mon cri de détresse et de mort ; et si tu la lâches, elle te dévore*.

---

* Un vieux proverbe haoussa dit : « Ta langue est ton bien ; si tu la lâches, elle te dévore[81]. » Ce n'est peut-être qu'une convergence fortuite ; mais elle est troublante. L'auteur semble ici paraphraser le proverbe nigériaque. Cela est un peu mystifiant. *Note de l'éditeur.*

Suite III-A

Décidément, ce n'est pas ce soir que je vais écrire mon discours ; il y a belle lurette que j'ai franchi le seuil de l'efficacité euristique. Rien ne me contraint à la logique : ni la luette, ni les vibrations ondulatoires d'une écorce que l'on dit cérébrale. Je m'installe d'emblée dans la révolution permanente qui a tué ce pauvre Trotski et qui peut se comparer à la rotation terrestre qui a fait tourner la tête à Galilée. Mais la chère révolution permanente ne m'intimide pas : après tout, il y a bien des façons d'être permanent et de faire indéfiniment la révolution selon les divers schèmes ellipsoïdaux de la rotation. Hostie, je n'ai qu'à me laisser emporter par l'instant glissant et par le vertige insensé de celui qui porte une grenade incendiaire à la place du cœur. Je vais tout bonnement faire péter mon compte-tours ; et sa trotteuse tachymétrique ira finir ailleurs, dans la peau d'un Anglais ou d'un homme précambrien... Par déformation professionnelle, je sais que la transformation d'un corps ne se répète jamais deux fois et qu'on ne se baigne jamais deux fois dans la même rivière. Il en va de même de l'acte sexuel : on ne couche jamais deux fois dans le même lit, on ne se baigne jamais deux fois dans la même partenaire héraclitienne[82]. Chaque orgasme ne fait que dériver d'un archétype qui — il faut bien le dire — n'est rien d'autre que la création du monde ou quelque chose du genre... Au Café Martin, ce soir-là...*

...Thomas, innocent comme un mari, buvait mes paroles avec une sincérité émouvante, tandis que la jambe de Colette frôlait la mienne sous la table. Cher Thomas, je n'ai jamais cessé de le considérer comme un médiateur aveugle entre sa femme et moi. Je n'en ai jamais voulu à Thomas**, mais il me décourageait. Par la suite, quand Colette a divorcé (non sans quelques petites photos choquantes habilement prises par un détective de l'agence TELDEC***, j'ai distancé cette chère Colette de plus en plus, non sans commettre certaines injustices à son égard. Pourtant, elle avait procédé légalement contre Thomas à seule fin de faciliter notre rapprochement... Mais — je ne sais trop pourquoi — sa manœuvre m'a incliné à me séparer, moi aussi, mais d'elle ! Je me suis alors engagé dans un nouveau combat, changeant subitement de tactiques, passant du jour à la nuit des loups et me camouflant

---

* Ici se situe un épisode que je répugne à transcrire in extenso ; ce qui s'est déroulé, dans ce salon du Café Martin, doit être expurgé car ce passage, franchement indécent, pourrait être considéré comme diffamatoire par les personnes désignées qui vivent encore. *Note de l'éditeur.*

** Ce prénom, bien sûr, est faux. *Note de l'éditeur.*

*** Cette agence de détectives privés n'existe plus ; elle a cessé ses opérations commerciales récemment. *Note de l'éditeur.*

de lambeaux de chair pour entrer de nuit et par effraction (et non sans violence...) dans le cœur même du continent fantôme qui se love sur lui-même dans un grand lit à baldaquin*. La révolution dérive ; seule la conquête est permanente, car elle se double à l'infini selon des agencements imprévisibles et d'après un ordonnement sériel qui instaure l'immanence en pleine transcendance...

Joan, seconde et double, successive aussi, a nié par son apparition celle qui l'avait précédée : Colette (divorcée, donc seule, infiniment seule, doublée en quelque sorte et revivant sous les espèces de Joan, car, ciel ouvert, n'est-ce pas Colette que j'aimais clandestinement quand j'ai aimé Joan ?...). Tout cela est bien compliqué, je le reconnais : Colette, Joan ou plutôt : Joan I, Joan II... Ce n'est pas une vie : moi, là-dedans, je ne fais que prolonger la guerre de succession, je vais de coup de foudre en coup de foudre, je me décarcasse à aimer follement et dans le désordre insensé du temps qui fuit, une femme et une autre, et voilà que je vais encore au-devant de qui ? D'une autre femme : Joan III... Mais je ne suis pas rendu ; et me voici enferré dans mes propres souvenirs. Je me vois au St-James Hotel, à Londres, dans la chambre somptueuse que nous occupions, Joan et moi, et dont les fenêtres victoriennes donnaient sur le parc des brumes et sur le palais de George III qui a promulgué, entre autres insanités, le Stamp Act et le Quebec Act[83]... Oui, qu'elle était

---

* À qui veut comprendre, cette allusion au « continent fantôme » se réfère à l'avenir. *Note de RR.*

belle cette chambre du St-James Hotel, où j'ai retrouvé Joan, impure, mouillée comme si nous venions de faire l'amour alors que, de fait, je revenais — trempé moi aussi — du Oxford Circus Hall où se déroulait le congrès international des « pharmaceuticals » auquel j'assistais comme délégué (avec liste civile à discrétion) de la firme Leacock, Leacock & French[84], compagnie célèbre pour sa gelée vaginale « mark one » et « mark four » (la « mark three » n'a, sans doute, pas pu endiguer le flot endémique des sous-doués dont la prolifération mondiale constitue un stimulant à la révolution permanente). En revenant du Oxford Circus Hall, je suis monté à notre chambre : Joan m'y attendait. Je lui ai dit aussitôt, et le plus gentiment du monde, de nous faire monter deux « stout » — ce qu'elle s'empressa de faire par téléphone en demandant le room clerk (sorte de chasseur chassé) : Joan se contorsionnait au bout du fil pour passer notre commande. Je choisis cet instant pour passer à l'action. J'ai subrepticement soulevé sa robe écarlate et j'ai glissé ma main fantôme sous la pellicule effrangée de son slip (réaction de Joan : surprise) ; mais je n'ai pas bronché ; au contraire, j'ai localisé son point érectile avec mon majeur. Pendant cette escalade enrobée, Joan continuait de converser avec le chasseur irlandais (tous les chasseurs le sont[85] !) et ne pouvait, du coup, repousser mon insinuation. Avant même qu'elle en eût fini avec ses formules rituelles et son interlocuteur, j'avais terminé mon enquête voilée ; je savais... Alors, je me suis étendu sur le couvre-lit jaune canari, avec désinvolture, et j'ai attendu. Joan était moins furieuse que troublée : la preuve en est qu'elle s'est mise à me parler en français, et cela, au cœur même de Londres brumeuse et immortelle. Elle avait de la peine ou quelque chose du genre : ma curiosité (anomalique, j'en conviens) avait provoqué en elle un émoi profond qui la rendait attentive à ma découverte... Quand j'y repense, j'éprouve comme une surcharge de tendresse pour cette enfant impure, que d'ailleurs j'ai rendue à son Saviour cristallin depuis. Son désarroi l'exposait alors toute nue à mon regard déloyal : elle devait s'attendre à une punition affreuse ou à une raclée sicilienne ; et elle faisait de son mieux pour limiter ma douleur qui (je peux bien l'avouer maintenant) voisinait le degré zéro. Je me suis dévêtu lentement, j'ai pris une douche très chaude (j'avais la peau rougie sur la poitrine), et j'ai endossé le complet neuf que j'avais commandé (trois jours plus tôt) chez un tailleur de Old Bond Street, agrémenté d'une chemise Windsor achetée dans Burlington Lane et d'une cravate en armature de satin rouge sur rouge, tout cela sans dire un mot en présence de Joan défaite et hésitante. Puis, j'ai enfilé mon imperméable Mackintosh, anti-pluie, et me suis tourné vers Joan pour lui susurrer, comme si de rien n'était, l'ordre de s'habiller et, aussitôt après, celui de décommander par téléphone les deux Guinness qu'elle venait de commander ; ce qu'elle fit aussitôt, avant de s'enfermer sous verrou dans la salle de bains pour quelques minutes. Il était onze heures du soir quand nous avons fait nos premiers pas dehors, sur le trottoir humide de St-James Place qui débouche, comme son nom l'indique, dans St-James Street, double parallèle de Haymarket qui figure la frontière sombre qui isole le cœur de Londres de son mésocarpe de brumes et de feuilles mortes. Nous avons marché, hanche contre hanche, en direction du Buckingham Palace qui peut se comparer avantageusement à notre musée de cire. Tout était fermé : non seulement le château régal, mais son parc à crimes. J'ai secoué la grille cadenassée comme pas une, tandis que Joan se tenait, grelottante, à quelques pas de moi. Puis, après le sacrilège de la grille (loi du cadenas[86]), je suis revenu vers Joan et nous avons repris silencieusement notre promenade en remontant le Mall jusqu'au point où le B. Palace (dépourvu de chauffage central) nous confrontait dans sa toute-puissance crénelée, au-delà de ses grilles et de ses grenadiers à poils. Nous étions alors sous le faisceau hors-foyer d'un réverbère victorien qui faisait de nous un couple de malfaiteurs, sucrés par les reflets impudiques des feux de la rampe. Joan était réticente, je l'ai vite compris ; je lui ai dit de s'approcher de moi. Elle m'a regardé longuement de ses grands yeux terrifiés de petite Anglaise perdue ; j'ai répété mon ordre, elle a obéi enfin. Elle était collée à moi, emmêlée par isomorphisme dans ma silhouette, vague à l'âme, très très londonienne (tamisée...). Et puis, alors que nous étions debout sous les lampadaires « Queen Anne », appuyés sur la grille noire du parc, nous nous sommes livrés à la subversion la plus basse, très basse oh ! oui ; j'ai déboutonné l'imperméable de Joan, afin de trouver l'agrafe latérale de sa robe et, ma foi, j'ai été victorieux partout à la fois : de ma main basse, insérée entre peau et robe, j'ai glissé vers le bas le slip qu'elle avait pris la peine d'enfiler ; et avec tous les gestes approximatifs inhérents à ma caresse, j'ai réchauffé la paume de ma main sur sa vulve et, tout en veillant à notre sécurité dans ce parc noirâtre, le visage de Joan s'est tourné vers moi tandis que, sous le manteau, je rendais à la convulsion absolue sa vulve de petite fille. N'eût été le cri étouffé de Joan (à l'apogée de son orgasme), aucun promeneur solitaire n'aurait pu deviner le commerce tyrannique et psalmodié que voilait notre silhouette imperméable. Après la fission de l'atome, Joan a pleuré sur mon épaule : nous étions redevenus amoureux comme avant ! Cette caresse voilée — marché noir et brumeux — a renoué notre amour qui, depuis que nous étions à Londres (8 ou 9 guinées par jour !), nous avait déçus tous les deux. Ce lieu, Londres, que nous avions choisi pour notre (faux) voyage de noces et pour délirer d'amour nous a éloignés l'un de l'autre jusqu'au plaisir grelottant (et légèrement régressif) que j'ai réinventé de mes mains. Alors que nous étions blottis contre la grille du B. Palace, comme deux conjurés, j'ai retrouvé, par cette caresse unilatérale, la voie même d'une évocation historique dont la progression ressemble à la marche obscure d'hommes qui, fragment par fragment, reconstituent leur enfance dans le seul but d'en finir avec l'enfance. Jamais par la suite, sinon l'autre nuit au laboratoire, Joan et moi n'avons éprouvé une telle fulguration alors que nous étions au milieu de la nuit, accrochés à cette grille plantée là, sous le règne de Victoria (couronnée en 1837, l'hostie !), pour conjurer les crimes parfaits dont la fréquence avait de quoi émouvoir la monarchie éclairée qui couvre nos timbres et nos dollars de sa face morte. Ma main ancienne, ce soir-là, était le masque sombre de mon identité de révolutionnaire*.

---

* Continuer. Car je tiens le roman qui me brûle intérieurement et par lequel je prendrai possession de mon pays ambigu, maudit, et de ma propre existence : ce roman est plus moi que moi-même. Il m'épuise ; à moi de l'épuiser sous l'aspect formel. Roman policier axé sur la pharmacomanie : cela peut sembler empreint de pédantisme[87]. Il n'en tient qu'à moi d'éviter une telle accusation. De fait, je suis né et je vis dans les produits pharmaceutiques ; pour moi, c'est la chose du monde la plus normale. En poussant encore plus dans ce sens-là, je transcenderai l'érudition par un festonnage métaphorique qui séduira mon lecteur. Le baroque. Continuer avec la volonté nette de faire baroque[88] : me renseigner plus sur la notion de baroque. *Note de l'auteur.* (Cette note a été écrite après une relecture, cela ne fait pas de doute, et inscrite en travers de la page. Le lendemain ou le surlendemain ; peut-être même dans la nuit du 26 au 27 mai, bien qu'il ait passé la nuit sur son discours. *Note de l'éditeur.*)

Suite IV

Le collapsus circulatoire est intense depuis tout à l'heure. Quelques grammes d'amobarbital, en pulvules[89] bleu turquoise, bloquent mes freins à disques et m'empêchent de tracer une tangente hors champ. Toutefois, je continue d'avancer dans cet entrelacs[90] de chicanes et dans le dédale de mon récit ; en fait, je cours après mon récit comme Sherlock Holmes après un assassin. Je hume, à distance et en dépit du cloisonnement céleste, l'odeur de Joan avec une ardeur de pharmacien qui respire un comprimé sécable dont il a perdu la formule ou le secret...

Pharmacien, je le suis aujourd'hui ; mais longtemps, je me suis « condamné » à l'être et, du coup, cette vocation me pesait... La vocation est un absolu inconditionnel que toutes les réussites altèrent ; plus grande est la vocation, plus vague sa définition projetée. La profession de pharmacien me poursuit dans le domaine politique. Exécuter quelques savantes ordonnances m'est un tel besoin que j'en invente, à l'occasion, pour des partenaires complaisantes que j'abreuve ainsi de drogues subtiles. Mon activité politique, d'autre part, me prouve que j'incarne une image archétypale de pharmacien, car je rêve de provoquer des réactions dans un pays malade : je rêve de m'introduire en lui, sulfate ou soluble, pour influencer (par mon action sur les centres diencéphaliques) le cours de son agonie et transformer celle-ci en régénérescence. Pharmacien, fils et petit-fils d'alchimiste, je suis capable de tout : je peux me venger mieux que quiconque, établir d'avance le tonus social d'une assemblée, hâter ou amortir le choc fou du plaisir ; je peux, si cela me chante, faire comme mon collègue Ferhat Abbas[91] ou plutôt écrire des romans cochons en série, voire même de la poésie mécanique. Non seulement j'ai tous les pouvoirs généralement refusés aux simples émissaires, mais encore je me souviens d'existences antérieures qui débordent la capacité mnémogène d'un seul homme : en 1890, par exemple, j'ai erré dans les rues brumeuses de Londres et j'ai éclaté de logique à la seule odeur de la belladone que j'ai flairée sur la bouche d'un mort. Le pharmacien opère de mille façons, selon une infinité d'ordonnances : il injecte, transforme, dilate, relâche, vaso-contracte, calme, révulse, excite, déprime, se désagrège comme une pluie de neutrons ; il agit, agent pur, sur le corps, non pas d'abord dans le but de se faire payer maigrement ses interventions, mais parce que son mode d'être est justement cette action continuelle, innommable, incertaine sur ce qui vit le plus à ses yeux. Le pharmacien (et j'en sais quelque chose !) se meut dans une aire de fascination ; il est envoûté par la mort, la sur-existence ou la façon de passer de l'une à l'autre le plus élégamment possible. Peu enclin à établir des normes de normalité et peu sensible aux théorèmes qui postulent, par leur caractère statique, la température immobile, le pharmacien est toujours en quête d'une nouvelle poudre cristalline blanche, peu soluble dans l'eau, dont le mode d'emploi préfigure le combat meurtrier de la révolution*. Tout le monde sait que, dans les nations engagées dans le processus révolutionnaire, le recrutement des pharmaciens est surabondant**. Et cela est logique : le pharmacien est très prospère en période de gestation révolutionnaire. On vient à lui pour obtenir un sédatif plus puissant contre la douleur coloniale ou un super-hypnotique, car on n'en peut plus et on rêve de s'abolir dans un coma dépolitisé. Joan n'a jamais pris au sérieux mes hypothèses sur la prédisposition des indépendantistes à la pharmacie. « Foolish, Pierre... Oh ! you're killing with your independence... » À ses yeux, tous mes raisonnements axés sur un postulat de révolution lui semblaient une sorte de dérèglement typique des Canadiens français, un mauvais pli folklorique comparable à mon goût avoué pour la vraie gigue. Et parce qu'elle n'a pas compris cela (que le pharmacien est un homme assoiffé d'action et de changement), elle n'a pas deviné les pensées secrètes qui me hantaient alors que je frôlais la peau nue de sa cuisse et celle, velue, des Macaques qui s'exhibaient sans pudeur à nos regards. Non, Joan n'aura jamais compris : tout d'abord, je ne me suis jamais intéressé à ses recherches en microbiologie et si je la suivais si assidûment dans ce

---

* Par respect pour l'auteur, j'ai transcrit cette phrase telle quelle bien que je n'en comprenne pas le sens. *Note de l'éditeur.*

** Cette remarque s'avère fondée sur une monographie publiée dans la revue *Recherches sociographiques* (cf. Presses de l'Université Laval, février 64, vol. 7, n° 1). Il convient de noter que P. X. Magnant radicalise à outrance le résultat statistique publié et commenté par J. Rodier[92]. *Note de l'éditeur.*

labyrinthe fétide, ce n'est ni pour l'amour de la race des Primates, ni pour leurs beaux yeux fous : pourtant, j'étais intéressé, plus encore : j'étais fasciné, obsédé. Je me souviens d'un week-end complet pendant lequel j'ai forcé Joan à poursuivre une expérience secrète sur les Rhésus qui s'ennuient le dimanche, tout seuls dans leur laboratoire. Comme j'étais heureux, moi, de circuler librement dans les bureaux des directeurs, d'inventorier le petit arsenal liquide du Redfern, de faire l'amour avec Joan sous le regard accusateur de ses chers cobayes ; à travers toutes mes joies, je poursuivais régulièrement une idée, je cherchais et, bien sûr, je n'arrêtais pas de faire travailler Joan (c'est cela sans doute qui la contrariait un peu) selon mon plan et mon caprice. Elle a préparé une solution d'extrait de liquide anté-cervical du rat de Suède et d'extrait d'atropine animale (effet : sédation lente des centres nerveux, affaissement des centres médullaires et élimination complète en moins de 24 heures). Comme une vraie pupille de la First Church, Joan s'est empressée de coller une étiquette marquée « poison » sur l'éprouvette qui contenait, en quelque sorte, mon propre liquide anté-cervical. Joan était effrayée à la seule idée que ses mains (gantées, selon mes ordres) manipulaient un poison et, comble d'horreur, un poison qui ne laisse pas de traces ! Ma découverte* la terrifiait : soudain, elle se trouvait aux mains d'un maître immoral, moi, et elle avait peur. À plusieurs

* Découverte, le mot est un peu fort ; car il semble bien que la découverte en question s'apparente singulièrement à une sorte de chloralose. Les effets mentionnés plus haut coïncident avec ceux de l'hydrate de chloral. *Note de l'éditeur.*

reprises, elle a failli laisser choir l'éprouvette et son précieux message. J'en ai frissonné de voir Joan passer si près d'un acte manqué ; c'est alors que j'ai mesuré quelle tension je lui avais infligée et combien j'avais manqué d'égards pour Joan, exigeant d'elle une froide dévotion alors que cette histoire de poison fugace la mettait tout à l'envers. J'ai usé de diplomatie : je l'ai entraînée dehors, lui ai offert un dîner bien arrosé, au Neptune, je lui ai parlé gentiment de n'importe quoi alors que je n'avais qu'une chose en tête : revenir au laboratoire et aller jusqu'au bout. Mais Joan, transformée par le Sancerre que je lui avais fait boire, aurait volontiers fini autrement ce lost week-end[93] ; et d'ailleurs, elle était volubile et prenait un temps fou pour finir la sole de Douvres couchée dans son assiette : elle m'a parlé de son enfance (gâtée), puis de ce cher daddy qui est mort sur le parquet de la bourse, au front d'honneur quoi ! Et puis Joan, cette chère enfant, m'a affirmé que sa sœur était une chipie, puis, tant pis pour la suite dans les idées, elle m'a avoué qu'elle reconnaissait à sa sœur une grande intelligence pour la bonne et simple raison qu'elle a quitté l'affreuse ambiance de Montréal et qu'elle travaille maintenant au Lagos Memorial Hospital*, puis elle m'a dit qu'un jour elle ferait de même, prenant soin au préalable de liquider les Rio Tinto

---

* La sœur de Joan est attachée au Lagos General Hospital, non pas au Lagos Memorial tel que le mentionne P. X. Magnant. En mai 1966, au moment de la mort de Joan, sa sœur faisait une tournée d'inspection médicale en pays haoussa, à titre d'auxiliaire dans l'équipe du Royal Sanitary Institute. J'ignore si elle est revenue à Montréal depuis. *Note de l'éditeur.*

et les Texas Sulphur[94] que son papa sucré[95] lui a noblement léguées, puis elle m'a vanté les mérites interminables du Sancerre qui lui sancerrait tout le système mémorial et cardio-basculaire[96] ; et puis, je l'ai arrêtée de parler et je lui ai dit avec mon Strath(cona)-sur-Avon[97] : chou chou, grouille-toi, sinon je vais te faire le coup de la syncope devant l'indice des valeurs mortes, viens, petite fille à papa, viens : papa a de belles choses à te faire voir... Amen.

Je ne cesserai jamais de m'étonner qu'il y ait des gens qui vivent normalement, qui rentrent tous les soirs au foyer pour y prendre le repas eucharistique et qui, perpétuels en cela qu'ils se meuvent, tournent en rond avec un bruit régulier de machine à coudre. Cela me fascine et me renverse, car ma vie n'est qu'un enchaînement désordonné de coups de foudre et de syncopes. Le monde — qui me confère ma réalité — menace sans cesse d'éclater ; rien ne me repose de rien et je ressemble à un combattant harassé, engagé à demi-solde dans la guerre de cent ans, qui ne s'étonnerait même pas d'apercevoir du côté ennemi le champignon atomique. Combattant égaré, mille fois défait, jamais tué, ce pauvre mercenaire ne sait plus ce que c'est qu'une table bien mise et, si la guerre cessait soudain, il ne saurait plus quel chemin prendre pour retourner chez lui... Une intraveineuse — 400 mg en tout — me confine ce soir à la médiocrité translucide. Je vois clair, je comprends et cela me décourage ; cet accès de netteté focale m'incline au désespoir pur, presque transcendant. Et je ne retrouve plus l'ancienne rage de vivre qui m'a inspiré, en ce week-end de la mort, un crime parfait (cf : opus 69, Koechel se meurt hors de tout catalogue[98]). Désenchanté, affadi, je m'abîme. Je m'ennuie de Joan, son spectre aphrodisiaque m'érige en pleine course (c'est tuant, croyez-moi !) et me fait achopper dans la glaise mémoriale : le crime parfait, plus que parfaite Joan !, ne remplace pas le passé imposable qui se liquide — comme la Banque du Peuple[99] — sous mes yeux vivaces. Et comme je n'ai pas prononcé de discours en ce 27 mai*, je me sens vraiment dans la peau œdémique d'un mercenaire déboussolé et j'ai la certitude d'avoir vécu follement d'une grande et abominable illusion, tabernacle fourré de pus ! Je n'ai rien du libérateur voltaïque d'un pays archi-fourré**, ni du chantre d'une guerre de libération. Mon identité d'assassin (au premier degré, s'il vous plaît...) me définit plus franchement qu'une mission spéciale, voire même secrète, auprès d'un peuple vomitif. J'ai tué Joan d'abord et avant tout : ce crime au singulier m'accable maintenant plus encore que le pluriel de la révolution québécoise, chiennerie interminable et pur

---

* Ce détail démontre que le récit présumé de P. X. Magnant, du moins dans cette partie nettement surajoutée, sonne faux. Tout le monde sait très bien (et les découpures de journaux le démontrent !) que l'auteur a bel et bien prononcé son fameux discours du 27 mai. Il convient de déduire de cette incroyable contradiction que ce passage du texte de P. X. Magnant est apocryphe, à moins que, sous l'effet de médicaments multiples, l'orateur du 27 mai n'ait été victime d'une amnésie partielle. Il existe une autre hypothèse, selon laquelle l'élimination de tout souvenir se rapportant au discours du 27 mai ne serait qu'un épiphénomène du refoulement systématique et indifférencié de l'assassinat de Joan. *Note de l'éditeur.*

** Il s'agit là d'un idiotisme québécois très vulgaire. *Note de l'éditeur.*

blasphème, donc : impossibilité... Il s'est passé si peu de temps depuis que j'ai fait l'amour avec Joan, selon un rite quasi posthume, et que j'ai posé ma main, en guise de véronique, sur sa bouche inspirée, induisant, sans aucun doute, ma compagne sur la voie de l'enfer anglican, car elle a expiré en état de faute inavouable à son gracious Lord. Le péché a été mortel, d'ailleurs, c'est tout dire ! Le lendemain matin — le lundi des esclaves ! —, embrumé par une surdose de véronalide, je n'ai même pas perçu la sonnerie de mon réveille-matin fabriqué en Pologne, si bien que j'ai passé dans l'impunité somnale l'heure « h » de me rendre aux bureaux climatisés de Leacock, Leacock & French, 3200, boulevard Laurentien[100], en plein parc industriel pharmaceutique*. Cette maudite machine polonaise a eu beau carillonner, je suis resté plongé en transe profonde, et couché. C'est le téléphone qui sonnait, re-sonnait, sonnait à mort comme un glas dans ma nuit noire ; je ne sais plus quelle heure il était, je me souviens seulement de ce maudit princesse[101], couleur seins de Joan, qui n'en finissait plus de sonner l'heure — différée — du réveil ! Finalement, j'ai tendu la main vers l'hostie de bébelle à sonnette. Quelle coïncidence à l'envers[102] : Suzanne** se trouvait au bout du fil. Elle venait aux nou-

* La compagnie Leacock, Leacock & French occupe de fait un immeuble dans la zone industrielle de Ville Saint-Laurent. Elle se trouve flanquée de Wyeth & Co. ainsi que de la compagnie Squibb[103]. D'après le Vademecum international, cette compagnie produit principalement des sédatifs à base de codéine (dénommés par chiffres), des antihistaminiques et différentes marques de gelée vaginale. *Note de l'éditeur.*

** Suzanne : je ne connais pas la personne qui a ce prénom. *Note de l'éditeur.*

velles, comme ça, un lendemain de crime et, en dépit de mon écorce matutinale, je la sentais en détresse. Après un échange de précautions oratoires, j'ai compris soudain que je ne pourrais plus jamais l'aimer, ni personne d'ailleurs. Comment renouer une vieille relation humaine trop humaine puisque le crime de la veille m'avait hissé au-delà de ce qui est humain trop humain, au-delà du bien et du mal aimer[104] — pareil, en cela, au promeneur inlassable de Sils Maria* ! J'avais franchi le seuil des sentiments humains et de la faiblesse. Comment dire ? Joan m'habitait déjà ; je réincarnais ma victime, j'étais possédé. Suzanne, imprévue et douce, ne pouvait rien pour m'exorciser. Un océan de mélancolie me glaçait la bouche ; une armada de banquises me tranchaient dans tous les sens à la fois. Et de toute façon, même en ce moment, rien ne peut m'exorciser : si bien d'ailleurs que je désespère de la psycho-pharmacologie. J'ai beau me faire ordonnance sur ordonnance, feuilleter mon inventaire d'échantillons, y trouver la drogue nouvelle qui me manquait et me l'administrer avec tout le respect que l'on doit au mode d'emploi, je ne réussis plus à m'éjecter hors de mon spleen. Je ne suis pas tant sujet à la neurasthénie que défait ; oui, défait comme l'armée de Robert Nelson**,

---

* Sils Maria, village situé à 4850 mètres, dans le massif de la Haute-Engadine[105]. C'est là que se réfugiait le philosophe Nietzsche. *Note de l'éditeur.*

** Robert Nelson, président du gouvernement provisoire de la République du Bas Canada et chef militaire de la rébellion de 1838. Après la bataille d'Odelltown, Nelson a retraversé la frontière américaine. Il est mort à 83 ans à Staten Island. *Note de l'éditeur.*

défait comme Chevalier de Lorimier* mais — hélas ! — pas pendu comme il l'a été à l'aube noire de nulle révolution ! Je te cherche, mon frère, ma sœur blonde, mon amour, car j'ai soif d'aimer et d'être aimé ; j'ai soif de vivre et de me mouvoir dangereusement hors du cercle mort de ma tristesse. Mais comment faire...

* Patriote mort sur la potence le 15 février 1838. *Note de l'éditeur*[106].

L'incident du Neptune

Le texte de Pierre X. Magnant ne s'arrête pas là. Mais en recopiant son récit — et rendu à ce point —, il m'a semblé plus conforme à mon rôle d'éditeur de me présenter au lecteur. Car le « roman » de Pierre X. Magnant ne raconte pas tout. Et puisque j'ai résolu d'intervenir autrement qu'à titre de copiste, je tiens à le faire en mon nom propre. Par loyauté pour l'auteur et par respect pour son lecteur, je ne veux pas arranger le récit de Pierre X. Magnant et le transformer de telle sorte qu'il contienne, finalement, la vérité que je veux dévoiler. Il serait injuste, de ma part, d'infliger au manuscrit de l'auteur une distorsion qui le rende plus fidèle aux événements. J'en fais un point d'honneur ; peut-être, d'ailleurs, mon attitude deviendra plus intelligible au lecteur si j'ajoute que ma relation avec Pierre X. Magnant ne saurait se limiter à une simple relation d'éditeur à auteur. Il y a plus et cela explique la position rigide que j'ai adoptée. Mais revenons au récit lui-même (il faut peut-être vous dire que je suis le seul dépositaire du manuscrit original) : mon propos n'est pas tant de porter un jugement littéraire sur cet écrit que de prévenir le lecteur de sa qualité non fictive. Il s'agit donc d'un document incroyable, rédigé de la main même de

Pierre X. Magnant, sur les agendas vert parchemin de Leacock, Leacock & French. À plusieurs reprises, sur ces pages débordantes d'une écriture dansante, l'auteur fait des allusions au roman qu'il écrit ou qu'il voudrait écrire ou qu'il devrait entreprendre, mais aucun lecteur avisé ne peut croire que ces allusions, à cause même de leur caractère « allusif », confèrent tant soit peu de réalité au fameux roman dont il est question. J'irai plus loin : le nombre même de ces allusions et leur fréquence dans le texte sont indicatives de ce que Van Schooters et Henderson* qualifient de « structure hallucinatoire » de la pensée. Le roman de Pierre X. Magnant se présente à nous comme absence de roman ; son coefficient de réalité est bien près du zéro absolu. Toutefois, en termes de « probabilité de présence », il se définit comme une hantise et tire son essence précisément de sa genèse (c'est un euphémisme !) « hallucinatoire ». Il convient, si l'on veut comprendre parfaitement le livre de Pierre X. Magnant, de le situer hors littérature, hors fiction et tout à fait hors roman : car ce serait tomber dans un piège grossier que de lui reconnaître une typification de dé-roman ou de contre-roman ou encore d'a-roman ou même d'infra-roman, autant de variables possibles d'un roman interminablement nouveau. Non, le manuscrit de Pierre X. Magnant n'a rien à voir avec le roman ou la littérature fictive en général ; cela est incontestable, ne serait-ce que pour la raison que le « roman » en question coïncide, dans presque toute sa

---

* Cité par J. Kestemberg *in* «À propos de la relation érotomaniaque» (*Revue française de psychanalyse*, tome XXVI, 5, sept.-oct. 1962, Paris, P.U.F.)[107]. *Note de l'éditeur.*

longueur, avec les événements vérifiables qui ont défrayé la chronique depuis le congrès du 27 mai à Montréal[108] jusqu'aux événements récents qui se sont déroulés sur la Côte des Esclaves. Cette coïncidence (« ressemblance avec des personnes qui ont existé », comme on dit couramment) prive d'emblée le livre de Pierre X. Magnant de toute prétention fictive : rien n'est moins fictif, hélas, que ce qui fait l'objet de la narration étrange de notre auteur. Rien ne ressemble moins à l'affabulation que l'implacable « réalisation » qui a précédé la rédaction elle-même. J'insiste sur ce détail : le déroulement extérieur a précédé l'entreprise narrative de l'auteur, car la coïncidence récit-événements pourrait incliner un lecteur impartial à reconnaître à Pierre X. Magnant un don quelconque de prophétie. Il y a non seulement coïncidence entre la réalité décrite et la vraie, mais succession de l'écrit à la réalité ; le manuscrit de l'auteur a succédé, dans l'ordre temporel, au déroulement des événements qui font l'objet de la narration. Ni prophétique, ni fictif, ce livre imparfait comporte quand même des qualités propres qui méritent de retenir l'attention : d'abord ce « tonus » désordonné de la parole chez l'auteur : cette espèce de style inflationnaire et désespéré ; puis, en second lieu, la façon dont Pierre X. Magnant a déformé l'histoire vraie qu'il confesse par écrit. Disons, en d'autres mots, que la coïncidence entre le récit et la vérité comporte des défectuosités et des omissions qui ont de quoi fasciner. Cet écart, parfois imperceptible, entre la version écrite et la version historique ne saurait se réduire simplement à une carence de la mémoire, ni au « syndrome de Jean-Jacques[109] » : il s'agit, en fait, d'une forme de distanciation qui, à elle seule, est mystifiante. Du moins, aussi bien l'avouer, c'est cet écart qui m'a accroché : distanciation capricieuse, fantaisiste, désinvolte qui, me direz-vous, est le propre de tout romancier. Mais justement, l'auteur — en dépit de ses protestations « hallucinatoires » — n'écrit pas une œuvre de fiction, il raconte ce qu'il a vécu ; dans sa vie toute fraîche encore (car il écrivait au fur et à mesure des événements), pourquoi écarte-t-il tel détail ? Pourquoi prélève-t-il tel événement et pourquoi est-ce qu'il passe tel autre sous silence ? Pour embellir, me suis-je dit, au début de ma lecture ; maintenant, je sais que cela n'a aucun sens, car, tout au long de son étrange manuscrit, il étale sans pudeur et dans le détail tout ce qu'il peut dévoiler ; son entreprise même, ce récit enchevêtré, en est une de dévoilement systématique et total. Pierre X. Magnant raconte la vérité à tel point que personne ne peut mettre en doute sa netteté, voire même son courage. C'est pourquoi, d'ailleurs, les libertés qu'il prend, à l'occasion, avec ce qu'il raconte d'autre part avec tant de minutie et presque scientifiquement, demeurent inexplicables : ses distanciations, imprévisibles et jamais semblables à elles-mêmes, constituent pour moi un véritable mystère que je vais tenter, modestement toutefois, mais systématiquement, de détruire en complétant le récit qu'il a fait par des versions complémentaires (ou divergentes) des mêmes événements, versions qui m'ont été transmises de vive voix ou par correspondance. Au terme de cette investigation, comme je souhaiterais déboucher sur l'intellection pure et simple de ce qui, en ce moment même, me trouble ! Mais cela n'est qu'un souhait, car je n'ai rien d'un écrivain ni d'un cartomancien ; et ce que je sais ne me permet pas de présumer de la réussite de mon entreprise. Surtout que je suis juge et partie dans cette affaire (éditeur et auteur...), mais juge et bourreau même ! Comme cela est étrange, je veux dire : comme ma situation me paraît soudain le contraire même d'une situation privilégiée. Je n'ai pas le dessus dans cette affaire ; je suis en-dessous, loin derrière, dans un état voisin de l'égarement...

Mais il importe moins de m'attendrir sur moi-même que de revenir au « roman » (qu'on me permette d'utiliser ce terme, pour raisons de commodité). Où en étions-nous ? Au Neptune, restaurant bien connu des Montréalais, situé à l'angle des rues de Maisonneuve et Mansfield, tout près du campus de l'Université McGill. Qu'on me permette, pour ainsi dire, de me souvenir du Neptune avec précision puisque j'y suis souvent allé avec Pierre X. Magnant. C'est d'ailleurs ma familiarité avec Luigi, le maître d'hôtel du Neptune, qui m'a permis de reconstituer dans le détail le repas que Pierre X. Magnant raconte dans son roman : les deux versions, celle de l'auteur et celle de Luigi, coïncident en tous points, exception faite d'un seul détail dont le lecteur jugera lui-même de l'importance ou de l'inanité. En effet, Luigi m'a affirmé que vers la fin du repas (alors que Joan était rendue volubile par le vin), il a été averti par un de ses garçons de ce qui se passait à la table (si l'on peut dire...) de Joan et de l'auteur : Luigi — et je prends sa parole — s'est lui-même placé au milieu de la salle à manger pour vérifier l'assertion de son garçon ; et là, en plein milieu de la salle, il a pu voir ce que d'autres clients du Neptune (ceux qui se trouvaient disposés en hémicycle en contre-champ de Joan) voyaient : Joan était, selon le dire de Luigi, affalée sur la banquette, tête renversée à l'arrière, paupières closes, tandis que Pierre X. Magnant, se tenant presque en porte-à-faux à ses côtés, a commencé par relever doucement la jupe de Joan, découvrant le blanc de ses cuisses écartées sous la table, puis il a caressé sa partenaire engourdie, mais complaisante dans sa demi-somnolence verbeuse ; Luigi m'a affirmé que le couple se comportait vraiment comme s'il n'y avait eu personne autour. Les gestes de Pierre X. Magnant, patients, répétés, étaient de ce fait exempts de toute indécence, même si des yeux ahuris étaient braqués sur sa main patiente et sur la peau blanche de Joan : une sorte d'invraisemblance se dégageait du couple exhibé. Ce n'était pas possible ; les minutes passèrent ainsi et les témoins du spectacle ne réagissaient nullement selon la logique rituelle de l'indécence : ils étaient stupéfiés, presque paralysés par la progression évidente de la caresse et du plaisir correspondant. Ils étaient fascinés, mais nullement enclins à des réactions « naturelles ». Luigi a pris un client à témoin de ce qu'il voyait sous la table de Pierre X. Magnant et il a fait du bruit comme pour secouer la torpeur qui régnait et faire cesser ce climat morbide de fascination. Mais le temps du plaisir, protégé par une sorte d'immunité irréelle, a devancé la prise de conscience de Luigi et des autres. Joan a soudain fait entendre un cri d'amour. C'était fini. Et Luigi, fermement décidé juste avant à intercéder auprès de Pierre X. Magnant, est resté coi. Puis, finalement, gêné lui-même d'avoir été le voyeur d'une étrange scène d'amour, il s'est affairé auprès de ses clients comme si rien d'anormal ne s'était passé. Et il semble bien que les autres témoins ont eu un comportement analogue à celui de Luigi. La trame sonore de la réalité s'est réinstallée dans le restaurant ; puis, tout comme d'habitude, Pierre X. Magnant a demandé son addition à Luigi et l'a gratifié d'un généreux pourboire en sortant. Et le couple est sorti, comme tout autre couple qui vient de terminer un bon dîner au Neptune : c'est tout. Pierre X. Magnant, dans son roman, n'a fait aucune mention de ce détail étrange. Après avoir décrit la loquacité de Joan vers la fin du repas, il saute ce « détail » et continue le récit de ce qui s'est passé au laboratoire. Pourquoi cette ellipse ? Pour cacher au lecteur une relation vénérienne assez particulière avec Joan ? Mais non, puisque justement, à Londres, sous le faisceau d'un réverbère du Pall Mall, il s'est livré à la même opération et il nous l'a racontée sans se troubler outre-mesure, sans omettre la description exacte (en termes relationnels, du moins) de la scène qu'il a voulue indécente et provocante. Il n'est donc pas logique, selon la logique même du « roman », d'ignorer complètement une scène analogue, peut-être même plus bouleversante, qui s'est déroulée en un moment crucial du développement des événements et du récit. J'ai aussi envisagé l'hypothèse du rejet d'une scène « répétitive » justement à cause de la péjoration que tout écrivain confère à une intrigue qui se répète. Mais, cela n'est sûrement pas le cas de Pierre X. Magnant et je n'en veux, pour preuve, que ce passage, extrait d'une lettre qu'il m'a adressée : « ...la répétition des éléments n'y a manifestement aucune valeur psychologique, mais seulement structurale : la répétition relève visiblement d'un art et cela équivaut, en fin de compte, à un style de la présence et implique une notion hautement consciente du temps parlé* ». Je me dispense de citer de mémoire des propos que l'auteur m'a tenus, tendant à valoriser la répétition sur le plan rhétorique. Répéter un thème, une idée, un type de relation amoureuse avec Joan ne pouvaient pas bloquer l'auteur dans son récit, ni l'incliner à éviter la répétition que, de toute évidence, il pratique non sans succès et qu'il valorise sans conteste. J'ai beau chercher, dans les divers éléments de la scène qui s'est déroulée au Neptune, ce qui a pu amener Pierre X. Magnant à sauter cet épisode alors que tout le reste de son récit du « lost week-end » colle parfaitement à ce qui s'est passé vraiment, je ne trouve pas. Le silence de l'auteur me pose donc une énigme, à moins bien sûr qu'on puisse y diagnostiquer un phénomène d'« amnésie locale » ; la plupart des auteurs sont unanimes à prétendre que les phénomènes d'amnésie locale ont un caractère sélectif quant au contenu mnémique, et cela, à peu de chose près, peut se comparer à une opération de « refoulement instantané** ».

L'omission de cette scène par l'auteur demeure inexplicable. J'ai beau chercher dans plusieurs sens à la fois, je ne trouve aucune justification valable. Quelque

---

* Nous sommes ici en présence d'un phénomène de parole en miroir ou, plus trivialement, d'un cas d'imposture. En effet, ce passage — attribué à P. X. Magnant —, je l'ai retrouvé, mot pour mot, sous la plume d'un grand essayiste français, Maurice Blanchot. Et quiconque veut vérifier mon assertion n'a qu'à ouvrir à la page 185 l'ouvrage de Blanchot, intitulé *Études critiques* (Gonthier, Paris-Genève, 1961)[110]. *Note de RR.*

** *Comprehensive Psychiatry* (vol. II, n° 1, avril 1961), l'étude intitulée « Volition and Value » de Silvano Arieti[111]. *Note de l'éditeur.*

chose m'échappe encore et continuera de m'échapper indéfiniment, étant donné l'état de mes connaissances et le degré de ma familiarité avec Pierre X. Magnant. Au fond, il n'y aurait pas de quoi fouetter un chat : ce silence, en soi et comme tel, n'aurait rien de particulièrement significatif si précisément l'auteur n'avait accumulé, comme à plaisir, un nombre aberrant d'ellipses et d'omissions toutes inexplicables (sans quoi, d'ailleurs, je ne me serais pas permis d'intervenir dans la transcription du récit de Pierre X. Magnant). Mais revenons au manuscrit lui-même, au moment même où nous l'avons laissé : quand l'auteur écoute avec lassitude ou impatience les confidences de Joan au sujet de son enfance et de sa sœur qui vit à Lagos, en Afrique subtropicale. Je le redis : en suivant le roman, il n'y a rien entre les évocations désordonnées de Joan, au Neptune, et l'instant narratif qui lui succède, alors que Joan et l'auteur sont déjà revenus au laboratoire : voici le texte.

« Je l'ai forcée à administrer le contenu de l'éprouvette marquée poison par voie intraveineuse à un de ses Macaques Rhésus. Il fallait que ce soit elle, car je n'ai pas le coup de seringue très sûr, a fortiori quand il s'agit de Macaques dont je ne connais pas par cœur les endroits où les veines affleurent à la peau, ni dans quelle position. L'effet magique de la piqûre de Joan n'a pas tardé ; après quelques râles affreux qui ont fait se blottir Joan dans mes bras, l'animal a rendu son âme (mais est-ce que les singes ont une âme ?), et nous avons fait l'amour tout près de la cage où le cobaye gisait, convulsé à jamais, tandis que nous, convulsés pour un temps que la science ne peut pas tellement changer, nous donnions à la parenté du mort une image fugace de notre deuil. Jamais, je crois, jamais je n'ai aimé Joan comme cette fois-là ; et le frisson posthume que je tire soudain de cette évocation m'en fournit une preuve superflue. Comme si rien n'avait préparé cette congestion inoubliable, je suis devenu sans transition réconcilié avec le reste de l'univers, avec la Côte des Esclaves et la sœur cadette de Joan, avec l'Afrique toute noire qui m'aveuglait. Pourtant, depuis des semaines et des semaines, combien de fois, superzombie, n'étais-je revenu sur les lieux du crime prochain ? D'éblouissement en éblouissement, vaincu mille fois dans ce laboratoire africanoïde, j'ai connu les métamorphoses de l'amour et, en retour, j'ai fait subir à ma sœur étrangère la seule transformation organique qui interdit l'accoutumance. Mais cela, je ne le savais pas alors quand nos deux corps soulevés voisinaient celui d'un singe sublimé, en quelque sorte, par voie d'empoisonnement mais sans meurtre. Je ne savais pas que, quelques jours plus tard, sur les lieux mêmes d'un crime totalement justifié par la science...

Si la carburation psychotonique ne m'agitait encore (mais déjà le grand verre de Bell's Royal Reserve nuance mon swing), je me sentirais affreusement seul et je chercherais en vain des raisons de vivre. Sherlock Holmes — on semble l'oublier — voulait se suicider ; mais, par une addiction à la cocaïne, il a réussi à se tenir en vie. Tous les romans policiers modernes nous présentent des policiers en pantoufles, sous-produits domestiqués de ce grand homme dont le seul stimulant, hors la coco, était l'odeur du crime et qui, privé de ce musc opiacé, avait recours aux grands moyens, luxe absolu des désespérés à condition qu'ils aient une couverture de capital, en livres sterling, qui leur permette de s'offrir ce mur-à-mur stupéfiant. L'homme qui a inventé le crime parfait — Sherlock Holmes — l'a aussitôt rendu imparfait, en vrai gentleman, sachant d'avance que ses épigones d'aujourd'hui, eux, ne tolèreraient pas la perfection même d'un crime ! Dans les romans policiers modernes (ah...), le crime au départ est frappé d'imperfection ; sa mesure ne saurait dépasser celle des Poirot ou des Maigret[112] qui l'embaumement de leurs raisonnements. Contrairement à ces inspecteurs mariés et presque normaux, Sherlock Holmes aurait pu être l'auteur des crimes qu'il démontait. Je me suis arrêté l'autre hiver au 221b, Baker Street ; j'étais avec Joan qui, il faut bien le dire, ne comprenait pas mon émotion dans cet étrange musée transformé en musée*. Au diable la Tate Gallery embrumée à tel point que j'ai deviné les Riopelle et les de Stael, plus que je ne les ai vus ; et au diable la National Portrait Gallery, voire même le British Museum de Lord Elgin ! Rien ne vaut ce musée noir de Baker Street où j'ai eu le sentiment de me trouver en présence de chefs-d'œuvre invisibles et sur le seuil sacré de ma propre vie. Holmes a inventé, entre autres choses,

---

* Il y a un musée Sherlock Holmes au 221, Baker Street, et non pas au 221b, comme le suggère l'auteur[113]. Il semble probant que l'auteur, en compagnie de Joan, a visité l'illustre musée lors de son séjour à Londres (du 20 au 27 février 1965). Il faut dire que le congrès auquel Pierre X. Magnant a représenté Leacock, Leacock & French se tenait tout près ; car il faut compter environ 5 minutes, à pied, entre Oxford Circus et Baker Street. *Note de l'éditeur.*

la pharmacie posthume : il hantait les laboratoires de Charing Cross et battait les macchabées à coups de canne. Voilà mon homme. Voilà l'ancêtre victorien dont je voudrais tirer ma généalogie coloniale et mon héritage morbide. Tous les romans sont policiers, c'est l'évidence même et je n'y peux rien[114]. Quand j'ouvre un livre, je ne puis m'empêcher d'y chercher la silhouette cocaïnomane du génie de Baker Street et l'ombre criminelle qu'il projette sur toutes les pages blêmes de la fiction. On a tort d'enseigner l'histoire de la littérature selon une chronologie douteuse : elle commence au crime parfait, de la même façon que l'investigation délirante de Sherlock Holmes débute immanquablement à partir d'un cadavre. Si l'on tente de comprendre Dante sans avoir mesuré le rôle de Sherlock Holmes et son influence incantatoire, on fait fausse route. On invertit les séquences d'un film linéaire dont le centre repose dans le crime, acte central qui, paradoxalement, une fois perpétré, agit sur une seconde chaîne de dérivés. Chimie au second degré, l'obsession du crime est un transcendantal : ce qui est fini transforme et le cadavre, impliqué dans le processus mortuaire, devient le stupéfiant qui permet l'idéation euphorique. Les romans policiers (Dieu sait combien j'en ai avalé derrière des comptoirs encombrés d'antihistaminiques et de gelées vaginales !) expriment, sous des airs de réalisme, une croyance obscure en la vitalité des morts. Il fut un temps où les assassinés revenaient. Mais même si, dans les romans dits modernes, ils ne font plus le coup de l'apparition, ils n'en agissent pas moins, troublant la sérénité sociale des assassins ou précipitant — catalyseurs embaumés — la vie des survivants. Si je cherche à comprendre pourquoi j'ai emmené Joan à Londres et pour quelle raison nous avons été si malheureux au St-James Hotel, c'est que je retrouvais sur les bords de la Tamise embrumée non seulement la seule ville qui hante mon double passé, mais aussi la seule ville où, frôlant le crime, j'ai endossé mon identité véritable. Ce royal parc à crimes ne faisait que me renvoyer, tel un miroir noir, le masque dogon[115] de mon vrai visage.

J'ai tué. Joan immobile, preuve de mon initiative, agit sournoisement ; elle commence une seconde carrière occulte et indéfinie. Life begins at forty, erreur ! La vie commence au crime : la vie du criminel, mais aussi la vraie vie de son partenaire funèbre. Je me débarrassais aisément de Joan quand elle était vivante : je n'avais qu'à assouvir mon désir pour le transmuer en ingratitude, alternant ainsi de la dépendance avouée à l'oubli cruel. Tout a changé depuis sa mort, et j'ai peine à me débarrasser d'elle. Mon crime parfait me lie désormais à Joan dont j'ai voulu, me dirait un procureur de la couronne d'épines, me débarrasser ! Mais la justice ne comprend jamais rien à rien ! Né au crime, je suis condamné à agir selon la loi de concurrence qui régit implacablement la performance meurtrière en régime de type capitaliste. Comment pourrais-je retourner à Diane comme si de rien n'était ? Comment pourrais-je oublier le délire toxique, typique de tout empoisonnement à l'atropine, de mon cher amour perdu ? Comment oublier ces épiphénomènes de l'intoxication aiguë : nécrose des membranes muqueuses, convulsions, affaissement des centres médullaires, pigmentation « rouge cerise » de la peau, larmoiement spasmodique, le goût d'amande amère de son haleine ? Comment, le

27 mai prochain*, exhorter mon public à la révolution sans lui tenir le langage du crime parfait ? Car j'ai compris une fois pour toutes que la révolution est un crime, rien d'autre. Le reste — je pense aux concessions pacifistes et aux compromis ataviques — relève de la légalité dont la transgression, pour être valable, doit être violation violente et totale ! Le crime, l'acte asocial numéro un, se trouve le fondement même des sociétés : son interdiction crée l'ordre, de la même façon que la légitimité d'un régime ne peut se fonder que sur la conjuration de son propre renversement. Le crime innerve les bienséances qui font les villes et provoquent, du même coup, la recrudescence de ce qu'elles combattent. De là à dire que le crime surgit précisément parce qu'il conteste l'intraitable légitimité, il n'y a qu'un pas que je franchis en pensée ; de là à proclamer très haut que le crime n'est jamais si grand que révolutionnaire... et que la légitimité se réduit à la non-révolution, que la morale sociale n'est rien d'autre que l'envers du crime, ah ! il n'y a qu'un abîme à franchir : celui qui sépare l'hésitation confusionnelle de la certitude, le non-sens débilitant de ce qui crève les yeux. Et je me rends à l'évidence.

Maintenant que Joan témoigne froidement (sans m'inculper, toutefois) de mon crime, je sens bien que je suis parvenu à un niveau de vie supérieur et que désormais, préparé à cela par une soif avide de transformer, je ne puis qu'agir en récidiviste et tendre toute situation future à son point d'éclatement. Envenimer, gâcher,

---

* La chronologie, ici, a peut-être été donnée pour tromper le lecteur éventuel. *Note de l'éditeur.*

saboter (éviter les amendements à la constitution et les preuves d'amour — qui d'ailleurs n'ont rien à envier à celle de l'existence de Dieu !) : voilà l'action convulsive à laquelle je me voue pour toujours (ou pour un temps seulement, mais qu'importe). Le crime exècre tout progrès : le temps n'y fait rien, non plus qu'à la révolution puisqu'elle se manifeste comme permanente. Il existe telle chose que le crime permanent, analogiquement du moins : dans les deux cas, il doit y avoir préméditation. Car c'est un fait, j'ai mis des semaines à préparer l'action sédative que, par procuration, j'ai exercée l'autre nuit sur les épicentres nerveux et aux postes de contrôle du SNC du corps infiniment doux de Joan que j'ai investie, sous les espèces inoffensives d'un alcool, eau double mêlée à l'eau morte de son cadavre qui véhicule, en ce moment même, quelques ondes encéphaliques à peine perceptibles à l'EEG[116] (mais le médecin légiste, affreusement légiste, ne fait jamais le coup de l'EEG à ses clients ; ça, je le sais !). Tant pis pour l'autopsie révélatrice : l'autopsie sera doublement post-mortem puisqu'elle sera pratiquée (mais fait-on subir cette injure scientifique aux habitants du square mile[117] ?), après la mort cellulaire (la certaine) et la disparition de sa cause pharmacologique. Joan, adieu chou chou : ton corps n'est plus qu'une dépouille anglicane que la famille, par souci de propreté, s'empressera de réduire en poussière volcanique. Le court-circuit sanguin de notre dernière étreinte, accomplie dans le sursis prévu par mon extrême médicament, ne soulèvera jamais plus de jouissance ce corps que j'ai eu la joie de posséder une dernière fois, juste avant sa fuite absolue. Dieu merci, je ne crois pas aux esprits, ni aux zombies, ni à l'affreuse notion de survie (comme si une seule vie ne suffisait pas à nous écœurer) ; et je sais, de science certaine, que l'âme de Joan n'erre pas comme une âme en peine entre Elseneur[118] et Montréal, entre le Lagos Memorial Hospital et le Redfern Memorial (désigné ainsi, de temps immémorial, parce qu'un certain Redfern a dû crever sur le parquet de sa bourse en hurlant comme un Macaque Rhésus en train d'éjaculer !), entre McGill et le 27 mai, jour des jours !, ni entre chien et loup, ni, à plus forte raison, entre ce chien de Montcalm et Wolfe[119] ! Non, les choses étant ce qu'elles sont, Joan n'est plus qu'un poids mort que seuls, l'air climatisé du laboratoire et celui, plus froid dans le dos, de la morgue royale, protègent contre les prolégomènes du pourrissement ; elle m'a toujours répété que les Anglaises étaient plus saines que les nôtres : eh bien, Joan d'amour, voilà l'occasion ou jamais de le prouver à ton petit Pierre assassin. Sois saine ; ne pourris pas au même rythme désolant que cette fille (la mienne* !) inhumée dans la terre humide et hostile d'un cimetière torontois[120] ; sois comme une vraie petite momie royale canadienne[121]. Oui, chérie, tu serais un cœur de ne pas sentir la mort et d'échapper à ces métamorphoses putrides qui conviennent beaucoup mieux, crois-moi sur parole hostie, aux enfants de chienne de Bas-Canadiens et de Basses-Canadiennes (voire même, les plus basses,

* Cette allusion faite par P. X. Magnant à sa propre fille m'a profondément troublé. Je crois savoir, maintenant, qu'il s'agit bien d'une fille qu'il a eue de Louise X. ; l'enfant est morte une quinzaine de jours après sa naissance. Comme tout cela est étrange ; je n'arrive pas à y croire encore. *Note de l'éditeur.*

celles qui font germer les fleurs dans la banlieue pavoisée de la Ville Reine[122] !). Joan, donne-moi une preuve superfétatoire de ton incroyable supériorité, toi déesse lagide, chère petite porteuse de pyramide éternelle : ne pourris pas ! À cette seule condition, je continuerai de t'aimer ; mais, si tu pourris, pourriture égale au corps inflorescent de mon enfant, j'irai me venger sur tes fleurs jaune canari : je les étoufferai sordidement avec une bonbonne de salicylate, et elles dépériront comme il n'est pas permis aux fleurs de dépérir. Elles aussi, elles mourront empoisonnées, frappées magiquement par un ennemi masqué et sous l'effet léthal d'un meurtre bactériologique. Joan, morte entre les ressuscitées, a fini en beauté dans les bras d'un révolutionnaire et sans même avoir compris que la mort d'un Rhésus, dans laquelle elle avait comploté, n'était pour moi que la répétition générale de sa belle mort. Elle est morte sans avoir deviné la nature de ma fascination, ni la raison de ma jouissance suraiguë (on profite des êtres qu'on va perdre...) ; elle a trépassé en se laissant emporter par le flot d'inconscience de son discours essoufflé, dans les bras de son assassin impuni et même en rêvant, pendant sa douce agonie, de partir avec lui pour la Côte des Esclaves, histoire de refaire sa vie et de donner un continent neuf à son nouvel amour. Lagos, désormais, est rayée de la carte. Lagos et son hôpital à fièvre jaune, la sœur exilée de Joan et tout le golfe de Guinée, toutes les bouches hypocrites de tous les Nigers d'Afrique ! ! ! L'Afrique tout entière est morte asphyxiée en même temps que son socle fragile en forme de Joan. J'ai tué, non sans égards, Joan et tous les continents noirs qu'elle contenait, toutes les lagunes lagunaires, toutes les

Guinées, tous les affluents anciens et nouveaux du Niger, toutes les boucles du grand fleuve noir, tous les crépuscules du Bénin et tous les malades lacustres de sa petite sœur qui crève de chaleur à Lagos. J'ai presque tué à jamais les mots que Joan a proférés dans la phase précomateuse de son intoxication : elle n'a pas cessé de monologuer comme un anglican pacifiste, elle n'en finissait plus de me faire part de nos projets d'amour et de proférer des dernières paroles que d'autres, plus finales encore, rendaient antépénultièmes et ainsi de suite, ce qui n'est pas conforme au mutisme des Anglais. Ce n'était pas, à proprement parler, une agonie (merci, Dieu anglican et peut-être même, à la limite, vrai !), mais une translation : presque un voyage dans un train de singes, en troisième classe, avec les Primates et les pauvres. Mais le voyage incline aux confidences, chacun le sait ; même les êtres supérieurement supérieurs n'échappent pas à la dégradation progressive de la confession et du monologue... Joan m'en a fourni une longue et savante preuve, véritable démonstration désordonnée qui tend à prouver que les inférieurs (révolutionnaires ou autres...) ne peuvent même pas se prévaloir de leur droit de propriété sur le désordre incantatoire : Joan, à deux doigts de sa mort, a réussi à me voler les antiques privilèges de mon peuple sur l'incohérence et la déraison raisonnante. Elle m'a prouvé jusqu'à la fin que je n'avais rien en propre[123] — ni la possession des mots, ni l'exclusivité de la parole de trop... — et, sous l'effet africanoïde de mon hypnotique, elle me parlait sans suite, sans cohésion et dans une instantanéité délirante qui, je le croyais avant, était l'apanage des peuples désemparés. Il ne me reste plus grand-chose, sinon d'avoir inventé, si l'on peut dire, la mort masquée de Joan ; ce secret, seul, me reste et me tient lieu de passé dont on se souvient, de personnalité avec laquelle on écrase les autres. Ce secret me résume et m'enfante : ce cadavre, preuve ex absurdo de ma non-violence, me tient lieu de victoire et ressemble étrangement au début fulgurant de ma carrière révolutionnaire ; son immobilité blafarde, sa perfection glacée et son cou indemne préfigurent le grand œuvre que j'entreprends à la tête des bataillons (camouflés jusqu'à être invisibles) que je vais diriger, de nuit, vers un ennemi plus invisible encore et dont l'absence, en cet instant suprême, constitue la pire insulte. Enfin, j'ai accompli quelque chose ; en tuant Joan, j'ai engendré l'histoire d'un peuple sevré de combats et presque mort de peur à force d'éviter la violence...

En fin de course, elle a surtout parlé anglais, débaptisant tout ce qu'elle évoquait, dénationalisant Lagos, ancienne colonie portugaise, et l'Afrique morbide qui a un double passé* mais quel avenir... Do you sleep, Pierre ? (Mais non, je ne dormais pas ; c'est Joan qui, sans trop s'en apercevoir, plongeait doucement dans le sommeil qu'on dit éternel ; je ne dormais pas, j'étais de garde : je guettais les signes de la somnolence et ceux, plus éloquents encore, de l'imminence du coma. To sleep, and by a sleep of death — to shuffle off this mortal coil[124]).

* Le « double passé[125] » des pays africains est une notion clé de leur réalité politique. Cette allusion rapide et non appuyée, faite par P. X. Magnant, sonne un peu faux dans le contexte. Je suis tout près de croire que cette phrase savante a été rajoutée par un autre que P. X. Magnant. *Note de l'éditeur.*

Pierre, each time we make love, I feel as if I will not live afterwards... (Étrange, son pressentiment de ne pas survivre à son orgasme !) Do you love me ? I mean... (Le « I mean » si particulier aux Canadiens anglais revenait à une fréquence accélérée : Joan, investie en son for intérieur, n'en finissait plus de répéter « I mean », pourtant elle signifiait de moins en moins ; et l'accumulation même de ses « I mean » attestait la volonté désespérée qu'elle éprouvait (volonté obscure d'intellection...) en même temps qu'elle témoignait de sa défaite totale par des ennemis sans nom qui, en quelque sorte, agissaient en elle comme mes émissaires). Do you love me, Pierre ? Then... Why don't we fly away, far away from this damned city. I loathe Montreal ; yes, Pierre*... je n'en peux plus de vivre à Montréal. C'est très humide dans le Middle Belt**, mais ici, c'est tuant. Montreal is killing, dear ; si tu m'aimes vraiment, partons ; je vais vider mon

---

* J'ai cru qu'il n'était pas nécessaire de laisser tels quels les passages du manuscrit qui ont été écrits en anglais. La familiarité de P. X. Magnant avec cette langue explique et justifie amplement son initiative d'écriture. J'ai même relevé des passages qui étaient écrits directement par P. X. Magnant en anglais, sans qu'il s'agisse de phrases prononcées par Joan ; selon moi, il s'agit là d'un phénomène de contagion assez rare ou d'identification post mortem à Joan qui était anglophone. *Note de l'éditeur.*

** On désigne, en effet, sous ce vocable, la moitié « sud » du Nigéria : « The Middle Belt, forming the southern portion of the Northern Region, spreads across the valley of the Niger and that of the Benue into the adjacent portions of the adjacent uplands. Taken as a whole, the Middle Belt is thinly peopled[126]. » *Nigeria, a Descriptive Geography*, p. 111, Perkins & Stembridge, Oxford University Press, Londres, 1957. *Note de l'éditeur.*

6817 au Toronto-Dominion[127] et cela nous permettra de vivre quelques mois n'importe où, mais pas ici. Pierre... Comment dis-tu Lagos en français ? C'est beaucoup plus beau, on dirait ; cela ressemble à lagoon*. Pierre, let us fly from here et allons refaire notre vie à Lagos (La-gosse...) ou même en pleine brousse, mon beau sauvage ; bien sûr, tu me tromperais avec les négresses ! Joan riait d'avance de mes aventures avec les « natives », tandis que je la voyais tout près de moi, apaisée, progresser mot à mot selon mon ordonnance euthanasique. Je veux refaire ma vie, Pierre, je veux dire : avec toi ! Ce serait merveilleux (les « wonderful » pleuvaient comme en petite saison des pluies !) de recommencer ensemble n'importe où, dans une ville absolument inconnue : dans le fond de l'Afrique, dans une ville où il fait chaud, très chaud douze mois par année ; ta fameuse neige canadienne-française à mort, tu la laisseras aux patriotes**, ça leur servira de linceul... Moi, tu sais, la neige du Bas Canada me fait chier, dear ! (J'ai souri avec Joan ; pourtant je faisais mon entrée solennelle dans la tristesse, oh ! non pas cette tristesse post-coïtum décrite dans tous les manuels de sexologie, mais la tristesse étrange du passager immobile sur un débarcadère immobile qui regarde Joan hissée sur un convoi qui, après avoir donné l'impression que le quai de béton s'ébranle,

---

* Terme anglais qui traduit lagune, avec, en plus, une connotation de lascivité phonétique. *Note de RR.*

** Les Canadiens français désignent ainsi les insurgés de 1837-1838 ; par analogie, les terroristes contemporains aiment bien se qualifier de patriotes. *Note de RR.*

prouve avec mille petites cruautés que le train s'est mis en marche, transportant en grande pompe sa passagère unique et morte). Ailleurs, mon chéri, ailleurs et loin du Neptune — annexe du Redfern Hall —, quelque part sous les tropiques, sur les rives guinéennes du golfe de Guinée... (Mais je me demandais alors si, dans l'hinterland nigérien ou dans le Middle Belt, nous n'allions pas retrouver des spécimens de la sous-race des Macaques Rhésus, sous-frères insondables dont je puis me dire avec une superbe à toute épreuve qu'ils sont carrément inférieurs à moi, c'est tout dire ! Oui, ils sont inférieurs-infériés, ne serait-ce que parce qu'ils nous observaient, Joan et moi, et qu'ils étaient métalliquement condamnés à regarder, tandis que moi, je pouvais transpercer doucement le ventre blanc de Joan ; d'ailleurs, je n'ai pas manqué de le faire et non sans une perfection totalitaire. Après cet événement secret que nulle qualification exogène ne hisse au niveau de l'histoire qu'on raconte, Joan a recouvert machinalement son ventre et ses cuisses merveilleuses d'un pan de sa chienne* immaculée, d'une blancheur détergée dont elle n'aurait jamais perçu le caractère offensant au Nigéria si jamais, par impossible, elle avait pu se rendre là-bas, histoire de se déneiger un peu... J'imagine facilement qu'un jour les infirmières de Lagos, toutes les sœurs de Joan, seront obligées par une loi fédérale nigérienne de porter la chienne noire par respect pour la pigmentation

---

* Le terme « chienne » est couramment employé au Québec pour désigner la blouse blanche portée dans les laboratoires. *Note de l'éditeur.*

obscurante des Yorouba et des Lagunaires*...) Lagos, yes Pierre, Lagos... Why don't you take me away away with you. Let us fly. Je n'en peux plus... Maybe, after all, je suis en train de me taper un nervous « b[128] ». I feel sad, mon amour, sad, sad, sad... Si ce n'est pas l'approche d'un nervous « b », alors... je suis tout près d'être menstruée. At the end of my moonlike revolution (pas la tienne, mon chou !) je me sens toujours très sad. Pourtant, d'après le calendrier grégorien, ce n'est pas pour ce soir ni pour demain le bloody flush. Alors, et en conclusion comme tu dirais, je suis folle tout simplement, oui platement et follement folle. Ne m'écoute pas, je déparle... avec un accent aigu, n'est-ce pas, Pierre ? Est-ce que je déparle ou bien est-ce que je de-parle ? Très franchement, Pierre, l'accent, je l'aime grave et non pas aigu, très grave même... Deep down in the grave. What am I going to do if you never want to go to Lagos with me ? Me tuer ? Bah, pure nonsense : une Anglaise ne se suicide jamais. I won't kill myself, I will die alive again and again : je t'attendrai, Pierre, et j'absorberai tous les médicaments possibles, so that I become a genuine French Canadian sauveuse de race — like you ! Lagos, please please me Pierre : un beau geste[129], partons mon

---

* On appelle « lagunaires » les peuplades qui se sont installées soit sur le cordon littoral, soit sur la rive intérieure des lagunes. Fait intéressant, quelques villages, par souci de sécurité sans doute, sont construits sur pilotis au-dessus de l'eau. On retrouve chez les Lagunaires des structures sociales sans hiérarchie, émiettées ; ces peuplades sont souvent contrôlées par des sociétés secrètes. De là, sans doute, leur supposée arrogance et leur isolationnisme. *Note de l'éditeur.*

amour, partons vite, for Christ sake, and prove to me that we are not grounded like dead aircrafts ! Je te promets de parler français toute ma vie, si tu m'emmènes ; français ou swahili, tout ce que tu veux, je te jure de parler n'importe quoi comme langue uniquement pour te faire plaisir. Je ne sais pas quelle langue on parle sur les bords de la mer, dans la Baie de Bénin, oh ! comment dis-tu Bénin ? Je ne sais plus mon amour : Baynin ou bénie... Pierre, life kills me here ; et j'ai peur de mourir. M'aimes-tu vraiment, Pierre ? Pourquoi m'aimes-tu ? Pourquoi... (Il m'a semblé, à ce moment, qu'elle n'avait pas la force de tourner la tête vers moi pour lire dans mes yeux la réponse à sa question lancinante. La fin approchait. Je me sentais déjà comme quelqu'un qu'on abandonne ; je m'ennuyais presque de son prochain départ...) Allons mourir à Lagos, Pierre, car je n'ai plus le cœur à vivre ici. C'était quoi, le nom du motel à Granby ? Tu t'en souviens, toi... Le Motel du Lac, oui, c'est ça. Mais il n'y a pas de lac à Granby[130] et les vagues ne venaient pas frapper la peau de notre motel. J'ai été heureuse dans ce Motel du Lac, vraiment mon amour ; j'ai le goût de pleurer quand j'y repense. Tu te rappelles ? On avait laissé le TV set bursting with foolish light and with words, words and words[131] of your mother language ; nous, on avait commencé de se taire, but we were still hearing the voice of*... qui jouait dans une pièce d'un grand auteur italien. J'ai oublié son nom, mais je me souviens seulement de tous ces personnages qui n'avaient rien d'autre à faire que parler et qui seraient bien partis pour Lagos s'ils avaient eu l'argent en main.

---

* Ici, un nom biffé[132]. *Note de l'éditeur.*

Ils parlaient, couraient, se martyrisaient — ah ! je les entends encore quand j'ai les paupières closes, ils n'en finissent plus de me raconter leurs malheurs et de me chuchoter à l'oreille qu'il suffirait de quelques centaines de dollars pour flyer à Lagos... C'est combien le billet Montréal-London-Nairobi-Lagos ? Ce ne peut pas être tellement cher, pense que nous avons payé 360 hors saison pour Londres... À Lagos, mon amour, nous serons heureux enfin... (Elle a pleuré longuement en sanglotant comme une enfant ; je ne sais pas pourquoi, vraiment, elle est devenue saisie subitement par un accès de tristesse noire. Son émotion n'a pas été sans rejaillir étrangement sur moi, en cette étape finale, alors que tout était presque consommé...) Je suis morte, mon amour. Quand je m'éveillerai, dear, je ne veux pas te voir habillé. Please let me sleep. Je suis morte, comme si j'avais parcouru Lagos à pied dans tous les sens pendant des nuits et des nuits... Pierre, you choke me, Pierre... (La distance entre Joan et moi est allée s'augmentant selon une progression fatale, en quelque sorte. Je t'étrange[133], ma belle étrangère, je t'étrange doucement, presque avec amour. Ma dernière caresse, aliénation subtile, est un chef-d'œuvre de simplicité, un coup de génie, quoi ! Étranglement, c'est beaucoup dire alors que j'ai simplement étrangé, de ma main masquée, l'inconnue de Lagos, la passagère voilée des vaisseaux fantômes qui continuent d'échouer dans les entrelacs de la lagune funèbre qui se découpe en dentelles de souvenirs. J'ai posé ma main doucement en guise de scellé royal sur cette enveloppe trop douce qui m'inclinait à son agonie et me parlait des arbres déchirés qui forment une grille fragile, face à la mer absolue et au lagon, et qu'on peut regarder à loisir depuis les fenêtres de l'appartement de Rachel. Le nombre aberrant des T.S.* aux barbiturates nous oblige à prendre des précautions, voire même des mesures de sécurité contre le hasard. Un professionnel sait cela. Avec l'index et le pouce, mais sans faire de pression susceptible de causer un hématome, j'ai bouché le nez de Joan ; j'ai posé, mais avec quelle douceur, ma main droite sur la bouche du Niger qu'elle appelait en vain quelques secondes plus tôt. Jamais caresse ne fut plus douce, ni moins pressante. Jamais, non plus, strangulation ne fut plus près d'un geste de vénération. De cette façon, stoppant pendant suffisamment longtemps l'inhalation de Joan, j'ai conféré à son corps déjà désâmé l'air d'avoir rendu son dernier souffle, en l'empêchant, mais si doucement, de le rendre. La certitude que la plus forte dose quoad vitam[134] ne donnera jamais, je l'ai trouvée dans cette dernière étreinte qui, par l'attouchement de la zone buccale, provoqua mon désir et, aussitôt, rendit son objet inapte à y répondre. Ainsi, étrangeant au début, mon geste est devenu infiniment funéraire. Lagos, inaccessible, est devenue, l'espace d'un baiser, la ville muette, capitale humide d'un pays où Joan ne refera pas sa vie[135]. Moi qui ai, tant de fois, entendu Joan me vanter les charmes sordides de cette ville échouée, voilà soudain que je chavire. Lagos soudain m'attire, bouche sombre et avide au fond du golfe de Guinée, vulve masquée dont les lèvres supérieures me convient à la mort désolée que Bougainville a trouvée dans la bouche close d'un fleuve.

---

* En psychiatrie, il est courant de désigner la tentative de suicide par ces deux lettres : TS. *Note de RR.*

Ce qui est dit est dit. Bougainville debout dans les sables mouvants du Mississippi, c'est moi, c'était moi devant la bouche avide de Lagos où Joan voulait m'entraîner avant que ne l'entraîne, dans le sens d'une solution aqueuse, le vin magistral* de la mort).

Ce soir, injecté de mon propre sang rejailli sans cesse et pompé par tous mes vaisseaux dans les vaisseaux cérébraux du Niger, j'incline à divaguer alors que je ferais mieux, oui bien mieux !, d'écrire dès maintenant le texte du discours qu'on imposera en pensum, dans vingt ans, à tous les sous-jacents d'une gratuité scolaire en régime de banqueroute. Oui, je ferais mieux d'écrire, mais sainte hostie métylpropyl, cher cœur de Jésus dont le myocarde s'est infarcté avant même que le glaive romain ne vienne l'hémorragier à jamais ! Mais je ne suis pas un surproducteur de mots agencés, je ne suis pas membre du Collège des écrivains mais bien du Collège des pharmaciens ; et nulle formule solutée, nul sirop thébaïque ne peuvent me transformer en crieur public d'une nation sourde et muette. Au Canada français (oui, chou !), écrire autre chose qu'une ordonnance de suppositoires de beurre de cacao, ce n'est pas sérieux : la preuve en est — mais est-il besoin de prouver ? — que la littérature émolliente de nos protonotaires et de nos archiprêtres est légalement à notre image et à notre ressemblance. Sacrons au moins ces chieurs officiels de mots morts qui sont sacralisés en tant qu'agents émollients et aussi en tant qu'ennemis redoutables du blasphème et du sacre ! Rendons-leur au

---

* Vin magistral : expression qu'on emploie en pharmacologie[136]. *Note de RR.*

moins cet hommage (posthume) qu'ils méritent pour la bonne raison qu'ils ont vécu de l'attendre. Christ dopé à la thalidomide, hourra pro nobis, frère untel[137], ora pro nobis[138] ; frère o'neil (fils de l'accidenté[139]), ora pour les petits nègres... Je bascule dans le sur-blasphème avec la ferveur des premiers apôtres : je me sens investi par six chars de Christ, six par banc, et par des barges de vierges poudrées qui découpent l'amuse-gueule de Paul-hors-les-murs[140] en hosties pour donner la communion aux fifis. Je ne charge pas, saint crême [sic] fouetté, je décharge à pleins ciboires, j'actionne mes injecteurs de calice à plein régime et je sens bien qu'au fond de cette folle bandade je retrouve, dans sa pureté de violence, la langue désaint-ciboirisée de mes ancêtres. Les jeunes filles de bonne famille (des agace-p., toutes sans exception !) que j'ai poursuivies avec une assiduité incalculable, m'ont obligé à châtier mon langage, à me châtrer ni plus ni moins, c'est-à-dire : à me priver de mon identité de pauvre CF condamné, par deux siècles de délire, à parler mal, sans plaisir, voire même à forniquer incestueusement avec ma langue maternelle[141] dans une succession de suceries hautement basses et de courbettes infirmes, tour à tour fourrant et étant fourré, car la langue majestueuse et maternelle — il faut bien le dire et le constater — a un statut de langue morte ! La bien parler, c'est déjà faire preuve de nécrophilie ; en tout cas, c'est excessif, presque morbide, régressif et cela ne vaut pas mieux que la hurler hostiaquement, dans le désordre et la rage folle qui s'emparent de tout homme qui parle pour rien. Je parle trop bien pour m'en sortir par un dialecte, trop mal pour m'écouter. Je ne suis pas parlable ; je ne suis pas ni jamais ne serai un interlocuteur valable. Mais ma langue a mauvaise haleine, mon parler sent la tonne. Et tant pis si je suis en proie à une bouffée de tristesse, puisque le temps que je mets à l'écrire calme un peu mon staccato chimique. J'ai la bouche pleine des imprécations tumultueuses des congrès d'accouchées qui se défoncent à coups purs de blasphèmes ; et d'ailleurs, comment peut-on mieux saluer l'avènement d'un messie colonial qu'en ponctuant les douleurs de son enfantement par six chars de Christ, et six par banc, et qu'en maudissant sa venue crucifiante? Pauvre Louise*... L'hostie de petit Christ, tant attendu par les pauvres que nous sommes, est couvert d'avance par une pluie radioactive de saintes interjections qui, dans nos bouches à langues maternelles de feu, sont pure incantation, psaumes à femmes, stances rauques des primipares ! Dieu merci, les accouchées accouchent en crachant non seulement des messies grimaçants, mais des poèmes hurlés[142] et plus que parfaits... Si la révolution n'est pas un cri, elle est une oraison funèbre[143], chant aphone et funéraire. Et ce cri étouffé, comme dans la gorge blanche de ma belle étrangère, a été blasphème noir, mot juste injuste, cri... et non pas le bégaiement informe que je transcris sur ce papier, pour masquer mon crime et surtout pour ne pas prononcer un cri de détresse quand je pense à Joan ; mais mon cri à moi a été tué dans toutes les gorges depuis que Louis-Joseph[144], après l'amnistie anglaise, est revenu s'asseoir sur les bancs de la reine, abdiquant à jamais le droit des peuples au blasphème. Mandaté, ce cher calice (mais

---

* C'est la seule allusion à Louise dans tout le manuscrit de Pierre X. Magnant. Cela est troublant. *Note de RR.*

qu'on l'éloigne de moi...), pour tuer la révolution, il s'est acquitté noblement de son mandat honteux ; mais je ne dois pas lui en vouloir pour autant..., car il n'a fait que son devoir : il me fait penser à mon père esclave[145], rentrant à la maison après avoir raté sa révolution quotidienne, tous les jours ouvrables pendant des siècles et des siècles et jusqu'à l'âge de la retraite... Mes frères (aussi bien commencer le discours du 27 mai !), mes frères, je viens vous parler, ce soir, de ma tristesse lamentable et j'ai besoin de pleurer, oui, mes frères, pardonnez-moi si je suis blessé par nul ennemi et si je suis comme vous, et comme mon père quand il rentrait à la maison, humilié et presque mort, après avoir gagné le pain sombre de notre échec. Je suis triste comme lui, et sans armes en bandoulière comme en portent les soldats qui partent avec joie vers le bel inconnu. Mes frères, je pleure de n'être ni ce soldat en uniforme qui — lui au moins — sait pourquoi il mourra et par quel moyen. Semblable à mon père qui ne finira jamais de travailler huit heures par jour jusqu'à sa mort, semblable à Papineau qui rentre après l'échec mortuaire, je rentre moi aussi, parce que c'est l'heure de rentrer et que j'ai peur d'être jeté en prison si je suis pris à flâner en chemin. Cher amour..., où es-tu à l'instant même ? Je reviens indéfiniment vers toi, mais où es-tu ? Tu m'as quitté, tu t'es sauvée vers Napierville ou peut-être as-tu déjà traversé la frontière à l'instant même où je m'allonge sur un champ de bataille désaffecté qu'on a transformé en piste de course, cercle clos où je m'exerce à ton absence, mais je ne me qualifierai jamais pour le départ puisque je reviens... Mesdames et messieurs, vous avez devant vous un homme fini, another man done gone, et je vous prie de croire que je suis gone, bébé d'amour, gone done, voire même surfait comme un corps flagellé*. Oui, patriotes des frontières enfoncées, je vous prie de croire que je ne mâche pas mes mots : quand je dis fini, croyez-moi je n'exagère pas, je veux dire fini, done et gone with the wind[146], parti, vraiment parti direction Napierville, au-delà de la rivière L'Acadie ou vers le Haut Richelieu[147]. En vérité, mes frères, ce n'est pas moi qui suis parti, mais Joan ; c'est elle qui fuit, en ce moment même, du côté de Moore's Corner[148] ou de Blackpool[149]. Elle me fuit, mais sans doute a-t-elle raison... Si elle remonte toutes nos rivières vers la liberté, c'est que j'ai dû lui faire du mal. Oui, j'ai dû la blesser, car je suis tuant, croyez-moi, je suis tuant. Et puis, quand elle a décidé de partir — sans me l'avouer — elle n'a pas voulu fuir devant une révolution qui non seulement ne la concerne pas, mais ne vient jamais. Elle est partie de honte pour fuir vers le sud mon échec... et aussi, sait-on jamais ?, parce que je n'ai pas voulu fuir à Lagos quand elle me suppliait de partir et qu'elle énumérait, dans sa lassitude finale, les beautés humides de Lagos et du littoral entrelacé de la Côte des Esclaves qui se love interminablement en une noire écharpe déprimée à travers laquelle l'eau lente se couche sur son lit sableux. Il me semble soudain que ma tristesse me déporte trop tard sur la côte basse, ennoyée, d'où

---

* Quiconque est familier de l'épidémiologie du paludisme aura reconnu ici une expression courante de la terminologie malarique. Les corps flagellés désignent les microgamètes dans la phase schizogonique[150]. *Note de RR.*

soudain j'aperçois Lagos, ville funéraire, que je ne sais trop comment rejoindre, tellement je ne m'y comprends pas dans le secret des lagunes et des deltas innombrables qui me séparent de la femme que j'ai perdue. Mais j'ai tout perdu — cela me connaît, batailles, temps, jeunesse ; cela me ressemble de perdre et de m'égarer, au milieu des failles du littoral, sur une côte affaissée qui m'appelle et m'étrangle. Je n'ai pas d'autre pays que ces limans noirs qui m'ensorcellent dans leur succession de redents et d'isthmes décrochés. Oui, mon pays n'est rien d'autre que ces sables mouvants[151] qui encastrent Lagos dans un écrin accore. Né du sable, je tente interminablement de m'y enraciner, mais je m'ensable et je m'emprisonne dans le tracé du littoral et dans les calligrammes deltaïques du rivage. Le pays natal, mes frères (le discours, n'est-ce pas ?), n'est qu'un ruban magnétique à double trame qu'on a débobiné en frises perforées tout le long de ton flanc sombre, mon amour, et qui va de Grand-Bassam, en Côte d'Ivoire, jusqu'à la bouche innombrable du Niger, véritable linge secret que je presse avec nostalgie sans jamais te toucher, non jamais plus ! Car je t'ai perdue, mon amour, je t'ai perdue et je me perds de plus en plus moi-même, je suis en proie à un accès palustre, secoué par un syndrome de frissons, de chaleurs et de sueurs glacées qui me font claquer des dents, voilà ! je suis en pleine crise : je passe du froid au chaud, mon sang pur se vidange à folle allure, mes doigts pâlissent, mon sexe (que j'entrevois soudain) est cyanosé, pourtant je deviens fébrile, je vibre à la tristesse comme une mince pellicule sous le vent chaud des lagunes... Ah ! vraiment, tu ne peux pas savoir, je me sens envahi par une armée d'hématozoaires*, infesté par ce corps infestant qui me ronge sans amour, et quelque chose me dit que je franchis, dès cette première poussée de température, le seuil de la première phase. Je m'installe d'emblée dans le stade secondaire aigu et ce cher aria médiéval me fait mal**. Je délire avec le superswing des empalés (ou empaludés, si l'on préfère), je m'étire sur la page avec la profusion d'une psychose d'enfant du siècle...

---

* Hématozoaires : parasites animaux vivant dans le sang. *Note de RR.*

** Y a-t-il dans ce membre de phrase les éléments d'une plaisanterie ? Par exemple, cet aria qui fait mal, ne serait-ce pas tout simplement le « mal-aria » — mot composé dont l'origine remonte au Moyen Âge italien[152] ?... *Note de l'éditeur.*

Note de l'éditeur

Le lecteur comprendra que l'écrit posthume de P. X. Magnant nécessite, ou justifie du moins, mes interventions. Comme j'ai assez bien connu l'auteur, j'ai été moi-même invité par le notaire chargé de ses affaires successorales à prendre connaissance de ses écrits. Ce notaire m'a autorisé aussi à publier les écrits de P. X. Magnant, si cela est possible, à condition, bien sûr, que les droits d'auteur éventuels soient versés à la succession. Je pensais publier le récit autobiographique tel quel d'une seule traite, me contentant peut-être de faire quelques remarques en guise de préface ou de conclusion. La célébrité de P. X. Magnant et son talent d'écrivain justifiaient largement mon entreprise. Je me suis permis, une première fois, d'insérer le témoignage de Luigi au sujet d'un incident que je juge important pour comprendre l'autobiographie de l'auteur.

Et voici que j'interviens maintenant dans ce livre pour mettre en question les pages qui précèdent ; en effet, je ne saurais les authentifier à la légère et affirmer tout de go qu'elles ont été écrites par P. X. Magnant. Cette remarque a de quoi surprendre ; mais je dois au lecteur d'examiner franchement cette hypothèse et de lui faire part de certaines considérations.

*

* *

La qualité du récit de Pierre X. Magnant ne m'interdit pas de demeurer conscient de certaines carences ou de certains défauts de sa prose. Il m'importe ici de bien marquer la distance, au sens brechtien, que j'ai prise au fur et à mesure avec ce texte que j'ai pourtant approché de très près et que j'ai entrepris de recopier intégralement pour finalement l'éditer. Sans ce recul minimum, il me serait carrément impossible de bien analyser et même de critiquer le roman de Pierre X. Magnant.

Ceci dit, je réfère le lecteur au chapitre où l'auteur décrit avec force détails le littoral africain, plus précisément celui du Nigéria, soit plus haut (p. 109-110). Celui qui a lu le livre étrange de Pierre X. Magnant se souviendra sans effort des lagunes disloquées qui forment une bande ininterrompue entre le socle même du continent africain et le golfe de Guinée. Cette profusion de détails, justement, a quelque chose de fascinant ; du moins ce fut là ma première réaction, car je tiens à dire qu'au second examen j'ai mis à l'écart ma première hypothèse. En tout cas, j'ai douté — et c'est tout dire ! Ce que j'avance n'est peut-être pas fondé, ni même juste, mais je tiens à le dire en toute franchise : je remets en question l'authenticité du passage où Pierre X. Magnant décrit ce voile lagunaire qui cintre la Côte des Esclaves. Hélas, j'en doute et voici pourquoi : ce passage, assez séduisant au demeurant, regorge d'indications, précises sur le plan géologique, qui ne peuvent avoir été formulées par Pierre X. Magnant qui n'a jamais vu de ses yeux vu cette frange de deltas et de lagunes qui, en quelque sorte, masque l'entrée du Niger et décourage toute invasion par la mer. À cette réflexion, il convient d'ajouter que ce passage, contenu entre les pages 105 et 111, se trouve, par un hasard troublant, le seul que Pierre X. Magnant aurait tapé à la machine[153]. Son écriture, si changeante soit-elle selon ses états, pourrait au moins me servir de point d'appui pour authentifier ces quelques pages. Mais voilà, ce sont les seules pages greffées à son étrange roman : elles sont brochées dans un carton séparé et il y est fait mention, dans l'agenda de Leacock, Leacock & French, par un renvoi écrit en majuscules rouges au bas d'une page. En d'autres mots, la coïncidence entre ces descriptions qui font « emprunté », le fait qu'elles soient dactylographiées et non incorporées au continuum de l'écrit, me semblent bien suffisants pour douter de leur authenticité. Et je crois loyal, dans un cas pareil, de faire part au lecteur de mon doute, même s'il résiste à le partager.

Premier détail saisissant : l'auteur de ces pages délirantes ne délire pas assez, à notre avis. Les mots qu'il utilise pour décrire le littoral du Nigéria ont un indice de précision géologique qui est tout à fait incompatible avec ce délire malarique qui tient lieu d'inspiration à l'auteur. Hélas, certains termes techniques, parsemés savamment il est vrai, trahissent le caractère étudié de ce passage ; Pierre X. Magnant, qui n'est jamais allé plus loin que Londres et qui, chose certaine, n'a jamais posé le pied en Afrique, parle des lagunes encerclant l'île de Lagos et des bouches du Niger comme quelqu'un qui serait né dans cette région de l'Afrique occidentale, comme un habitant de cette longue et triste côte qui, d'ailleurs, ne s'appelle pas seulement la Côte des Esclaves qui, elle, ne qualifie proprement que cette portion de la côte qui s'étend du cap des Trois Pointes (situé à l'est d'Abidjan*) jusqu'à l'Angola. Mais une certaine tradition occidentale a donné plus d'extension géographique à la Côte des Esclaves — à cause de la traite d'esclaves qui se faisait d'un bout à l'autre du golfe de Guinée. Encore une petite nuance qui aurait facilement échappé à Pierre X. Magnant, qui n'a connu l'Afrique qu'à travers la vision parcellaire fournie par les lettres que Joan recevait de Lagos et qu'elle pouvait lui raconter en partie. En tout cas, ce n'est sûrement pas ces indications au second degré qui auraient induit l'auteur, sous l'effet d'un « choc euphorique » assez confusionnel, à parler, comme si de rien n'était, de « l'eau lente (des lagunes qui) se couche sur son lit sableux », non plus que des « failles du littoral », expression par trop technique que nombre de géographes et d'auteurs utilisent, mais qu'il serait présomptueux de considérer comme un qualificatif vulgaire ; cela vaut autant pour « limans »

---

* Du moins, c'est ainsi que cette portion du golfe de Guinée fut désignée par les premiers explorateurs portugais. Plus à l'ouest se trouvaient la Côte de l'Or et la Côte d'Ivoire ; à l'est — toujours selon le découpage des premiers esclavagistes —, il y avait la Côte du Delta (aussi dénommée : la région des « Oil Rivers ») et, plus loin encore, la Baie de Biafra. Certains auteurs font aussi mention de la Côte sous le Vent qui, si j'ai bien compris, aurait été un autre vocable pour désigner la région côtière allant d'Elmina à Keta, soit : la Côte de l'Or. *Note de l'éditeur.*

qui relève du lexique spécialisé de toute description géologique et qui, en son acception originelle, se réfère aux lagunes de la Mer Noire, ainsi que pour les « redents » et les « isthmes décrochés » qui, normalement, ne font pas partie du vocabulaire d'un licencié en pharmacie de l'Amérique septentrionale. Ce qui nous a frappé, dans cette profusion de précisions descriptives, c'est aussi la mention assez inopinée de Grand-Bassam comme point de départ extrême de cette côte trop fameuse. Il m'a semblé déceler, dans cette mention de Grand-Bassam, un indice probant d'une intervention rédactionnelle d'un auteur qu'on ne saurait identifier avec Pierre X. Magnant. Bref, ce passage, surchargé de références techniques au descriptif général du littoral dentelé de l'Afrique occidentale, plus précisément de l'immense golfe de Guinée, oui, ce passage a été retouché sans pudeur, « rewrité », comme on dit, ou bien rédigé en entier par un autre.

Je ne m'en formaliserais peut-être pas tellement si ce patient faussaire avait fait son travail correctement et de telle sorte que je ne le décèle pas, et surtout si les quelques indications qu'il fournit, sans le vouloir, de sa propre identité ne m'avaient conduit à soupçonner que ce texte est l'initiative d'une personne impliquée dans le récit de Pierre X. Magnant : voilà de quoi étonner, au premier abord ! Enfin, je reconnais que, pour ma part, j'ai encaissé cette surprise à peu près comme on accueille un sacrilège ; et, dans ce cas, le mot « sacrilège » n'est pas trop fort, car je ne saurais qualifier autrement une telle imposture et un manque aussi flagrant de respect dû à un auteur qui, par surcroît, est un ami. Une telle imposture ne peut s'expliquer, en pareil cas, que si l'on invoque, à la décharge du faussaire, une étiologie névrotique ; somme toute, le tricheur en écriture a un dossier psychiatrique surabondant et les nombreuses études de Fribourg-Blanc sur la simulation* permettent de bien comprendre que l'imposture littéraire est assimilable à certains types de délire d'exagération, de sursimulation, de faux aveux ainsi que d'autres manifestations pathologiques atypiques. Dromard a établi, le premier, une liste exhaustive des manifestations pathogéniques de la simulation ; de sa liste, je retiens surtout un détail, que je rapporte ici de mémoire, qui me paraît concerner nettement le problème que nous examinons en ce moment. Le passage du récit de Pierre X. Magnant dont l'authenticité est plus que douteuse n'a pas été écrit par un « débile exagérateur », ni par un « déprimé avec surcharge » ; il s'agit d'une « manifestation simulatrice de type délirant[154] » ou peut-être même d'un syndrome d'ironisme hallucinatoire doublé du syndrome de Ganser (sorte d'état crépusculaire à thématique absurde**). Je me suis permis de solliciter une expertise psychiatrique d'un médecin-psychiatre dont j'ai raison de croire qu'il est objectif par rapport au récit de Pierre X. Magnant. Les conclusions auxquelles il arrive

---

* A. Fribourg-Blanc, « Les fausses simulations en médecine légale », *in: Rapports du 35ème Congrès des aliénistes et neurologistes*, Bordeaux, 1931[155]. *Note de l'éditeur.*

** Le syndrome de Ganser a pour noyau le « vorbeireden », le « vorbeihandeln » et le « nichtwissenwollen ». Les malades, tout en montrant qu'ils ont entendu et compris, font des réponses approximatives, ou équivoques, ou bien absurdes et discordantes aux questions les plus simples. Le diagnostic est parfois difficile à différencier de celui de la simulation[156]. *Note de l'éditeur.*

vont encore plus loin : selon lui, le passage inauthentique du « roman » se caractérise d'abord par le fait qu'il a été écrit par une personne atteinte de psychose confusionnelle. Cela veut dire que la mauvaise foi de cette personne l'a poussée dans une aventure qui s'apparente à une bouffée délirante. Un auteur, un seul à ma connaissance, a sondé cette étrange modalité de la pathographie ; et ce spécialiste a relié ce type de délire à la « mescalinisation » mentionnée par Ceronni dans la Rivista di Psichiatria*.

Cette corrélation peut sembler d'abord assez fragile, mais il faut bien se rappeler que, dans ce domaine, nous ne pouvons légitimement espérer de la psychiatrie rien de plus qu'une hypothèse de travail, et encore... Je ne veux pas laisser entendre, par là, qu'il y a une carence dans l'expertise professionnelle que j'ai sollicitée et qui d'ailleurs m'a, pour le moins, confirmé scientifiquement dans ma première intuition. Au contraire, je ne puis plus douter que le manuscrit de Pierre X. Magnant a été retouché pour tout ce qui regarde sa description de l'Afrique, du système ébrié[157] (tout près de Grand-Bassam) jusqu'aux bouches argileuses du Niger. Sans vouloir faire un

---

* *In: Rivista di Psichiatria*, novembre-décembre 1963. Toutes les sensations conjuguées de l'ivresse du peyotl sont d'une extraordinaire esthésie : les lueurs et les scènes sont vues, les douleurs et les béatitudes éprouvées. Un des caractères les plus frappants de cette ivresse est la concrétisation de la pensée[158]. Ceronni a insisté, dans son étude, sur les troubles de la perception élémentaire qui précèdent les hallucinations : distorsion des lignes, dénivellement, boursouflement, détachement et saillies anormales des traits colorés... *Note de l'éditeur.*

mauvais jeu de mots, cela sent la « griffe » comme on dit aux Antilles de certains métissages. Il m'est impossible, pour le moment, de savoir exactement jusqu'où va cette faille d'inauthenticité que je me fais un devoir de mentionner au lecteur ; ce dernier comprendra que je ne l'invite pas à faire, en cours de lecture, des restrictions mentales, je le convie, plus simplement, à ne pas conférer à l'Afrique du récit trop de vérité. Elle y a été greffée par un autre que Pierre X. Magnant. Ce n'est pas une Afrique réelle qui se trouve là parce qu'elle avait trop hanté le cerveau malade d'un révolutionnaire qui, pour d'autres raisons, m'est encore très cher ; c'est plutôt une Afrique évoquée par l'intervention d'une autre personne qui a eu accès aux papiers de Pierre X. Magnant et qui a pris plaisir à les compléter par ce qui lui manquait le plus, c'est-à-dire par une surcharge de fiction et d'euphémisation. On arrange un roman, mais non pas le récit d'un homme qui, dans un paroxysme de tristesse, entreprend de raconter sa propre vie. C'est pourquoi la « griffe » de fausseté me paraît doublement fausse, puisque cette intervention posthume a rajouté une connotation indicielle d'inauthenticité à ce récit vrai. Cet autre « auteur » non seulement se permet de modifier le texte de Pierre X. Magnant, mais, ce faisant, il conteste l'entreprise même de son récit en le traitant sans pudeur comme s'il s'agissait d'un ouvrage de l'imagination et non pas, tel que l'a souhaité son auteur, en tant que manuscrit autobiographique et en qualité d'aveu pur. Comment, en effet, peut-on déformer ou défigurer la confidence d'un autre, surtout quand cet autre est ami ?

J'ai parlé, plus haut, de simulation et de bouffée délirante pour qualifier l'entreprise de ce faussaire, me fiant en cela à l'interprétation du psychiatre qui a passé le manuscrit au crible de son appareil notionnel ; toutefois, il me presse moins d'étiqueter cliniquement le faussaire* que d'appréhender le délire écrit de Pierre X. Magnant comme un monologue discontinu qui, en des points précis, n'est pas authentifiable. Je suis l'éditeur de ce texte désordonné et, pour une fois que je me lance à fonds perdus dans une entreprise qui n'a rien à voir avec mon négoce, je fais preuve d'un zèle de clarté et de franchise qui n'est pas directement proportionnel à l'importance comptable de cette opération. Je ne sais trop pourquoi, mais je n'ai jamais assumé avec tant d'ardeur ma mission d'éditeur.

Je sens même que je franchis le seuil indécent de la confession et qu'il suffirait de bien peu pour que je me mette soudain à affabuler. Insensiblement, les mots que je produis me conduisent dans une tout autre direction que

* J'ai lu depuis une étude du Dr G. Rosolato à propos des « altérations du langage » ainsi que les commentaires de Henry Ey et Minkowski[159]. Ces remarques, publiées dans la revue *Entretiens psychiatriques* (tome V, 1960, P.U.F., Toulouse et Paris), m'inclineraient, aujourd'hui, à ne pas accuser l'« arrangeur » d'être tout simplement imposteur et tricheur. Les motivations qui l'ont poussé à un acte aussi « compliqué » sont elles aussi très complexes. Il y a, dans ce passage greffé au corps du texte, un « déguisement », une volonté de mimétisme aussi qui nous inclinent à croire que cette tricherie graphique n'est pas seulement explicable en termes de littérature ; mais — sait-on jamais ? — cela n'est peut-être qu'un épiphénomène d'un lien trouble entre Pierre X. Magnant et l'autre. Mais quel lien ? Je désespère de le savoir un jour. *Note de l'éditeur.*

ceux que j'avais coutume de lire, par métier, à longueur de journée. La fausseté même que j'ai décelée dans un fragment du manuscrit que j'édite ne me scandalise même plus ; je croirais même qu'elle fait partie intégrante de l'écriture et que celle-ci, ni plus ni moins, est toujours apocryphe. J'ai lu en long et en large tout ce que le docteur G. de Clérambault a écrit sur la graphorrhée des délirants chroniques[160]. J'ai remarqué sa notation nosographique au sujet de la surabondance des néologismes qui qualifie cette « folie discordante » ; cela, je suis payé pour le savoir, m'a fait remarquer de combien de néologismes se trouvait parsemé le texte de Pierre X. Magnant. Mais j'hésite quand même à appliquer à Pierre X. Magnant un coefficient paraphrénique ou délirant chronique, quand je pense que tant d'écrivains se définissent par une inclinaison maladive à dégorger la plus grande masse possible de mots, propres et impropres, sur le papier à imprimer, un peu comme si les mots avaient des vertus pigmentaires pour âmes blafardes.

Dans une certaine mesure, je deviens moi-même ensorcelé par la parole écrite que je sécrète maintenant comme une glu venimeuse qui, aussitôt jetée sur papier, acquiert la consistance même de ces arbres morts qu'on peut froisser d'une seule main quand ils sont métamorphosés en trame fuligineuse. Je me grise finalement à ce jeu qui consiste, pour moi, à couvrir des enjambements de mon graphisme la forêt noire de mon enfance.

Mais je m'égare dans les entrelacs de mon graphisme alluvial — et c'est là sans doute que je dévoile, sans manière, ma naïveté et mon amateurisme. Ce que je tiens à livrer au lecteur, je dois le formuler en m'efforçant à une rigueur que je suis le premier à exiger des auteurs que je lis.

Bref, je sais trop de Pierre X. Magnant ; il faut que je le mentionne et, c'est l'occasion ou jamais, que je me mette à nu à mon tour. Pierre X. Magnant n'est pas — euphémisme !... — un homme comme les autres. Je dis, bien clairement cette fois, qu'il a connu des situations déficitaires sur le plan sexuel et que cela l'a marqué profondément. Si je n'avais pris connaissance de certains aveux consignés dans un cahier noir, fortement cartonné, je n'aurais jamais deviné en lui ce défaut de cuirasse ; au contraire, j'étais enclin tout de go à lui conférer une sorte de puissance sexuelle directement proportionnelle à son « charme » en conversation. Ce que je m'apprête à révéler n'est pas surdéterminé par mon envie de le réduire : bien au contraire, Pierre X. Magnant m'a touché, ce jour-là, quand j'ai pensé à sa fragilité émotive, quand je l'ai décelée contre toute vraisemblance. Je sais maintenant qu'il a souffert alors même qu'il s'exerçait déjà à se comporter comme un super-dynamique et un increvable. A-t-il jamais confié sa faiblesse ? Je ne sais pas. Chose certaine, qu'il ait eu recours à toutes les drogues annoncées dans le Vademecum[161] me laisse penser qu'il se croyait congénitalement ou préalablement infirme devant le réel et presque incapable de l'affronter sans s'injecter, au préalable, une surdose d'acide racémique.

Ce réel qui le terrassait inclut tout ce qu'on peut désigner de réel, donc, au premier titre, les relations sexuelles avec les femmes. Là-dessus, je n'ai plus le moindre doute quant à la faiblesse « chronique » de Pierre X. Magnant. Voici pourquoi.

J'ai mis la main sur un cahier tout à fait inconnu dans lequel Pierre X. Magnant a consigné, sous la forme d'un récit, ce qui constitue — sans le moindre doute — son journal intime. Mon intention n'est pas de resservir, dans le présent ouvrage, le contenu in extenso de ce cahier noir qui n'était pas destiné à la publication. On me pardonnera, je l'espère, d'insérer les quelques extraits de cet écrit informe sur lequel personne n'a encore levé les yeux. Ces passages, il m'a fallu les décoder, ni plus ni moins, comme s'il s'agissait de quelque manuscrit hiéroglyphique. Comme on le verra, ces textes que j'ai minutieusement recopiés du cahier noir ne sont pas sans éclairer de façon bouleversante le récit de la mort et de la transfiguration de Joan, qui est placé au début de ce livre*.

---

* Tout le monde sait, bien sûr, que P. X. Magnant a trouvé la mort de façon tragique dans un accident d'auto survenu sur la route 2, tout près de Lavaltrie[162]. Son auto a quitté la piste dans un virage pour aller percuter de plein fouet un arbre géant et tomber finalement dans le fleuve. Il a fallu plusieurs jours pour que son auto, puis son corps soient retrouvés en aval, par la Police du Port de Trois-Rivières. Les journaux ont publié des articles importants sur la mort de P. X. Magnant. *Note de l'éditeur.*

Cahier noir*

Je suis un être exceptionnel ; oui, tout m'est exception, même la compression vasculaire qui précède la commotion amoureuse. Une certaine propension à l'insécurité me fait considérer l'éclosion du plaisir comme un don inespéré. Bien sûr, l'évidence crève les yeux que mon plaisir se répète avec des variations d'intensité assez peu importantes... Mais ma vraie puissance est ailleurs : elle décrit un arc-en-ciel bien au-dessus du morne horizon génital de mes réussites. Cela me lasse d'être caressé par Joan ou par toutes ces femmes qui me cernent... Si la puissance, chez l'être riche, justifie tout ce qui la manifeste, la fatigue, par contre, engendre un état qu'on ne cherche même plus à justifier... La fatigue est une attitude plus encore qu'un résultat d'efforts cumulatifs ; c'est mon cas. Cela, d'ailleurs, touche à l'anomalie. Je survis défectueusement, je rampe de lit en lit pour soumettre des provinces

---

* Il m'a semblé évident que le cahier noir, écrit de la main de P. X. Magnant, est antérieur au texte qu'il a rédigé sous l'effet des amines. On comprendra aisément pourquoi ces pages ont précédé le récit autobiographique qui inaugure ce livre. La datation n'est pas tout à fait incontestable. *Note de l'éditeur.*

toujours plus éloignées... Par des feintes comme celle de ce matin*, je donne des spectacles de virilité qui, au lieu de conjurer la mort, en prolongent indéfiniment l'entrée en matière...

Je me vois entraîné dans un long crépuscule. Soleil prématurément couchant, je n'ai réussi nulle apogée et je ne sens plus le système galaxique qui devrait me tenir lieu de sol solide ; et je ne suis plus solidaire des planètes qui gravitent dans ma zone érogène**. Je trahis sans beauté le zodiaque que j'ai enfanté sans raison. Traître de part en part, c'est peut-être par la trahison même que j'atteins ma plénitude existentielle. Chose certaine, si je dois encore à quelques reprises me sentir submergé par les grandes marées de l'équinoxe et mourir de plaisir avant de mourir, ce plaisir sera trahison... Si je change si souvent de partenaire dans cette course à relais, c'est que chaque fois je dois réinventer la fidélité afin de la bafouer plus sûrement. Je m'inquiète à la longue. Aussitôt que la partenaire désirée ressemble à celle qui l'a précédée, je la fuis, je cours les rues, je cherche une étrangère que j'investis de nuit par surprise, je poursuis son double à qui je propose des révolutions qu'elle finit par croire que je fais puisque je me sauve en héros, chaque fois...

---

* Nous ignorons si la personne à laquelle il est fait allusion est Joan ; il faudrait, pour cela, pouvoir authentifier une certaine chronologie. *Note de l'éditeur.*

** Cette phrase énigmatique doit pourtant signifier quelque chose ; il faudrait chercher dans le sens de « désolidarisation ». Mais la vie amoureuse de P. X. Magnant, avant la rencontre de Joan, nous est totalement inconnue. *Note de l'éditeur.*

Mon comportement sexuel est à l'image d'un comportement national frappé d'impuissance : plus ça va, plus je sens bien que je veux violer*... Faire l'amour normalement ne m'intéresse plus vraiment. Je ne sais plus ce qui se produit. Ce désenchantement ressemble trop à une phobie d'impuissance. Fatigué, je rêve à la plénitude du viol — comme les mystiques doivent aspirer à l'extase divine ou à l'apparition...

Je suis condamné à rêver d'une forêt dans l'Engadine où je marcherais avec lassitude dans les pas d'un autre, plus grand que moi, mais qui est mort ensorcelé par son éternel retour. Mais marcher fatigue ; même les arbres magiques de Sils Maria ne me protègeraient pas d'un désespoir écrit d'avance dont je n'écrirai jamais la première version**. La vie est écrite d'avance[163] ; même l'amour le plus convulsif imite sans surprise les copulations animales cataloguées par les zoologistes. La fatigue, à plus forte raison, ne fait que réitérer la grande déception de toute vie : c'est une variante sans imagination du néant que chacun porte en soi...

---

* Étrange prémonition. *Note de RR.*

** Ce culte de P. X. Magnant pour Nietzsche date sans doute de ses lectures de collège ; il n'est pas contemporain du cahier noir qui a été écrit alors que P. X. Magnant travaillait dix heures par jour à la Pharmacie Montréal. *Note de l'éditeur.*

Cahier noir (suite)*

J'ai accumulé trop de preuves de mon ennui et de mon impuissance dans les bras de J.** que j'en viens parfois à considérer que cela est de sa faute — ce qui a l'avantage de me décharger de toute appréhension d'infériorité constitutionnelle chez moi. Très bêtement, je m'endors alors même qu'elle s'apprête minutieusement dans la salle de bains. C'est plutôt désolant pour elle ; pour ma part, je ne m'en afflige pas tellement. Et ce déficit cumulatif m'incline, à la longue, à me désintéresser de mon conditionnement au désir. Ma puissance véritable, me dis-je enfin, échappe à ce genre de vérification génitale. De là, sans doute, mon orgueil démesuré, sans bornes ! Je ne réussis pas à me percevoir comme inapte, à l'occasion, à procéder jusqu'au bout avec Joan : j'ai le sentiment, au con-

* En fait, il s'agit d'extraits non datés que nous avons pris l'initiative de découper, en épargnant au lecteur les passages dépourvus — du moins à nos yeux — d'intérêt. *Note de l'éditeur.*

** Cet aveu assez incroyable nous mystifie : je ne saurai jamais s'il correspond à une accumulation d'échecs vénériens. Peut-être P. X. Magnant traversa-t-il une période d'impuissance partielle due sans doute à l'absorption exagérée qu'il a toujours faite de médicaments. *Note de l'éditeur.*

traire, d'être surpuissant, érectile de part en part, excitable, fort... Mais la répétition continuelle d'une même union physique, avec toujours la même personne, doit me désenchanter complètement ou m'enlever le goût de donner suite à tous nos débuts de soirée ensemble : c'est vraiment lassant, c'est toujours la même chose... Quand Joan fait ses fameux prépararifs gélatineux (ou qu'elle sort de sa pochette blanche son diaphragme), je pense à d'autres femmes : des inconnues, des jeunes filles que la seule pensée de violer me surprend dans ma lassitude... Oui, il me semble que je retrouve mille puissances et mille fois plus de poussée vénusienne quand je m'imagine en train de relever la robe d'une collégienne ou d'une inconnue qui ne veut pas plus me connaître que je ne veux l'inscrire sur mon carnet d'adresses — mais qui serait prête à cela, pourvu que tout se passe rapidement, violemment, sans le moindre conditionnement sentimental ou social...

L'autre jour, dans une librairie, j'ai longuement hésité entre *L'homme impuissant*, *La femme frigide* et *Onanisme et homosexualité*[164] — trois classiques du genre, paraît-il. Finalement, je n'ai pas eu la force d'acheter *L'homme impuissant* de ce psychiatre viennois qui, pour le moins, aurait dû prévoir l'impuissance du lecteur à acheter son livre ! Je me suis rabattu sur *La femme frigide* ($5.90...) qui ne m'a rien appris ni sur moi, bien sûr, ni sur Joan... Joan, cette nuit-là, s'est endormie avant moi pendant que je lisais ce livre éminemment excitant : je voyais toutes sortes de femmes à violer, toute une succession de nobles et respectables inconnues que j'aurais volontiers pénétrées sans avertissement, sans égard, mais non sans plaisir... En fin de livre, j'étais tellement excité que je me suis mis à harceler cette femme endormie à mes côtés ; mais il n'y avait rien à faire. Joan, inerte de par l'effet de son barbiturique, ne bronchait pas : sa gélatine ne lui servirait pas, de toute évidence. Quel non-sens ! C'est alors que ...* et je suis resté les yeux grands ouverts jusqu'à l'aube morbide. À mon réveil, je suis devenu révolutionnaire, faute d'avoir possédé ce soleil aux yeux cernés... Ce matin-là, je suis passé à la terreur totale, sans frein, sans nuance politique, sans aucune différenciation... L'acte même de semer la terreur ressemble impudiquement à tout ensemencement du ventre, à cette différence toutefois qu'il ne tient nullement compte de la mutualité du plaisir ; c'est un viol** !

Enfin, j'ai trouvé ma vraie puissance : elle ne se montre qu'après le coucher du soleil, elle se manifeste dans la nuit blanche des obsédés, mais non pas dans les éclatements débilitants de la volupté ou dans l'apaisement contre-révolutionnaire qui leur succède... Je vis dans la terreur, parfois l'éprouvant avec honte, parfois l'engendrant ; c'est cela que je préfère, sans nul doute ! Engendrer la terreur : oui, j'aime faire peur. J'aime provoquer des réalités politiques qui m'effraient ; j'aime aussi troubler des vies innombrables... Je viole, chaque nuit,

---

* Passage vraiment indécent que je me suis permis de supprimer. *Note de l'éditeur.*

** Cette obsession du viol peut se comprendre, peut-être, dans un contexte de phantasme d'impuissance. Les aveux de P. X. Magnant seraient, dès lors, bien fragmentaires. Les omissions supposées finiraient par compter plus encore que ce qui est décrit, faisant de ces confessions le masque d'une confession qui n'est pas faite. *Note de l'éditeur.*

un nombre toujours croissant de belles inconnues que j'abandonne terrifiées*. Je fuis, je tue masqué, j'attaque sournoisement. Je sais quel triomphe destructeur je vais désormais chercher, non pas dans l'écluse vénusienne d'une partenaire dépossédée, mais dans les rues quand vient cette période chargée d'effluves nyctogènes, pendant laquelle une quantité indéterminable et inintéressante de couples s'unissent en accomplissant des gestes équivalents et dont on ne peut différer qu'au prix de la désunion. Je commence à rôder quand les autres couvrent leur magie noire sous la clandestinité des draps. Et je tiens à conserver cet écart d'initiative entre ma puissance incomparable et celle des autres hommes qui s'abolissent dans un flot visqueux, quand ils ne le laissent pas courir jusqu'au delta de muqueuses d'où leurs enfants partiront pour reprendre, à quelques changements près, la même chanson de mort. Tout cela est fini pour moi : j'ai d'autres preuves à faire que celle de ma puissance génitale auprès d'une seule et même femme qui ne meurt jamais, qu'elle s'appelle Joan ou je ne sais trop comment, qu'elle ait de beaux seins et des cheveux somptueux ; peu m'importe... Joan, elle aussi, a mieux à faire que se laisser caresser par moi : elle a compris, elle sait. Et avec Joan, je constitue un réseau funèbre de terroristes**... Cette nuit — après

---

* Cette phrase évoque l'érotomanie dans sa phase délirante[165]. *Note de l'éditeur.*

** Les activités terroristes de P. X. Magnant font maintenant partie de l'histoire secrète du terrorisme québécois. S'il n'a pas fait les manchettes, cela est finalement tout à son honneur : c'est qu'il n'a jamais été même soupçonné. *Note de l'éditeur.*

avoir multiplié des échecs impossibles à dérober à ma partenaire — j'aurais aimé la violer dans son sommeil (pauvre Joan...), et qu'elle ouvre ses yeux trop tard, alors même que je l'aurais habitée de part en part et que les vagues de plaisir auraient commencé de se former sur la surface blanche de sa peau. Je ne puis me souvenir de ce viol pour la bonne raison qu'il n'a pas eu lieu ; mais, à la seule pensée du plaisir que j'en aurais eu, je retrouve une puissance inutile qui m'aurait mieux vengé au cours de la nuit. Je vieillis ; depuis quelques mois, cela est d'une évidence folle. Ma supposée maturité* est déjà hypothéquée par toutes les dettes d'honneur que j'ai contractées en me gaspillant chaque jour depuis un an... Samedi soir dernier avec Joan, sur les routes verglacées des Laurentides et, en fin de soirée, dans un restaurant perdu, aux abords d'un lac glacé invisible : notre première grande sortie ensemble. Cette espèce de triomphe** doit précéder quelque chute... Si notre amour devient gagnant, c'est qu'un distancement grave l'éloigne des obstacles et des retards qui l'ont précédé... J'ai vécu doublement et trop vite ; tout triomphe, dès lors, ne peut être univoquement un triomphe. J'ai le sentiment que notre amour nouveau et insensé ne sera jamais que la monnaie d'une richesse introuvable. Je suis obsédé par le suicide de Stefan Zweig[166] et de sa compagne, quelque part près de Guanabara. Nous

---

* P. X. Magnant avait trente-trois ans quand, sans doute, il a écrit son récit autobiographique. *Note de l'éditeur.*

** Le mot « triomphe » ne peut se comprendre que dans le contexte du cahier noir, c'est-à-dire : comme une réussite amoureuse entre P. X. Magnant et Joan. *Note de l'éditeur.*

sommes comblés mais finis... Puisque nous avons créé le cercle vicieux, qu'importe la vitesse à laquelle on en fait le tour. Joan quittera bientôt la piste glissante sur laquelle nous sommes engagés*. Elle va trop vite. Je la perds de vue, je ne sais trop pour quelle raison... En amour, je me tiens près du degré zéro et ne suis bon qu'à m'acharner à profiter (sans profit réel !) de Joan et des autres femmes... Gilles Legault vient de se suicider dans sa cellule de prison** ; et c'était un jour de Pâques : Gilles était un patriote, un frère... Soudain, je n'ai plus de goût à rien : jamais on n'avait fêté le jour de Pâques de façon aussi tragique. Mais j'ai le cœur fendu : j'en perds mes moyens...

*

* *

La désolation dans laquelle je m'abolis est liée, à la limite, à l'idée de vieillir plus encore qu'à celle de tricher avec tout le monde. J'ai atteint un sommet dans ce sens en mai dernier***... Mon comportement est régi par les lois

---

* Cette phrase évoque un passage du récit inaugural de P. X. Magnant. Y a-t-il un lien entre les deux ? Difficile à dire... *Note de l'éditeur.*

** Le dimanche de Pâques 1965, Gilles Legault, prisonnier politique, s'est suicidé dans sa cellule à la Prison de Montréal[167]. Ce passage du cahier noir m'a appris que P. X. Magnant et Gilles Legault se connaissaient ; je l'ignorais tout à fait... Il se peut donc que les deux patriotes aient eu des relations de type opératoire ; sait-on jamais ? *Note de l'éditeur.*

*** J'ignore ce qui s'est passé dans la vie de P. X. Magnant dans ce mois de mai. *Note de l'éditeur.*

mécaniques du mensonge et se décolle, pour ainsi dire, de mon identité résiduelle. De là, l'innocence — si l'on peut dire — dont je fais preuve. Avec la distance et le recul, je puis maintenant comprendre que je n'ai fait que chercher dans les bras de chaque partenaire amoureuse l'image du révolutionnaire que j'ai fini par devenir secrètement, image que chacune d'elles cherchait en moi, mais qu'elle n'avait pas le temps d'identifier puisqu'il me fallait déjà consacrer l'heure suivante à une nouvelle matrice révolutionnaire, aimer une autre femme et, une fois de plus, rechercher passionnément en elle une identité fulgurante que je devais garder secrète, de toute façon, puis abandonner celle-là pour une autre partenaire, sans la moindre sensation d'infidélité... Joan m'a trouvé complètement épuisé par cette infidélité cumulative et concurrentielle.

Joan a tout changé. Maintenant, je suis propulsé à nouveau, entraîné vers elle, obsédé par le terrorisme, mais aussi par ce désir subit d'écrire un roman policier aussi invraisemblable que ma propre vie, plus encore : car personne ne me connaît. Écrire en spirale comme un colonisé, entre un attentat et quelques heures avec Joan... Mais les conspirations n'en finissent plus, Joan m'épuise et m'obsède ; je n'ai sûrement pas la force qu'il faut pour entreprendre ce roman policier inconcevable qui sera à l'image du Québec secoué par ses propres efforts pour obtenir un spasme révolutionnaire qui ne vient jamais. Cher pays déboussolé, comme je te ressemble...

Note de l'éditeur

Je sens soudain que je suis la proie d'un grand trouble qui n'a rien à voir avec les problèmes auxquels j'ai coutume de faire face ; de là, sans doute, la maladresse qui s'empare de moi et me fige. Car, inutile de le réitérer, je ne demeure pas froid en présence du manuscrit de P. X. Magnant et de ce tout ce qu'il implique. Je dirais même que toute objectivité m'est interdite, du moins formellement ; et je piétine sur place, sans grâce et sans raison. Je m'ensable, ni plus ni moins, dans les sables mouvants qui, d'après les descriptions visionnaires de cet « auteur », encerclent l'île de Lagos comme un mauvais sort. Comme Pierre X. Magnant, selon cette vulgate inauthentique, j'avance comme un spectre dans les entrelacs lagunaires qui semblent prolonger le littoral africain par une frange de labyrinthes. Je cale lentement dans le sol morbide qui m'ensorcèle et m'englaise. Je suis frappé de stupeur, investi d'un pouvoir magique qui ressemble étonnamment au « délire hallucinatoire » qui confère aux écrits désamorcés de P. X. Magnant leur qualité si mystifiante, et voici que je m'étrangle sans un cri. Je finis dans un désordre plus fort que moi et sous l'empire d'une inspiration malarique qui me transforme en écrivain. Je meurs en écrivain et je m'enterre dans une fosse noire en forme de lagune, tandis que***...

---

* *Cf.* l'étude intitulée « Bouffées délirantes » par H. Ey dans *Études psychiatriques*, tome III, p. 245, Desclée de Brouwer, Paris, 1954[168].

** Le texte de l'éditeur s'arrête comme cela, brusquement, sans raison apparente. *Note de RR.*

Semi-finale

Si j'ai reproduit le texte de l'éditeur à la suite du récit de Pierre X. Magnant, c'est que je crois que le lecteur doit lire ces textes selon le déroulement même de ma propre expérience et selon la succession existentielle qui a présidé à la constitution du dossier. Bien sûr, on pourrait me reprocher de ne pas m'être identifiée plus tôt (eh oui ! par un « e » muet...), voire même dans une préface ou une note explicative très nette. Mais ce retard que j'ai mis à prendre la parole ne saurait être attribué à quelque vague féminité qui me pousserait à me dévoiler progressivement et non sans différer sans cesse la minute de vérité, non plus qu'à un goût inné pour l'implicite... car n'ai-je pas fait la preuve de ma volonté de tout expliciter dans ces nombreuses notes signées : RR ? Cet aveu que j'ai mis tant de temps à faire, le voici : RR ne sont pas vraiment mes initiales ; c'est en quelque sorte un pseudonyme abrégé dont je me suis affublée et qui n'est pas sans exprimer ma volonté initiale de me situer d'emblée au niveau de la fiction. Oui, je n'ai pas cessé de poursuivre — dans cet écrit polymorphe — une expérience d'écriture fictive ; depuis la première page, je n'ai pas cessé d'inventer et de vouloir confectionner un roman. J'ai conscience que je déçois le lecteur en lui révélant brutalement que j'ai inventé de toutes pièces le délire pseudohallucinatoire de Pierre X. Magnant qui, croyez-moi, n'a jamais existé ailleurs que dans mon imagination...

Oh ! bien sûr, m'objectera-t-on, un romancier a beau imaginer les événements et les personnages les plus invraisemblables, il manipule inévitablement des parcelles de réalité. L'imagination littéraire, on le sait, n'est jamais pure de toute coïncidence avec la réalité. Je le sais mieux que quiconque ; et je n'ai pas besoin de posséder par cœur la clé de toutes les constructions romanesques pour savoir que nul écrivain n'invente à partir de rien. Qu'il l'avoue ou non, il ne peut pas faire autrement qu'utiliser des points de départ dans le réel. Et je n'échappe pas à cette loi. Je me contredis partiellement en avouant cela puisque j'ai, par bravade, dénoncé à l'instant le mensonge de tout ce qui est fictif. Je m'en excuse. Je précise et je m'explique : Pierre X. Magnant n'a pas été choisi au hasard, ce n'est pas un soldat de plomb sorti tout droit de ma vaine imagination, je le reconnais ! J'ai connu, de fait, une personne de chair, si je puis dire, qui m'a servi de modèle pour composer le personnage du pharmacien et écrire de sa main son autobiographie. Toutefois, cela va sans dire, j'ai « transposé » librement ; et pour tout dire, cet être humain, plus porté vers la révolution qu'enclin à travailler dans une pharmacie, non seulement ne s'appelle pas Pierre X. Magnant dans la réalité, mais c'est moi[169] !

La vérité dépasse peut-être la fiction en cela qu'elle est infiniment plus décevante. En relisant d'une seule traite l'histoire de ce pharmacien imaginaire, j'ai mesuré combien je projetais en lui la masse confuse de mes vrais désirs ! J'ai compris surtout que, même drapé d'invraisemblance, ce personnage fictif incarnait l'insondable privation dans laquelle j'ai vécu. Privée de tout, surtout d'un homme que j'ai toujours eu le don de ne pas rencontrer, je n'avais pas réalisé, avant de m'abandonner à son simulacre fictif, que je ne m'étais jamais abandonnée. Aveu terrible, à la limite même de l'ordre littéraire et de ce qui se publie... Au fond, que me reste-t-il à ajouter à ce cri d'abandon ? Je devrais finir ici mon affreuse confession qui me ramène implacablement à l'amour introuvable et sans visage que je ne rencontrerai jamais, et me tuer proprement ; oui, c'est cela, je devrais taire une anomalie, ne lui proposer aucun ersatz récitatif et finir sans cri (quel humour...), sans bavure, sans regret, sans formuler en mots alignés comme des souvenirs dans leurs cercueils une vérité qui m'a tuée vive et qui révèle mon inaptitude infinie à vivre pleinement une vie de femme — j'allais dire de femme comme les autres ! Car je n'ai jamais eu le sentiment d'être une femme normale ; j'ai vécu en exil dans ma propre existence et, comme une vraie déportée, j'ai multiplié les preuves désolées de mon échec vital.

Même ce personnage qui porte ma parole hypocrite, ce pharmacien de feuilleton, n'est que le prolongement insensé et l'aveu de ma féminité et plus encore du gaspillage interminable de ce qui est femme en moi ! Déboussolée mais confinée à la grise privation de ma vie privée, j'ai perdu toute notion de respect humain et me voici en train de trahir une identité que j'ai mis tant de soins à camoufler. Et maintenant que je me suis engagée sur cette pente vertigineuse, aussi bien aller jusqu'au bout et tout avouer pêle-mêle, puisque, déguisée en homme insensé, j'ai vraiment aimé une femme. Oui, Joan, au prénom et à quelques caractéristiques près, est une femme ; je me dois de le dire aussi crûment, avant d'ajouter des nuances et de raconter l'ensorcellement divin de notre liaison. Une femme qui meurt d'amour pour une autre femme, c'est affreux ; enfin, c'est presque de mauvais goût. D'ailleurs, qui le sait mieux que moi ? Je suis payée pour savoir que la liaison passionnée qui a rempli ma pauvre vie d'un amour extraordinaire est refusée par toutes les morales et vomie, ni plus ni moins, par toute société. Passe encore l'homosexualité entre deux hommes ; les gens la tolèrent, quand ils ne cherchent pas carrément à lui reconnaître un brin de normalité. Mais moi, femme amoureuse d'une femme, je suis une sale dégénérée, une perverse !

J'ai aimé Joan, je l'aime follement, désespérément, avec toute cette décharge d'anomalie et de tristesse qui a fait de moi une loque sexuelle et mentale. Évidemment, qui croirait qu'à partir de mon roman il serait possible de reconstituer tous les épisodes de notre amour, et surtout d'identifier la vraie Joan — je veux dire : celle que j'ai aimée et qui n'est pas comparable à un personnage fictif ? D'abord, autant l'avouer : cette femme — Joan, si l'on veut — ne pratique pas dans la réalité la microbiologie, non plus qu'elle n'opère dans un domaine de recherches scientifiques de type médical. Loin de là, Joan (j'emprunte au personnage fictif le prénom innommable de la vraie) est spécialisée en esthétique du théâtre ; plus précisément, elle conçoit des décors de théâtre. Elle est d'ailleurs reconnue comme la spécialiste de la scénographie moderne : tout ce que j'en sais d'ailleurs, je le tiens de « Joan » elle-même qui me parlait toujours d'abondance de Brecht et de ce fameux Polieri[170] qui, si j'ai bien compris, fait dans le théâtre total comme d'autres œuvrent modestement dans le non-total. À la longue, je me suis familiarisée avec tous les monstres du théâtre, triomphes, mascarades, tournois, trappes de Sabbatini, périacte de Lanci*... Je me rappelle, non sans émotion, ces soirées trop longues à mon goût que j'ai passées à regarder Joan au travail, réfugiée sur le « théâtre supérieur » du Port Royal[171]. De cette loge inusitée qui, paraît-il, servait jadis pour les revenants ou les personnages mythologiques, j'avais une vue plongeante sur la scène et je pouvais contempler sans pudeur celle qui, après le spectacle, allait me rejoindre sur mon « théâtre supérieur », puis, deux ou trois heures après, dans mon lit Louis XV. « Joan » m'entretenait toujours du spectacle que j'avais aperçu en surplomb et comme au passage ; moi, je l'écoutais en extase. Oh, je me souviens très vaguement de ces grands déploiements vertigineux et de ces tourbillons de couleurs fauves ; je ne saurais, rétrospectivement, identifier ces grandes fêtes renversées, ni

---

* Baldassare Lanci[172], en 1569, a réalisé, à l'aide de ses fameux périactes (ou décors tournants), plusieurs changements de décors au cours d'une représentation. Mais, si on se réfère à Vitruve (Ier siècle avant J.C.), « les Grecs appellent ces endroits periactous, parce que l'on y place les machines triangulaires qui tournent à volonté [...] et produisent des changements de décorations en tournant leurs différentes faces[173] ». (Vitruve, *Les Dix Livres d'architecture, corrigés et traduits nouvellement par Cl. Perrault*, Paris, 1673).

mettre un nom sur les comédiens ou les comédiennes que j'ai vus, soir après soir, évoluer sous les projecteurs latéraux qui formaient une grappe chaude sous la mince plate-forme où je jouais sans relâche la « revenante » non pas pour le public qui ne pouvait m'apercevoir, mais pour « Joan », maîtresse melpomène qui, chaque soir, recommençait sa genèse turbulente et chaque nuit, morte d'épuisement, s'épanchait en déluge fluide dans mes bras, avant d'y sombrer dans une douce catalepsie. Le « théâtre supérieur » où chaque soir j'allais me placer, incognito, m'a fait vivre longtemps ; pourtant, cette plate-forme suspendue, vestige de la scénographie de la Renaissance, comme les gloires et les lointains de la « scena ductilis* », n'était pas pour moi le vrai « théâtre supérieur », titre que je ne saurais conférer qu'au lieu ébloui où nos deux corps, nus et presque glorieux, se rencontraient totalement, sans un mot, sans même un effet de théâtre, sans treuils à tambour pour nous soulever de plaisir, sans trappe anglaise pour fuir et venir à nouveau, sans théâtre mobile avec scène annulaire[174] pour annuler tout ce qui n'était pas notre volupté et nos convulsions ! Il n'y avait pas de machinerie de théâtre quand nous étions rendues enfin dans le lit, pas de truquages non plus et pas de ces miroirs paraboliques que « Joan » affectionnait tant et qu'elle seule savait utiliser, avec science, pour produire des effets de théâtre foudroyants. Coup de foudre en trompe-l'œil..., quelle

---

* Scena ductilis[175] : l'invention de la « scena ductilis » (décors plats coulissants) est due à Nicola Sabbatini ; Sabbatini est un des grands inventeurs de la machinerie théâtrale de la période baroque.

dérision funèbre ! Que d'effets saisissants et extraordinaires « Joan » n'a-t-elle réussis au théâtre, tandis que je me penchais dangereusement au-dessus de la balustrade du « théâtre supérieur » : ah ! que de mises à feu spectaculaires pour que je ne m'affaisse soudain comme un spectre démodé dont la pâleur sinistre n'a fait que provoquer un fou rire général. J'ai fait une apparition, à contretemps, dans un groupe de gens de théâtre, blasés au point de ne plus pouvoir s'étonner de rien, voire même au point de s'esclaffer devant mon entrée si lamentable. J'ai fait mon apparition non pas en trompe-l'œil, mais en crève-cœur ! Je me suis mise à jouer, sans aucun souci de la scénographie, sans effets hallucinants et sans la moindre simulation. Comme m'a dit « Joan », on ne saurait manquer de talent comme moi sans en avoir un peu ! Quand j'ai mis les pieds sur les planches, j'étais foudroyée, déjà morte ! J'avais été perforée par un rayon du miroir parabolique, tuée d'un seul coup, subitement, sans agonie et comme par hasard. Et voilà que je faisais mes débuts sur les tréteaux sans savoir que le rideau cramoisi venait de retomber une dernière fois, mettant un terme final au spectacle. Le spectacle était consommé à l'instant même où j'entrais en scène avec fracas, croyant inaugurer une histoire que « Joan » avait finie en beauté par une estocade « al recibir[176] ». Contretemps funèbre : j'avais cru à l'amour de « Joan » alors qu'elle m'avait enveloppée de véroniques et de demi-véroniques, prenant bien soin d'enrober de velours la lame droite qu'elle me réservait. Aïe ! J'ai vécu pour une déesse fugace qui ne vivait que pour me tuer, au dernier moment, d'un rayon concentrique, puis pour me voir errer dans ce cercle mort comme une bête exsangue... Elle m'a eue ! Et tellement que je n'ose pas me rendre à l'évidence et que je me leurre doucement, doutant de ma propre mort pour douter un peu moins de son ancien amour ! Elle m'a eue, peut-être, je ne sais pas au juste, mais ce que je sais, c'est que je suis envahie d'une douce nostalgie quand je revois la succession de nos nuits et des spectacles, cette oscillation continuelle entre les truquages de « Joan » et mes éblouissements. Nostalgie. Oui, j'éprouve de la nostalgie — comme si, en quittant mon « théâtre supérieur », je m'étais exilée à jamais de mon pays natal. Mon pays, le sien, est encadré de grandes moulures dorées, voilé de rouge opaque, hanté par des masques de mort qui se dédoublent à l'infini dans le ventre des miroirs. Mon pays, c'était là-bas, dans cet entremêlement de herses et de forêts tropicales en perspective, là-bas près de « Joan » — âme unique de cet univers trompeur où je me suis laissé tromper indéfiniment...

« Joan » — je veux dire : celle que j'ai aimée et dont la réalité m'obsède — est la spécialiste du trompe-l'œil au théâtre ; véritable technicienne de l'hallucination, elle a renouvelé le théâtre, multipliant les perspectives accélérées ou ralenties selon les théories de Borromini, Serlio, Vitruve, Sirrigatti et Dürer*[177]. Cet art qui rend invisibles les images apparentes[178] en leur infligeant une dilatation démesurée, en leur conférant une allure propre-

* « Joan » a toujours été en extase devant les jeux anamorphiques des anciens et elle a, pour sa part, utilisé le procédé du « verxierbild » (tableau à secret) de Schön, célèbre graveur de Nuremberg et disciple de Dürer[179].

ment hallucinatoire avant de leur injecter toute signification, est en tout point conforme au goût de « Joan » pour le secret et le « wunderkammern[180] ». Avec elle, la « costruzione legittima[181] » devient une technique secrète de la décomposition ; les trouvailles de Vignole et de Léonard[182] se sont révélées à « Joan » des agencements rhétoriques qui coïncident parfaitement avec son tempérament et ses penchants les plus profonds. Elle s'est approprié ces techniques sans scrupule et sans la moindre difficulté aussi, tant elle était déjà encline à le faire par tempérament et le plus naturellement du monde. Gloire et passerelle de théâtre, « Joan » m'a souvent fait penser à ces grandes machineries de théâtre de la Renaissance qui contenaient toutes les ressources des grands génies du trompe-l'œil et de la perspective fragmentée mille fois et jamais de la même façon. Cher amour, je sens bien que ton génie inimitable de la simulation n'est pas sans opérer, à mes dépens, un distancement (est-il feint celui-là ?) ; je me sens, ni plus ni moins, comme une effigie distordue qui, jamais regardée obliquement et selon le bon angle, reste infiniment une image défaite. Tableau secret aux lignes rallongées avec extravagance et non sans cruauté de ta part, je m'étire lamentablement dans une perspective que tu as préméditée et comme une anamorphose que nul regard amoureux ne rendra à une forme raccourcie, je veux dire : au temps retrouvé ! Tableau secret, je m'allonge démesurément sur une feuille bidimensionnelle qui, par un effet d'optique, m'enserre comme un linceul indéchiffré : nature morte (« still life », dirais-tu...), je suis une anamorphose de ma propre mort et de l'ennui. C'est bien toi, cher amour, qui m'a appris à aimer le « Mystère des deux Ambassadeurs* », ce célèbre tableau du grand Holbein[183] que tu m'as tant de fois expliqué et commenté ; ah ! je t'entends encore épiloguer interminablement sur la composition savante de Holbein où la mort n'est pas dissimulée, car le rideau ne se ferme pas sur le « cabinet de vérité[184] ». Je me souviens encore de ce dernier détail et de cette expression que je n'ai jamais entendue dans la bouche de personne d'autre : le « cabinet de vérité », dans mon souvenir, s'identifie à une sorte de salon funéraire incomparable. Je suis fatiguée, je voudrais céder au sommeil, à toi, à nos étreintes orgueilleuses et renoncer à jamais à la lucidité intolérable qui me vient comme un fantôme. Tout ce qui est lucide doit mourir ; tout ce qui aime rêve d'une nuit totale, d'une nuit d'induction qui commence tôt et ne finit pas. Ma nuit insomniaque et sans espoir m'accable. Mais je suis seule, dépossédée, triste par conséquent ; je ne sais pas si la vie

---

* Le « Mystère des deux Ambassadeurs » de Holbein a été réalisé en 1533. Le tableau a été peint en Angleterre, où l'artiste s'est installé définitivement en 1532. Le tableau représente deux ambassadeurs français, Jean de Dinteville et Georges de Selve ; les deux ambassadeurs sont représentés grandeur nature devant un rayonnage recouvert d'un tapis oriental. Le pavement est un dallage de marbre incrusté reproduisant la mosaïque du sanctuaire de Westminster. Dinteville est vêtu d'une large veste fourrée, à manches bouffantes. Le poignard qui pend à son côté indique son âge : il a vingt-neuf ans. Les deux ambassadeurs, selon un grand historien de l'art[185], « se dressent comme les supports des armes de la mort, surchargés de Vanités. Combiné comme un blason, le tableau acquiert une noblesse hiératique... » La présence secrète de la mort, figurée par l'anamorphose étrange d'un crâne, confère un aspect tragique à cette œuvre. *Note de l'éditeur.*

sans toi m'est nécessaire, si ton absence ne signifie pas mon arrêt de mort. Tu me tues, mon amour, et tu te débarrasses de moi quand tu veux. Oui, je suis fatiguée maintenant et je me retrouve loin des rues étroites de Bâle, loin de la maison d'Érasme et de cette librairie où Thomas de Quincey bouquinait sans dédommagement. L'amour est invraisemblable. Personne ne nous croira jamais ; qu'importe, who cares ? T'aimer ainsi sans te retrouver chaque soir après la tombée du rideau, t'aimer sans habitude et sans quotidienneté cyclique, c'est un supplice indéfinissable, car je te retrouve juste assez pour te perdre et je ne te touche, brûlante, que pour connaître la privation qui suit. Le temps — véritable allégorie de notre rencontre — nous est donné et retiré à la fois ; le temps résume, par sa fugacité ralentie, la vie seconde à laquelle j'accède enfin, vie privée de temps comme moi je suis privée de toi. Près de toi j'ai senti, pour la première fois de ma vie, autre chose que la hâte — cette hâte sombre qui ressemble à la mort ! Je ne me presse plus ; rien, à vrai dire, ne me presse plus, j'ai vu Naples et je ne suis pas morte. Tout est fini, tout commence, tout est lent et majestueux, j'orbite doucement et vertigineusement autour de toi, terre blonde dont le mouvement clandestin me transporte et m'envahit d'une évidence que je défendrais, comme Galilée, au prix de ma vie. Ta rotation décélérée n'est que la réflexion en miroir de ma caresse ininterrompue, longue et interminable. Un souvenir persistant me fait parcourir à nouveau le dédale en succession du Amerbach Kabinett[186], je frôle inlassablement les craies colorées d'Anne Meyer, la détrempe vernie nommée « Adam et Ève », la détrempe vernie sur tilleul que

H. H. a intitulée « Érasme de Rotterdam en rond », le cercueil humide où le corps du Christ est cyanosé[187], et j'arrive enfin dans une salle exotique de la National Gallery (aile ouest, faisant face à la colonne Nelson érigée au juste milieu de Trafalgar Square*) où j'aperçois « Le Blason de la Mort**[188] » de H. Holbein ainsi que le portrait, grandeur nature, des deux « Ambassadeurs » d'un pays qui n'existe pas. Vanitas vanitatum[189] ! Ces « Ambassadeurs », costumés en trompe-l'âme, sont l'image même du néant : ces deux hommes, réunis autour d'une concentration folle de symboles mortuaires, ne sont pas des représentants d'un pays natal, mais de la vanité inhérente à toute puissance terrestre et de l'absurdité de toute représentation. Érasme l'avait bel et bien formulé : «...Ils ne savent absolument rien et ils se vantent de tout savoir[190]. » Holbein, mon frère selon la tristesse, l'a bel et bien compris : Hans Holbein a lui-même exécuté, vers 1517, deux crânes sur l'extérieur d'un diptyque, avec deux jeunes garçons. Le symbole de la mort y apparaît

---

* De fait, le tableau de l'illustre maître est dans la salle XV de la National Gallery, à Londres. Le tableau porte le numéro 314[191] du catalogue. Je rappelle toutefois que la salle XV ne donne pas, comme l'indique le texte, sur Trafalgar Square ; la salle XV est adjacente au dôme oriental et, par conséquent, donne sur les cours intérieures du musée londonien.

** Le rapprochement entre « Le Blason de la Mort » et « Le Mystère des deux Ambassadeurs » a d'abord été fait par W. Wornum, *in : Some Account of the Life and Works of Hans Holbein*, Londres, 1867. L'ouvrage est introuvable ; mais W. W. Gans (*in : Hans Holbein der Jungere*, Breslau, 1913) en a cité de larges extraits[192].

lorsqu'on referme le volet, tandis que, dans la figuration des « Ambassadeurs », le symbole de la mort devient évident — d'une évidence funèbre — lorsqu'on se déplace[193]. La tête de mort devient, conformément à l'angle visuel oblique, le cœur blême de cette peinture qui, par ses dimensions et son dispositif, est destinée à une vaste salle avec un emplacement précis. En arrangeant la succession des deux images indépendantes, Holbein ne les a pas dissociées[194] : le symbole de la mort contamine les poses somptueuses des « Ambassadeurs » et s'instaure secrètement dans leur belle réalité. Le visiteur qui s'approche de cet illustre tableau est enclin à examiner de près l'implacable touche du maître ; mais plus il s'approche du double portrait, moins il est en mesure de déchiffrer cette écriture séduisante et hermétique. Alors commence le deuxième acte : le visiteur, repu des apparences infinitésimales du portrait mystérieux, se retire par la porte de gauche, la seule issue de cet enclos. Alors, juste avant de franchir le seuil et de quitter cette chambre obscure, il jette un dernier regard, furtif, sur le tableau et comprend d'un seul coup son double sens : le distancement visuel estompe la figure des « Ambassadeurs » et révèle la « figure cachée[195] ». Ainsi, les représentants d'une puissance étrangère ne représentent rien d'autre que la mort, sol funèbre en forme de crâne, véritable patrie qui n'est pas reconnue comme telle par les chancelleries, mais dont le statut renverse à jamais les canons de la diplomatie mondaine. La mort frappe. Son spectre, indéchiffrable au premier regard, agit avec d'autant plus de force pour multiplier la terreur : la mort, figurée anamorphiquement par Holbein, est toujours subite[196]. Son visage, rallongé ou raccourci par les artifices de la « perspective curieuse[197] », a la sombre beauté d'un masque de mort : quand on le reconnaît, on est aveuglé par ce choc noir qui crève les yeux ! Ce qui avait les propriétés de l'immuable et de la présence réelle se trouve réduit en poussière soudain ! Pour ma part, j'ai compris « Joan » comme on reçoit le coup de la fin dans une arène. Je ne savais pas quand je frôlais son costume de lumière que j'étais déjà engagée dans un affrontement mortel ; succession de « reboleras », de « passes hautes » ou de « naturelles[198] » que ma partenaire flamboyante n'utilisait que pour mieux réussir ma mise à mort subite. Les passes de la muleta et de la cape, celles de la gauche et celles de la droite représentaient, pour moi, un projet d'étreinte absolue. Quand j'ai senti le badelaire sévillan me perforer, en mon point faible, j'ai mis quelques instants — ceux qui me restaient — à identifier cette série d'affleurements et de feintes aux ministres plénipotentiaires peints sur H. Holbein : les « Ambassadeurs » de la mort. La « numero uno » m'avait réduite à zéro. « Joan », comme je voudrais crier ton vrai nom, comme je voudrais crier notre amour et tout dire, car j'ai besoin de raconter depuis que je sais que je ne te reverrai plus ; je voudrais aller au Kunstmuseum de Bâle, au fond du dédale de cabinets en perspective de la collection Amerbach, et contempler jusqu'à ce que je te retrouve dans un musée brumeux en dévoilant le « Mystère des deux Ambassadeurs » et jusqu'à ce que ma transe basale me transporte dans la vase fluante des interfleuves qui s'effilochent en éperons de confluence autour de l'île du Lagos et jusqu'à ce que j'en crève, noyée, debout dans les ourlets de mangrove, engloutie et inhumée sans procès dans les sables argileux qui me séparent de toi qui continues d'errer sans âme dans les rues humides de Lagos, tournant sans cesse autour de l'immeuble de la Westminster's Bank dont la façade hautaine se tient immobile au milieu du clavier lagunaire où je coule sans harmonie. Mon amour, tu te souviens*... ?

---

* Les mots « de la figure cachée » semblent tracés à la main après les derniers mots. Nous ne les avons pas incorporés au texte parce que le sens exact n'est pas authentifiable : ces mots (« de la figure cachée ») sont presque illisibles. De toute façon, quel serait donc le sens d'une telle interrogation placée à la fin du texte désordonné de celle qui se veut RR ? Nous n'en savons rien ; cette « figure cachée » se réfère peut-être au secret formel du « Mystère des Deux Ambassadeurs »... Mais cela n'est pas sûr, et nous préférons laisser cet appel de détresse comme nous l'avons trouvé : dépourvu de sens. *Note de l'éditeur.*

Suite et fin

Je dois la vérité au lecteur fidèle, à celui qui a lu d'affilée la lettre inaugurale signée de Ghezzo-Quénum, le récit délirant du pharmacien crypto-révolutionnaire, le passage suivant où l'éditeur, lui-même, intervient dans le récit et, last but not the least, l'aveu terminal de la présumée RR qui, à son dire, aurait possédé Joan plus follement et plus passionnément que tous les autres partenaires possibles et impossibles de cette chère enfant, y inclus Pierre X. Magnant.

RR, telle qu'elle s'exhibe dans ce faux témoignage, m'oblige à la réfuter avec la dernière violence ! Tant pis pour cette RR ! Son récit impudique m'a fait l'effet d'un choc : cette petite chipie, suspendue à son « théâtre supérieur » pendant que Joan s'affairait sur le plateau, pourrait tout aussi bien s'adonner au chantage pur et simple, tant qu'à faire, puisqu'elle est à ce point douée pour écrire des ordures et décrire en détail des contorsions imaginaires. Sur le coup, je l'avoue, j'ai hésité un peu : je me suis posé des questions. Après tout, on n'est jamais sûr de connaître la vie amoureuse des gens, même de ceux qui vivent dans notre entourage. Mais, peu à peu, j'ai décelé au hasard, dans le récit des amours de RR et de Joan, quelques fausses notes, et puis quelques invraisemblances que je n'ai pas eu de peine à désamorcer. Tant mieux d'ailleurs, sinon j'aurais perdu pied sous l'impact du choc et de la surprise, et je n'aurais pu faire autrement que m'enferrer dans les pièges et les trappes à double fond de cet écrit apocryphe.

Sur ce point, je ne saurais me tromper désormais ; j'en ai la certitude. Quand ladite RR, poussant très loin la farce, s'approprie le texte même que Pierre X. Magnant a écrit de sa main, elle délire ou bien elle ment comme il n'est pas possible de mentir ! Passe encore son ambition littéraire expansionniste, plagiaire, déloyale ! Mais cette vanité dérisoire pourrait, à la limite, donner le change à la vérité et — du coup — engendrer une confusion grave dans l'esprit du lecteur ; pourtant, à y regarder deux fois, la différence entre son style très « Villa Maria[199] » et celui, agile et presque aérien, de Pierre X. Magnant crève les yeux. Pour qui se prend-elle enfin ? Pour un génie de la simulation, une surdouée du pastiche ? Elle se croit peut-être capable de faire passer, devant un lecteur attentif, des truquages grossiers qui ne sont, en fin de compte, qu'une pitoyable tentative de s'approprier les confessions de Pierre X. Magnant et, par le fait même, sa liaison étrange avec Joan. Il y a tout de même une limite à l'imposture ; et celle de la présumée RR est criarde et de fort mauvais goût. Peu me chaut que cette idiote ait couché ou non, une fois ou cent fois, avec Joan (après tout, rien n'est impossible ; sait-on jamais ?) ; ce que je ne peux admettre, c'est qu'elle se prévale — avec une déloyauté flagrante — du seul écrit de Pierre X. Magnant. Cela me scandalise ; cette présumée RR, faussaire à déficit, n'a pas le droit de s'offrir, en même temps que les gloires de la scénographie ancienne, celle d'avoir composé l'autobiographie désordonnée de Pierre X. Magnant.

Il m'est venu à l'esprit, aussi, que son vasage vagomoteur au sujet des « Ambassadeurs » de Hans Holbein est peut-être un texte codé dont le sens ne saurait apparaître qu'à celui qui est au courant de l'angle exact (en degrés) selon lequel il faut le regarder, de la même façon que pour appréhender le crâne qui se tient entre les « Ambassadeurs » on doit regarder le tableau du maître d'un point de vue oblique. Cette hypothèse permettrait peut-être de comprendre autrement que d'un coup d'œil l'image qu'il propose. Il s'agirait donc d'un texte à clé ; et il faudrait, dans ce cas, en modifier l'optique — de même que le spectateur du tableau de Holbein finit par regarder ce tableau selon d'autres critères que ceux qu'il a développés dans un musée... Cette hypothèse me tue — elle me tue, car elle m'oblige à conférer un certain sens au texte écrit par cette folle...

Quand je suis parti du bureau hier soir, ces pages délirantes ne se trouvaient pas incorporées au texte que j'édite ; et ce matin, j'ouvre à nouveau le dossier... et voici qu'il a grossi de quelques pages dictées par quelque crise nerveuse à cette fille stupide qui se prétend l'auteur d'un roman supposément écrit en perspective violente*...

---

* On appelle « perspective au ralenti » la technique utilisée par les artistes qui devaient exécuter des fresques dans les voûtes ou sur des murs très élevés. Le procédé consistait à freiner la fuite par l'accroissement proportionnel des dimensions. Ainsi, « l'art, suppléant au défaut de la nature, écrit R. de Chantelou, rend les parties

et ce roman n'est nul autre que le texte même que je m'apprêtais à faire paraître à titre de document-choc sur la vie de Pierre X. Magnant. Et cette fille aurait été l'amante de Joan : quelle honte !... et quelle horreur de penser qu'une inconnue a forcé ma porte et a tapé ces quelques pages à la hâte, à seule fin de jeter le trouble dans mon esprit... Elle a donc réussi, car je n'ose plus enlever ces pages qu'elle a rajoutées au dossier. Je les relis et je n'en reviens pas...

Je suis débordé ; je ne sais plus où donner de la tête, ni par quel bout m'y prendre pour démêler cet écheveau inextricable qui me tient lieu de manuscrit à éditer. Peut-être me suis-je embarqué à la légère dans cette affaire et qu'à partir du récit pharmacomane de Pierre X. Magnant, je n'ai fait que m'enferrer ? Comment le lecteur pourra-t-il se reconnaître si je perds pied, moi l'éditeur, dans ce courant désordonné de chapitres et d'interprétations ? Aussi, tout ce que je demande à ce lecteur, c'est de l'indulgence et aussi un peu de confiance. Oui, je lui demande de me faire confiance jusqu'au bout, car moi aussi je veux voir clair dans cette surcharge de confusion et d'énigme ! Oui, je veux comprendre ; et j'y réussirai.

D'abord, il me presse de faire la lumière sur le dernier chapitre, le plus aberrant de tous. Cette histoire

---

éloignées aussi sensibles à l'œil comme les plus proches » (*in : La Perspective d'Euclide, traduite par R. de Chantelou*, Le Mans, 1663). La « perspective violente » est un procédé pour « dépraver » l'image à tel point qu'elle ne soit plus reconnaissable, comme, par exemple, dans les fameux « tableaux à secret » de Schön ou les « tableaux rallongés » d'Arcimboldo et de Salomon de Caus[200]. *Note de l'éditeur.*

d'anamorphose m'a grandement mystifié. Très franchement, j'en ai ressenti de l'agacement et à tel point, d'ailleurs, que je me suis juré de démonter sans pitié ce monument d'impudeur et d'hypocrisie.

Au début, j'ai achoppé moi aussi sur ces pièges optiques qui font du visiteur de la National Gallery une sorte de cobaye. Peu me chaut la grandeur de l'œuvre de Holbein le Jeune : je ne prise nullement ce type d'imagination encline seulement à tromper le spectateur, à le duper avec des apparences de réalité — un peu comme la « créature » devait, au temps de la Réforme, se laisser prendre aux reflets mensongers de l'existence mondaine. Le piège optique, dans « Les Ambassadeurs », ne fait que reproduire dans le domaine artistique le piège inhérent à la création elle-même. Au fond, ce tableau de la mort n'est qu'un double terrible de cette réalité fastueuse, luxuriante, éblouissante qui trompe celui qui la regarde de trop près. Ces « Ambassadeurs » ne sont qu'apparences trompeuses, masques gracieux de la mort ; et, en cela, ils sont à l'image même d'une vie terrestre dont la laideur n'a d'égale que la séduction de son déguisement. Je n'aime pas beaucoup la religion sombre qui a donné naissance à cette interprétation du réel. Mais ce qui me fascine ici, c'est plutôt la qualification esthétique qui colore, par contagion, tout ce passage du livre. Et j'en viens à me demander si la clé de ce texte ne réside pas dans ce tableau à énigme dont il est si abondamment question dans le dernier chapitre et si, en quelque sorte, le texte signé « RR » n'a pas été écrit en trompe-l'œil et de telle sorte que le lecteur non prévenu, ou trop pressé, n'en décèle pas le sens caché sous un fatras d'allégories et de fausses pistes.

Dans la mesure où je prête foi à ma propre hypothèse, je devrais en arriver à désigner ce qui fait fonction d'« Ambassadeurs » dans le récit de RR et, prenant un certain recul, déchiffrer, sous cette figuration narrative, le visage blafard et phantasmatique de la vérité.

Le lecteur comprendra que je suis pris de vertige devant cette tâche énorme que je me suis imposée : j'ai le sentiment de dériver en haute mer, sans sextant, sans boussole et sans vivres ! J'allais dire : sans radeau, tellement me semble fragile l'hypothèse à laquelle je me cramponne. Écrire n'est pas une sinécure, du moins pour moi ; car si j'étais doué comme un Pierre X. Magnant, par exemple, je me lancerais à corps perdu dans cette épreuve, sûr d'avance d'en sortir triomphant. Ce doit être cela le don d'écrire : cette lancée irrésistible, ce mouvement toujours plus débauché vers l'inconnu, cette volonté aveugle d'avancer en pleine nuit sans rien voir et de croire que tout finira bien par s'inonder de lumière d'un seul coup, dans une formidable explosion d'aube. Mais je n'ai pas ce talent, ni cette ferveur sacrée. J'écris plutôt en régime d'hésitation et de peur. À tout instant, je crains de faillir à la tâche, j'ai peur que l'épaisse nuit d'encre dans laquelle je me meus ne se dissipe jamais.

Depuis quelques lignes, je constate que je dévie de ma route pour tenter de cerner ce problème visqueux dont je ne soupçonnais même pas l'existence. Me voilà, moi éditeur, aux prises avec des mots, des phrases et des pensées qui n'ont de valeur que si je réussis à les formuler dans un corpus logique et selon un ordonnement consistant. C'est l'ironie du sort ! Comment, par la suite, redeviendrai-je jamais un éditeur pur et simple, un véritable éditeur uniquement préoccupé d'édition ? Je me le demande. Déjà, depuis que je me suis attaqué à la rédaction de ces notes, je néglige un peu mes affaires ; je ne parcours plus les pages financières en me levant chaque matin et j'ai fait sauter quelques rendez-vous. Je me modifie insensiblement.

Tout cela me dérange et me perturbe, si bien que je ne sais plus où j'en étais... Ah oui ! Les idées me reviennent. Voici ce que je pense : il faut lire le texte de RR non pas selon l'angle normal d'une lecture, mais d'un autre point de vue qui, en le rétrécissant optiquement, d'après la technique de Dürer*, lui redonne sa vraie perspective et toute sa plénitude. En quelque sorte, je cherche à lire ce passage comme s'il avait été composé selon le procédé anamorphotique dont il a été question, plus haut, à propos du célèbre tableau de Holbein.

Somme toute, suis-je capable de reconstituer l'équivalent d'un prospectographe[201] à l'aide duquel je retrouverais le point de fuite[202] vers lequel convergent toutes les

---

* Il s'agit de la méthode du « portillon » sur lequel le peintre indiquait les positions d'un fil partant du modèle et traversant un cadre de porte pour être fixé au mur. Un aide devait manipuler l'extrémité mobile du fil dont le passage à travers le cadre permettait à Dürer d'établir facilement les coordonnées sur le portillon qui avait les mêmes mensurations que le périmètre interne de son chambranle[203]. *Note de l'éditeur.* (Cette méthode dite « du portillon de Dürer » n'est que l'adaptation d'un procédé rendu célèbre par Luca Pacioli, l'auteur de la « Divina Proportione » (1509), et utilisé par Alberti, Léonard de Vinci et Bramante. Michel-Ange, d'ailleurs, professait le plus grand mépris pour les présumées méthodes de Dürer[204]. *Note de RR.*)

lignes de ce texte, rétablissant ainsi la perspective qui redonnerait à ce tissu de mystère sa vraie profondeur. J'ai longuement cherché dans la vie du peintre et dans toutes sortes d'ouvrages savants quelque indice qui me permettrait d'avoir la clé de ce système hermétique ; mais rien ne m'a livré ce secret, ni la vitre transparente si chère à Vermeer et à Canaletto, ni la « divine proportion » de Luca Pacioli, ni la grille de Bramante. Ces heures et ces heures de recherches désordonnées m'ont appris une foule de détails et de renseignements qui ne me serviront sans doute jamais ; sans compter que cette quête folle n'a fait qu'accroître ma rage de comprendre et le désarroi de n'y pas parvenir !

Mais un ami connaisseur m'a soudain ouvert les yeux ; du moins, il m'a fourni de précieux conseils... Je fais grâce au lecteur de mes tâtonnements et j'en arrive à l'essentiel : j'ai finalement utilisé une grille anamorphotique pour relire le manuscrit, et voici ce que m'a révélé cette expertise catoptrique.

J'ai d'abord divisé une page en deux colonnes, inscrivant dans celle de gauche toutes les notations concernant « Les Ambassadeurs » de Holbein le Jeune et, dans celle de droite, les correspondances que j'ai relevées dans le manuscrit. Cette espèce de table de concordance n'a pas donné tout ce que j'en espérais ; mais, en l'établissant, j'ai été amené à faire toutes sortes de considérations au sujet du tableau. Toutefois, ma fascination n'a fait que croître.

Ce tableau raconte une histoire qui, bien sûr, n'a rien de commun avec le livre que j'édite. Ces deux « Ambassadeurs » qui nous regardent placidement sont pétrifiés dans leur splendeur hiératique ; ils ont quelque chose de mortuaire dans leur allure, une solennité qui fait peur.

Je suis enclin, moi aussi, à penser qu'ils ne représentent nulle autre puissance que la mort. Et si je relis en surimpressionnant le tableau de Holbein sur la trame du manuscrit, j'en viens à penser que deux « Ambassadeurs » en sont comme les supports solennels : ils se tiennent sous le chambranle du récit, debout, parallèles l'un à l'autre, immobiles. Il s'agit de Pierre X. Magnant et de Joan. Je pourrais dire : Jean de Dinteville, à gauche, et G. de Selve, à droite. L'un puissant et armé d'un poignard, l'autre drapé dans une robe sombre à rebords fourrés. Quitte à m'égarer dans cette folle énigme, voilà la première correspondance que je risque : celle qui fait de Pierre X. Magnant et de Joan les doubles des « Ambassadeurs » de Holbein. Tous deux sont représentés, au cours de cette étrange histoire, grandeur nature, devant une table haute (à deux rayons) couverte d'un tapis oriental : ils ne se regardent pas, ils nous regardent. Ils n'ont rien en commun sinon cette table voilée sur laquelle ils prennent appui, et encore ! Il s'agit là d'une pose ; de fait, ils effleurent la table plus qu'ils ne s'appuient dessus. Seul peut-être le tapis oriental semble toucher à l'un et à l'autre*.

---

* Je m'étais mis dans la tête d'identifier ce tapis oriental, présumant que de l'authentifier me donnerait accès au secret de Joan et de P. X. Magnant. J'ai d'abord cru que ce tissu était copte (IVe ou Ve siècle) à cause du monogramme « S » qu'on aperçoit couché juste au-dessus de l'endroit où le tissu retombe. Ce monogramme permettait une certaine datation post-chrétienne ; mais il n'est pas suffisant, en vérité, pour expertiser incontestablement ce tissu.

Ce tissu qui joint les deux « Ambassadeurs » joue un rôle dans cette histoire de mort, un peu comme la texture des mots joue un rôle dans ce livre...

Le tissu à proprement parler les réunit moins que les entrelacs des motifs de tissage : ces compartiments polylobés forment les chaînons symboliques qui relient Jean de Dinteville à son voisin G. de Selve. Les maillons hiératiques du tapis oriental constituent la trame d'une fatalité implacable. Ainsi, l'intrigue du roman se déplie comme un tissu parsemé de lacs, comme une étoffe tragique par laquelle Pierre X. Magnant et Joan sont entrelacés au même titre que deux motifs de cette armature double, l'amour puis la mort. Mais y a-t-il vraiment deux registres : celui de l'amour et l'autre ? Pierre X. Magnant cesse-t-il jamais d'être amoureux de Joan ? Cela n'est pas dit ; on pourrait même penser le contraire...

Cette étoffe n'est pas le seul lien entre les deux « Ambassadeurs », ni la seule trame par laquelle ils se rejoignent sans se regarder. Il existe un autre élément du tableau de Hans Holbein qui constitue la clef de voûte de ce double envoûtement : cette forme blanche, pareille à un os de seiche, suspendue mystérieusement au-dessus du pavement dallé. Cette forme est le centre secret de cette

---

Depuis, j'ai acquis la conviction qu'il s'agit d'un tissu vénitien du XIVe — et cela, parce qu'il reproduit une composition à compartiments (dite : composition à meneaux) vaguement analogues aux remplages des fenêtres gothiques. Cette hypothèse vénitienne et la datation du XIVe ont d'autant plus de sens qu'à cette époque les marchands de Venise trafiquaient avec tous les pays d'Europe et que ces produits d'art étaient répandus un peu partout dans les palais et les grandes demeures[205]. *Note de l'éditeur.*

grande composition, un peu comme le meurtre de Joan est le socle sombre du roman. La forme pâle indiscernable qui flotte au-dessus du sol s'apparente au corps blanc de Joan qui repose sur les dalles froides de la morgue. En vérité, son corps repose en travers du livre, projetant une ombre anomalique sur tout le récit — un peu à la manière de l'ombre projetée par le crâne dans le tableau de Holbein. L'ombre contredit les lois fondamentales de la lumière, répétant par sa projection invisible un crime parfait !

Blason mortuaire au centre du livre, Joan fait fonction de crâne indiscernable qui se tient entre les « Ambassadeurs ». Elle anime tout ; elle est le foyer invérifiable d'un récit qui ne fait que se désintégrer autour de sa dépouille. Le livre n'est qu'une accumulation de vanités qui ne sont que des masques multiples de l'atroce vérité qu'un simple déplacement de point de vue permet de désigner comme meurtre. Les vêtements somptueux des « Ambassadeurs » sont, ici, phrases opaques dont on habille la nudité putrescente de Joan. Le drapé des hyperboles et des paradigmes remplace les tissus damassés et les soies chinées du tableau de Holbein le Jeune. L'agencement même du livre — cette séquence qui va de la confession à la création romanesque — peut se comparer à la composition de Holbein : c'est un blason écrit sur fond de mort mais en trompe-l'œil.

Dans la composition de Holbein, le crâne se trouve isolé par sa forme anamorphique. Son invisibilité optique le camoufle ; crime parfait, le crâne figure le tableau dans le tableau. Il explique tout : c'est l'aveu blême du meurtre de Joan. C'est le décalque préfiguratif de l'épisode qui s'est déroulé au Redfern Hall, dans ce laboratoire que je n'ai pas visité mais que j'imagine néanmoins comme si j'y avais poursuivi Joan moi-même, comme si je l'y avais moi-même dévêtue sous les yeux révulsés des Macaques. Soudain, je l'imagine et cela me trouble infiniment. Je l'aime, et, du coup, je me retrouve dans la peau de Pierre X. Magnant, quasiment dans les bras de Joan nue, secouée par son propre plaisir, hurlant sans pudeur...

Sans doute suis-je en proie à quelque excès de mon imagination et aussi sous l'emprise du récit que je cherche à démêler ! Je fais mes excuses au lecteur. Tout cela m'est devenu trop familier ; ce laboratoire, c'est comme si je le connaissais par cœur et il en va de même pour Joan que je vois s'y promener nonchalamment, vêtue de sa chienne blanche qui lui sied comme une peau seconde plus blanche que sa propre peau...

J'ai trop lu ce livre ; j'ai trop aimé Joan, je l'ai vue trop souvent dans cette posture intime, emportée par le vertige de sa folle jouissance, puis, après le passage du cap Bon, assombrie soudain par la mort prochaine — par ce spectre anamorphique qui flotte au-dessus du pavement Henri III qui tient lieu de sol natal à Jean de Dinteville et G. de Selve.

Ai-je donc un don de seconde vue ? Suis-je moi-même en train de vivre une autre vie à force de récapituler les circonstances de la mort de Joan ? Je ne sais trop ; mais ce que je sais ressemble de plus en plus à ce qu'on devine. Ainsi, le tableau de Holbein me paraît composé selon les lois du roman policier plus encore que d'après les canons de l'art héraldique. C'est un tableau en forme d'histoire de meurtre et, en quelque sorte, le double antérieur du roman.

Trop de détails concordent entre le récit de Pierre X. Magnant et l'œuvre de H. Holbein. D'ailleurs, la mention du célèbre tableau de Holbein se trouve dans la seconde phase du livre et n'est pas, à proprement parler, faite par Pierre X. Magnant. L'isomorphisme entre « Les Ambassadeurs » et le récit double (Pierre X. Magnant et RR) est frappant, incontestable. Je ne crains pas d'affirmer que Pierre X. Magnant s'est inspiré de la composition de Holbein, non seulement dans son style, mais aussi dans la forme même du récit ; sa structure récitative ressemble au drapé de l'euphorie, véritable véronique dont Pierre X. Magnant a recouvert le visage de Joan. Comme le tapis oriental du tableau, la prose du récit est sans profondeur, mais non sans pli. Elle a l'épaisseur d'un voile ; mais qu'est-ce qu'un voile sinon un masque, la peau d'une peau* ?

---

* Ce texte doit vraisemblablement se poursuivre ; toutefois, nous n'en possédons pas la suite. *RR.*

Journal de Ghezzo-Quénum

Sion, minuit. Samedi, 14 mai 1966. Je viens de voir à l'instant s'éteindre les rayons lumineux qui, tous les soirs, maintiennent l'ancien château sur son invisible acropole qui surplombe la ville.

Déjà quatre jours se sont écoulés depuis que je me suis exilé à l'Hôtel Touring à deux pas de la gare SBB-CFF-FFS de l'ancienne Sedunum romaine. Ce soir, j'ai entraîné RR à la terrasse du Vieux Valais, histoire de l'initier au plaisir de manger une tranche au fromage en buvant cet excellent Clos des Étournailles. Elle s'y fait doucement ; ce soir, je l'ai vue croquer avec plaisir dans sa croûte valaisanne et savourer sans pudeur ce fendant volatile qui m'égaie encore. Mais je me contiens. Elle est là, tout près, nue sous ses draps, ensommeillée le sourire aux lèvres, belle, douce, immobile. Je ne veux pas que les disques de la SSR[206] diffusés par la radio la rejoignent dans son sommeil, brisant ainsi la progression lente de la nuit sous ses paupières. RR dort près de moi et je ne serai pas long à la rejoindre tout comme mon château aérien rejoint le noir de la nuit, en disparaissant à minuit. Moi aussi, je vais disparaître — mêlant ma noirceur à la douce noirceur de ma compagne.

Toutefois, je reste là, lucide contre toute vraisemblance, à écrire ce qu'il me faut écrire ; et ce que je dois raconter agit sur moi comme une puissante obsession, jusqu'à rendre tout sommeil continu quasi impossible. Mes nuits près de RR sont toutes fractionnées, les périodes de sommeil stuporeux alternant irrégulièrement avec des agitations insomniaques, voire même des cauchemars. L'innommé me tenaille et me confine aux détresses d'un onirisme agonistique. C'est pourquoi il me tient tant de tout dire, quitte à ce que cette entreprise narrative empiète fâcheusement sur l'heure imprécise de nos rencontres nocturnes.

Il me suffirait, à bien y penser, de consacrer chaque soir quelques heures à faire ce récit pour que, dès le début, j'éprouve les effets bienfaisants de cette étrange thérapie. C'est ce que je compte faire ; et je me promets bien de reprendre demain soir ce coin de notre chambre, d'où je vois s'illuminer puis disparaître cette forteresse imaginaire qui, maintenant, fait corps avec la nuit et le masque opaque du Wildhorn et du Haut de Cry[207]. Car ces jours impunis que nous passons sur la colline inspirée de Sion me suffiront pour mettre de l'ordre dans cette débauche d'événements qui s'encombrent dans ma mémoire. Il est tard. Je vais rejoindre RR, me glisser doucement près de sa peau chaude, l'étreindre et renaître à nouveau à la volupté interminable de la nuit.

Lendemain. RR est allée se faire coiffer dans une boutique de la rue de Tourbillon. Le soleil frappe le fond de la vallée, s'avançant inéluctablement vers nous, diffus et triomphal. Il sera bientôt onze heures du matin ; mais, aujourd'hui, je n'en finis plus de m'éveiller. Tout m'accable ; je me demande, une fois de plus, pourquoi nous nous trouvons ici même à l'ombre des deux défauts de vallée, forteresses sœurs — un peu à la façon dont Joan et RR sont sœurs, plus sœurs que forteresses. Oui, je me demande bien ce que nous faisons ici, dans cette haute vallée où souffle le fœhn — vent dépresseur qui m'épuise et me tue comme la brise chaude qui souffle sur Grand-Bassam sans répit, courbant les arbres noirs qui bordent le littoral de la Côte des Esclaves. Trois semaines se sont passées depuis que nous avons quitté mon Afrique ; mais, pour moi, ce sont des éternités qui me séparent de ces jours incroyables que j'ai vécus à Grand-Bassam, à Idiroko et surtout à Lagos. Une césure irréversible fend ma vie en deux temps morts : ce voyage ultime et désespéré de Lagos à Nairobi, puis — à bord du DC 8 de Swissair — de Nairobi à l'aéroport Cointrin de Genève... Avant et après !

Avant que je sache et maintenant ; car, maintenant, je sais trop de choses. Je sais qu'un de ces bons matins, je me suis rendu à l'aéroport de Bouët où j'ai attendu au moins deux heures le DC 8 d'Air Afrique en provenance de Conakry et en direction de Lagos. Dans cet aéroport du diable, j'ai tué le temps à déplier inlassablement « L'Étoile d'Abidjan », histoire de ne pas me faire remarquer par les policiers spéciaux de sa majesté Fouette-Boigny. D'ailleurs, ces choux désafricanisés n'ont rien d'autre à faire que de dévisager les honnêtes citoyens contre un salaire mensuel qui va chercher dans les 50 000 francs CFA*.

---

* Les francs CFA[208] ont cours dans la plupart des pays de l'ancienne Union française. Le salaire mentionné ci-haut équivaut environ à cent dollars canadiens. *Note de RR.*

Quand le gros bus volatile a posé ses chambres à air sur la piste torride de l'aéroport et fait rugir ses quatre moteurs Rolls Royce en marche arrière, les haut-parleurs ont susurré que l'oiseau en question allait tenter d'effectuer son envol vers Lagos après 20 minutes d'escale. Je me suis occupé tant bien que mal à ne pas me faire remarquer jusqu'au moment de monter à bord de l'avion, après avoir traversé — bien sûr — un barrage de douaniers revêtus de leurs tuniques « métropolitaines » et de leurs « pots de chambres » d'officiers de cavalerie. Bref, j'ai sué ma ration clandestine de sueurs subtropicales, puis je me suis trouvé sur la piste brûlante, marchant avec le groupe des passagers vers l'empennage surchauffé du DC 8 ventripotent. Tout s'est bien passé ; du moins, j'ai bénéficié du conditionnement typiquement africanoïde à l'indolence qui — fort heureusement — influence même les superdouaniers ivoiriens.

C'est après mon arrivée à Lagos que je devais tout comprendre. Là aussi, j'ai dû faire des salamalecs aux « immigration Officers » yoroubas qui font leur possible pour se conformer à leur réputation de superbes emmerdeurs. J'ai tenté de ne pas déroger du « pidgin » (mais sans trop comprendre), en priant mes ancêtres contre l'humeur singulièrement massacrante de nos ennemis historiques ainsi que contre toute prépatence de sporozoïtes*

---

* Dans la première phase du cycle évolutif du paludisme, on appelle sporozoïte la forme parasitaire qui circule dans le corps du malade. Par la suite, le sporozoïte devient schizonte qui lui-même se divise en mérozoïtes dont la répartition concentrique est désignée comme « le corps en rosace ». *Note de l'éditeur.*

en moi. Douanes archi-fédérales à l'aéroport de Ikoyi et « blackwater fever* », pour moi, ces deux formes de parasitisme vont de pair ; et, enclin comme je le suis à yorouber les affreux petits falcipares[209], je commence à redouter la tsé-tsé dès que je me vois contraint d'étaler mes slips de rechange devant l'air triomphal d'un Yorouba casqué et galonné comme un de ses ancêtres, mais dans le plus pur style Regency de l'amirauté britannique.

Mais j'en passe, car, dans cette voie, je serais capable de ressasser les querelles ancestrales de mon peuple contre les Yorouba nigériaques, chers petits ennemis armés de cataphractes qui leur servaient à empaler les pauvres nègres qui n'admettaient pas d'emblée de leur verser un droit de courtage. Courtiers en esclaves**, les voici désormais courtiers en douanes ; chez eux, cela tient du vice plus encore que d'une vocation nationale.

Une fois dans Lagos à bord d'une longue saucisse BMC[210] avec conduite à droite, j'ai commencé de me

* Blackwater : il s'agit sans doute d'une fièvre de type paludéen[211]. *Note de l'éditeur.*

** Tous les auteurs ne sont pas d'accord pour affirmer que les Yorouba peuvent être assimilés à des tribus courtières. On ne pourrait pas en dire autant des Fon qui constituèrent un des grands royaumes négriers : le Dahomey. *Note de l'éditeur.* (Je me permets ici d'apporter un correctif à l'assertion contenue dans cette note et selon laquelle les Fon auraient vendu des esclaves aux négriers européens. Cette opinion est erronée. Et les faits sont là pour le dire : en 1625, les Fon s'unirent pour tenter de se défendre contre les razzias de leurs voisins de l'est, les Yorouba d'Oyo. Ce sont les Fon qui refusèrent aux tribus courtières du littoral l'autorisation de vendre leurs esclaves aux Européens. *Note de RR.*)

sentir exilé une fois pour toutes, je ne sais trop pourquoi. Il me semblait, tandis que défilaient les frontons boutonneux du « waterfront », que je venais de rompre à jamais avec toute antériorité et que l'île de Lagos — surchargée de banques et d'anciens bureaux de la Royal Niger Company[212] — m'isolait à jamais et irréversiblement de mes archipels lagunaires. Tout enracinement préalable se noircissait dans les eaux sombres du MacGregor Canal et du Five Cowrie Creek. Le Niger introuvable et ruisselant partout charriait mes vies inutiles vers les eaux sablonneuses de Kuromo et la baie de Bénin. Il est tard, trop tard aujourd'hui, pour que je termine cette page qui m'induit en une remémoration affalée de ces instants précieux de mon entrée dans Lagos.

Ouchy (j'allais écrire : Lagos !). Nous avons quitté la colline enchantée de Sion sans trop savoir exactement où nous allions échoir. En tout, cela a pris deux jours avant de nous rendre ici, face aux Rochers de Mélise et au Massif de la Meillerie[213]. Et ces deux jours, nous les avons perdus dans une improvisation transalpine qui nous a conduits à Locarno, histoire de revivre un drame inutile entre nous (du moins, c'est à croire). Mais nous n'avons pas poussé la mauvaise plaisanterie jusqu'à nous suicider comme Heinrich von Kleist[214] et sa fiancée, dans la Mer du Nord, et nous laisser dériver assez loin et assez profond sur le lago romantico pour que nos deux corps bleus et gonflés soient recueillis par les officiers de la Dogana Italiana, échappant ainsi au Bureau des Étrangers de la Gendarmerie suisse. Tempo passato non ritorna più[215]... Mais nous, nous avons eu la bonne idée de revenir sur nos pas, repassant une seconde fois le Simplon, enfilant le

Valais de Brig à Martigny et puis, après quelques heures douces passées à Martigny, rejoignant les bords lumineux du Léman : Villeneuve, Territet, Vevey, Cully, Lutry et, par un biais final, l'avenue d'Ouchy qui longe, lungolago, le lagon funéraire de mes souvenirs. Ce n'est pas devant le lac Léman que je me tiens, mais face au golfe de Guinée, dans cette Marina éblouissante qui le retient d'envahir Lagos et qui le repousse mais sans trop d'énergie, si bien que l'eau sombre circule partout dans une vasolabilité continuelle qui fait de Lagos, tout entière, un véritable angiose nodulaire et rameux, fait de canaux, d'écluses, de lacets fluides, d'entrecôtes vaseuses et floues. Lagos, île exil, île sombre et perdue, retrouvée et perdue sans d'autre raison que de venir ici la regretter, sur le sol soluble d'Ouchy, devant les Massifs massifs qui s'effondrent insensiblement dans la mer morte qu'on désigne comme lac Léman — mer mille fois plus morte : mer intérieure !

RR est partie flâner sur les quais ; c'est ce qu'elle m'a dit. Peut-être a-t-elle loué une chaloupe pour aller se perdre au large, pour en finir à jamais comme elle rêve secrètement de le faire — du moins, c'est ce qu'il me semble, même si elle devient violemment vivante quand je fais allusion à son inclinaison cachée. Ce n'est pas moi qu'elle fuit sur les quais d'Ouchy, c'est sa propre existence, ses souvenirs qui voguent de nuit dans les blackwaters du lagon deltaïque et surtout ses souvenirs des derniers jours qu'elle a vécus dans l'île capitale, entre le Carter Bridge et la Marina ; comme je venais d'arriver, je m'en souviens moi aussi comme si j'étais à sa place, meurtrie et mélancolique. Oh ! comme je m'en souviens de ces quelques jours humides et noirs qui ont succédé à mon arrivée au Nigéria. Aussitôt rendu au Nigerian Airways Terminal, j'ai composé le numéro du Lagos General Hospital où une téléphoniste me répondit, dans le plus pur accent du Middlesex, que RR n'était pas en service ce jour-là. Pas moyen non plus de la rejoindre à la résidence des infirmières, ni à son domicile (qu'elle partage avec deux autres infirmières). J'ai flambé je ne sais plus combien de couronnes trouées* dans ces foutus appareils téléphoniques à boutons que les bloody traders ont dû s'approprier en Irlande à titre de butin de guerre : des pièces de musées, ces affreux engins précambriens ! Je me suis résolu à patienter en flânant sur les quais du Federal Palace Hotel jusqu'à la devanture dorique de la Bank of West Africa. Aller et retour. Touriste typiquement lagunaire, j'arpentais les quais comme RR le fait en ce moment. Et je me remettais à jouer à qui perd gagne avec les 2/6[216] de sa majesté trouée. Sans résultat. Crevé, tout en sueur, je détaillais chaque immeuble devant lequel je battais la semelle : la masse déficitaire du National Bank Building, l'Investment House construit en forme de casier judiciaire, l'affreux blockhaus de l'UBA** et partout le sombre lagon, marbré par les échappements de mazout, partout la présence cursive et sans courant du Lago de Curamo des anciens négriers portugais. Et je me sentais cerné par les Yorouba : ils me dévisageaient comme si je leur avais offert un perpétuel strip-tease —

---

* De fait, les couronnes nigériennes sont trouées au milieu. *Note de l'éditeur.*

** UBA : Union Bank of Africa. *Note de l'éditeur.*

tout ça parce que le faible indice mélanique de ma peau me désignait à eux comme un étranger.

Je me suis étendu un moment sur le lit ; voilà seulement que je me réveille. Deux heures se sont passées. RR n'est pas encore revenue ; ou alors, j'étais tellement endormi que je ne l'ai pas entendue frapper à la porte. Non, cela n'est pas possible ; telle que je la connais, elle serait descendue voir le gérant pour lui demander son passe. Deux heures ; et je m'étendais pour quelques minutes seulement. Le sommeil s'est abattu sur moi comme une chape de plomb ; espérons seulement que je ne suis pas atteint de cathypnose ou de ce que les médecins blancs appellent le narcotisme des nègres. Ce brusque accès de sommeil n'a rien à voir, vraisemblablement, avec mon Afrique natale, non plus qu'avec les innombrables diptères hématophages dont la collecte justifie amplement le budget de l'OMS*. En fait, mon sommeil soudain et si lourd n'a d'autre explication que la détente consécutive à la coupure d'un exil subit et au décalage horaire. Mon départ de Grand-Bassam, les heures passées à l'aéroport d'Abidjan, mon arrivée sur le sol nigérien, le temps de rejoindre RR, puis le temps de repartir... c'est aujourd'hui que je me suis soudain affaissé. J'ai relâché toutes mes défenses ; c'est donc qu'à force de les maintenir je m'étais métamorphosé en une sorte d'être en proie à une armée de facteurs réflexogènes. Mais cette notion de relâchement que j'ai invoquée pour expliquer ma sieste stuporeuse de tout à l'heure ne me résume pas tout entier.

---

* OMS : Organisation mondiale de la santé. *Note de l'éditeur.*

Je continue de vivre ; et maintenant je pense follement à RR qui erre, erre en ce moment, loin de moi, sur les quais, peut-être même dans les rues hautes de Lausanne, tandis que le ciel se fait de plus en plus menaçant, que les nuages courent bas et que, moi, je sors de plus en plus de ma somnolence. Soudain, les pires craintes m'assaillent, et je me laisse faire ; et quand je dis les pires, je pense au seul événement que je redoute vraiment (et c'est la première fois que je me l'avoue à moi-même, j'en prends conscience) : que Pierre X. Magnant nous ait pourchassés jusqu'ici ! Pratiquement, je sais bien que RR et moi avons pris toutes les précautions nécessaires pour le semer à Lagos, prenant soin de louer une auto avec laquelle nous avons roulé jusqu'à Idiroko pour le seul plaisir — si j'ai bien compris — d'alerter les douaniers nigériens qui nous ont pris pour des trafiquants de drogue (deux heures de perdues). Dieu merci, nous sommes arrivés à temps pour monter à bord du DC-8 de Swissair et voler en toute sérénité en direction de Genève-Cointrin où le gros bus s'est avachi sur la piste mince coincée entre la chaîne verte du Jura et les limites de Genève.

Le temps passe et, décidément, RR ne revient pas. Et si elle longeait les quais, je la verrais à coup sûr puisqu'il n'y a pas un chat dehors : l'eau qui tombe en pluie ruisselle aussitôt par les moindres cannelures vers le lac. Au loin, on ne voit qu'un écran de pluie opaque au lieu des Alpes : le lac s'est transformé en mer noire. Je n'ose plus quitter la chambre tellement je me dis et j'espère que RR me téléphonera — histoire de m'apaiser un peu, de me dire qu'elle s'est réfugiée sous une arcade à cause de la pluie, qu'elle n'est qu'à quelques minutes de notre hôtel... Le temps passe ; la pluie m'imbibe progressivement, je ruisselle de partout, je glisse comme la chaussée sombre, tout fuit sur ma surface, tout s'en va... même elle. Elle a peut-être peur de moi plus encore que de Pierre X. Magnant ; sait-on jamais si celui-là, l'amant meurtrier de sa sœur, ne la fascine pas, au fond ? Autant Pierre X. Magnant a fait le voyage jusqu'à Lagos à seule fin de connaître la sœur de celle qu'il venait d'étrangler, autant peut-être RR est sous le charme maléfique de celui dont sa sœur n'a sûrement pas manqué de lui parler avant de mourir dans ses bras...

Je dis que c'était lui, mais je ne saurais le reconnaître. D'ailleurs, je ne l'ai pas reconnu ; je me suis fié à RR qui m'a dit qu'il s'agissait, en effet, de Pierre X. Magnant, ce fameux révolutionnaire. Je ne me souviens plus par quelle pirouette verbale RR a réussi à l'éloigner de nous (je crois qu'elle a fait mine qu'elle devait me rendre des comptes sur le plan professionnel...), mais juste après, quand RR et moi nous sommes trouvés seuls enfin, j'ai lu dans ses yeux une terreur véritable : elle cherchait péniblement ses mots pour me signifier que cet individu avait sûrement assassiné sa sœur Joan. J'ai tenté, de mon mieux, d'apaiser RR ; en fait, je croyais, en mon for intérieur, qu'elle délirait un peu et je mettais cela sur le compte du choc qu'elle avait reçu à l'annonce de la mort de Joan. Étrangement, son désemparement coïncidait avec ma volonté soudaine de tout quitter, de fuir la Côte d'Ivoire et l'Afrique, de m'expatrier à jamais dans quelque pays d'Europe. J'étais tellement épuisé par les heures d'épouvante qui avaient précédé que je ne me suis même pas donné la force d'argumenter ; RR m'a dit tout simplement qu'elle aussi voulait fuir Lagos au plus vite et à jamais. Sur le coup, je ne me suis pas étonné de sa réponse aussi radicale. Je lui ai dit que mes deux valises Samsonite rouge-pompéien étaient en dépôt à la consigne de l'aérogare d'Ikoyi.

La pluie continue de tomber interminablement, le lac, assombri, est de plus en plus houleux ; mais, cette fois, je suis vraiment inquiet. Il fera bientôt nuit et RR n'est pas encore rentrée ; elle n'a même pas donné signe de vie. L'heure crucifère me gruge seconde par seconde et me ruine. Le temps joue contre nous ! Oh, nous aurions dû convenir d'un système en cas d'égarement. Mais pourquoi l'aurions-nous fait ? N'avons-nous pas un point de chute, ici même, dans cette chambre qui donne sur le lac Léman tout gonflé des eaux tristes de la tempête et de ma mélancolie ? Un air de guitare espagnole me métamorphose, soudain : des pas anciens et regrettés voudraient jaillir de mes jambes noires et marteler le sol avec rage aux sons brisés de cette musique. Mais qui est-ce qui joue ainsi, tapant sombrement sur sa caisse et grattant furieusement ses cinq cordes ? Vont-ils dire son nom quand le disque sera fini ? Un temps ; et puis l'émetteur de Monte-Ceneri continue de diffuser ce guitariste funèbre et déchaîné à qui je voudrais ressembler sans réserve, à jamais... Mais je suis un autre ; j'habite un hôtel ruisselant dont le fronton brisé à volutes regarde les Rochers de Mélise qu'on ne voit pas à cause de la pluie ininterrompue. Mais surtout, j'attends une femme qui ne revient plus d'une promenade de quelques minutes. Je sors.

*

* *

Je suis sorti de l'hôtel après la tempête ; l'eau courait partout comme à Grand-Bassam pendant la petite saison des pluies. Il faisait nuit déjà ; pourtant on voyait les nuages se déplacer au-dessus des toits, créer par leur fuite un éclairage sans cesse changeant. J'ai marché au hasard en longeant les quais ; les terrasses étaient désertes, les trottoirs aussi. J'étais bien le seul être vivant à errer de la sorte. Et puisqu'il avait cessé de pleuvoir, me suis-je dit, RR pourrait être rentrée à l'hôtel. Je revins sur mes pas.

Mais il n'y avait pas de réponse à la chambre 26. RR n'y était donc pas ! Que s'était-il passé entre elle et moi pour qu'elle parte ainsi pendant des heures ? Rien, me semblait-il, rien ne pouvait expliquer une fugue. Et, de plus, cela ne lui ressemblait pas. Bien sûr, depuis Lagos, je l'avais trouvée différente, se détériorant comme sous un état de choc. Mais quoi ! Elle ne se serait pas sauvée ainsi sans motif...

Donc, me suis-je dit enfin, elle ne s'est pas sauvée ; j'en avais comme la certitude tandis que j'arpentais les quais assombris et les rues de plus en plus noires qui me conduisaient vers le centre de Lausanne... Pierre X. Magnant se trouvait quelque part dans ce périmètre de nuit ! Comment avait-il pu nous suivre à Lagos où nous avions cru le semer ? Il ne savait quand même pas que nous partions vers Genève ; du moins nous avons pris toutes les mesures nécessaires pour lui laisser croire que nous partions de Lagos en voiture louée et sans bagages, donc : pour y revenir avant la tombée de la nuit.

*
* *

Puis, je me suis trouvé Place Saint-François, en plein cœur de Lausanne ; je cherchais RR au hasard dans les rues désertes, dans les halls d'hôtel, dans les restaurants, dans les cafés. À mon apparition, les clients se retournaient immanquablement. À tout coup, je me sentais un nègre égaré chez les Blancs. La couleur de ma peau, je le sais trop bien, suffisait à expliquer cet effarement que je lisais sur tous les visages. Mais je n'étais nullement enclin à réagir, dans un moment pareil, selon les normes prévues, c'est-à-dire en nègre qui se perçoit comme affreusement nègre quand on le regarde avec cette impudence qui, semble-t-il, caractérise l'homme blanc. Il n'en finit jamais de s'étonner — tant qu'il est vivant — qu'il y ait des êtres humains moins décolorés que lui !

Mais alors, j'avais autre chose en tête que ces considérations. Je ne savais plus où se trouvait RR. Cette angoisse me faisait récapituler inlassablement la séquence de notre départ de Lagos. Je me demandais à quel hôtel Pierre X. Magnant était descendu lors de son séjour à Lagos et à combien de reprises il avait pu rencontrer RR. Et depuis combien de temps était-il à Lagos quand j'y suis arrivé ? Peut-être logeait-il au Federal Palace Hotel où j'avais ma chambre ? Les questions affleuraient en désordre à ma conscience. Et moi je continuais d'errer comme un fantôme. Je hantais toutes les rues possibles de Lausanne ; je ne finissais pas de gravir des pentes, puis d'en dévaler ; je me perdais dans ce dédale qui doit faire l'orgueil des historiographes lausannois, sans doute.

J'ai fait un appel téléphonique à l'hôtel ; et, comme Joan* n'était toujours pas dans sa chambre, j'ai parlé au gérant. Je lui ai demandé s'il ne l'avait pas vue (j'ai dit : ma femme, afin de ne pas me perdre en considérations archicompliquées et inutiles). Le gérant ne l'avait pas vue. Je lui ai raconté une histoire de rendez-vous manqué dans un restaurant dont j'avais oublié le nom... afin de ne pas lui dire que RR était disparue et que je la cherchais désespérément dans les rues de Lausanne...

Quelle heure était-il quand je me suis retrouvé au poste central de la Sûreté Cantonale Vaudoise dont l'immeuble est tout près du château des Baillis bernois ? Je ne m'en souviens plus. Tout ce que je sais, c'est que le policier de service derrière le comptoir de la réception a eu peur en me voyant apparaître dans l'embrasure de la porte ; il avait les yeux hagards, comme quelqu'un qui croit avoir un cauchemar ou une hallucination : un nègre, pour un Suisse, doit faire fonction d'éléphant rose ou de crabe pour un alcoolique...

— Qu'est-ce que c'est ?

— Pardon, monsieur l'agent... Je me trouve bien à la Sûreté Cantonale Vaudoise ?...

— Oui. De quoi s'agit-il ?

Il retrouvait son aplomb, alors que moi je prenais soudain conscience de mon épuisement et de l'incongruité de ma situation...

---

* Lapsus calami assez troublant. *RR.*

— Voici : je cherche ma femme... ma compagne, plutôt, car nous ne sommes pas encore mariés. Mais enfin... Je veux aussi retracer un individu que je soupçonne de vouloir la tuer...

— Prenez place, me dit-il froidement en m'indiquant un fauteuil devant son bureau. Bon, continua-t-il, racontez-moi ça...

— Voici : ma femme est poursuivie par une espèce de malade mental, un individu dangereux qui l'a relancée à Lagos...

— Lagos ?

— Oui : Lagos, capitale du Nigéria. Rachel était infirmière au Lagos General Hospital...

— Et pourquoi êtes-vous en Suisse présentement ?

— Nous avons fui cet individu ; mais, de toute façon, nous serions partis un jour ou l'autre. Remarquez que nous sommes partis librement... La sœur de Rachel a été tuée à Montréal par ce type qui, maintenant, poursuit Rachel...

— Comment s'appelle cet homme ?

— Pierre X. Magnant ; X pour Xavier. Il est de nationalité canadienne.

— Selon vous, ce Monsieur Magnant se trouverait actuellement à Lausanne ou dans le canton de Vaud ?

— Il n'y a pas de doute possible : il est ici.

— Où loge-t-il ? À quel hôtel ?

— Justement, je l'ignore ; mais j'imagine que la police pourrait facilement le retracer. Il a dû s'inscrire dans un hôtel, remplir une fiche d'identité...

— Vous-même, monsieur, vous êtes descendu à quel hôtel ?

— ...C'est bête, ça. Je ne me souviens plus du nom de l'hôtel. Vous savez... le grand hôtel au bord du lac... Enfin, il ne doit pas y en avoir tellement d'hôtels... je veux dire : sur les quais, juste au bas de la ville...

— Veuillez me présenter votre passeport, s'il vous plaît.

Je l'ai cherché dans toutes mes poches, nerveusement, non sans une angoisse croissante à mesure que je vidais mes poches sans le trouver. Je me suis troublé, j'avais des sueurs au front ; et au lieu d'avouer que je l'avais oublié, je continuais à revider toutes mes poches, l'une après l'autre. Mais je voyais mon interlocuteur se rembrunir à mesure que le temps passait...

— Je l'ai oublié, monsieur l'agent. Vous savez que j'étais dans un bel état de bouleversement quand je suis parti à la recherche de ma femme...

— Vous faites allusion à mademoiselle Rachel ?...

— Rachel Ruskin, monsieur l'agent. Je croyais qu'elle flânait sur les quais, puis qu'elle s'était arrêtée sous un porche pour se protéger de l'orage... Elle était partie seule, faire une promenade...

— Votre nom, s'il vous plaît ?

— Olympe Ghezzo-Quénum.

— Nationalité ?

— Ivoirien... Côte d'Ivoire !

— Avez-vous une autre pièce d'identité que votre passeport ?

— Non.

— Peut-être connaissez-vous des gens à Lausanne ou en Suisse, qui seraient capables de vous identifier ?

— Non... Nous sommes arrivés ici, tout seuls, en touristes en quelque sorte...

— Depuis combien de temps vivez-vous en faux ménage avec cette personne, Mademoiselle Ruskin ?

— Nous sommes en route pour Montréal où, dès que cela sera possible, nous nous marierons.

— Quelle est la nationalité de cette personne ?

— Elle est canadienne.

— Est-elle inscrite sous son nom à l'hôtel ?

— ...Non. Enfin, je ne crois pas qu'on lui ait demandé de produire son passeport... J'ai présenté le mien seulement...

— Pourtant vous avez pris une chambre pour deux personnes ?

— Oui, bien sûr...

— Quel est le nom de l'hôtel où vous avez pris cette chambre ?

À ce moment-là, j'ai eu le désagréable sentiment que le policier me considérait avec suspicion. Je me suis senti bien seul soudain, désemparé, complètement incapable de retrouver le nom de cet hôtel avec fronton à volutes et, du coup, pris dans un engrenage, impuissant, désespéré. J'ai pris conscience alors que j'avais commis une erreur en me présentant au poste de police et en espérant que la Sûreté Cantonale pourrait m'aider à retrouver celle que j'avais perdue...

— Vous savez, monsieur, qu'un étranger doit toujours être porteur de son passeport ?

— Bien sûr, mais je vous ai expliqué que...

— Maintenez-vous toujours votre déposition au sujet du citoyen canadien Pierre X. Magnant ?

— Oui. Mais s'il fallait que cet individu se soit inscrit sous une fausse identité. Il serait relativement facile de duper un gérant d'hôtel en prétendant que le passeport est dans une valise en consigne à l'aérogare... En tout cas, cet homme est diabolique. Il se dit révolutionnaire, mais c'est un assassin...

— Quelles autres identités pourrait-il utiliser, selon vous ?

— Je ne le sais pas. Mais je vous assure que cet homme est dangereux, qu'en ce moment même il a peut-être réussi à attirer ma femme dans un piège et il va peut-être l'étrangler — de la même façon qu'il a étranglé Joan...

— John ?

— Non, Joan. Il s'agit de la sœur de Rachel. Elle vivait à Montréal. Le meurtre est survenu il y a environ trois ou quatre mois, à Montréal même...

— Veuillez me raconter dans quelles circonstances est morte la dénommée Joan Ruskin...

— En vérité, tout ce que j'en sais, je le tiens de sa sœur. Mais cela ne fait aucun doute, vous savez : la chose est connue, certaine...

— Monsieur Ghezzo-Quénum, avez-vous absorbé de l'alcool ou tout autre produit pouvant altérer l'état de vos facultés ?

— Non, pas du tout : ni alcool ni médicament, rien ! Je vous assure.

— Savez-vous l'heure qu'il est ?

— Non, je n'en ai pas idée...

— Eh bien, voici : il sera minuit dans exactement deux minutes...

Ce que cet aimable policier ne disait pas, c'est que la couleur de ma peau l'avait conditionné à prendre une attitude nettement agressive à mon endroit. J'étais le sale nègre qui n'avait même pas de passeport rouge* à brandir.

— Vous savez, me dit-il, toute cette histoire d'assassin qui poursuit une jeune fille la nuit dans les rues de Lausanne, afin de la tuer... c'est une histoire à dormir debout.

— C'est la vérité, monsieur l'agent. Je suis entré ici, de mon propre chef, pour solliciter votre aide...

— Mais qui me dit qui vous êtes ? Vous n'avez pas votre passeport ; et vous avez même oublié le nom de votre hôtel...

Minuit sonna à la pendule du poste de police. Aussitôt, un grand remue-ménage se produisit : certains policiers quittaient le poste, en même temps que leurs remplaçants faisaient leur entrée. Et je me retrouvai sans transition devant un nouvel interlocuteur, pareillement vêtu de gris avec des chevrons rouges sur les bras...

Le remplaçant prit connaissance des notes manuscrites que lui avait laissées son collègue. Il levait la tête, de temps en temps, pour me dévisager placidement...

— Pardon, monsieur l'agent...

— Oui ?...

— Comme je suis entré ici librement... je considère que vous n'êtes pas autorisé à me garder ici plus longtemps et je vais tout simplement sortir...

Je me suis levé poliment afin de prendre congé. Mais tout s'est gâché soudainement. Le policier m'a dit

---

* Les passeports diplomatiques sont rouges. *Note de l'éditeur.*

qu'une nuit à la Sûreté me laisserait le temps de me dégriser et de reprendre mes esprits. J'ai sûrement mal répondu. Le policier m'a fait je ne sais plus quelle allusion au vin blanc du pays. Cette insistance du policier m'a fait comprendre que ma façon de parler devait sans doute ressembler à celle d'un homme ivre ; sans doute, un nègre parle-t-il trop lentement et avec une articulation qui semble défectueuse, selon les critères des Européens ? J'eus beau invoquer tant bien que mal la Déclaration des Droits de l'Homme, la tradition d'hospitalité de la Suisse, mon statut d'immunité touristique, rien n'y fit : ce cher Vaudois m'a bel et bien conduit aux cellules de la Sûreté Cantonale Vaudoise. Il n'y avait rien à faire contre l'entêtement de ce policier à me considérer comme un sale nègre, démuni de passeport, saoul, peut-être même un peu délirant (j'étais à la recherche d'une femme poursuivie par l'assassin d'une autre femme, sœur de la précédente... bref !)... Les policiers vivent dans une telle platitude qu'il suffit d'une touche d'excentricité et d'une menace réelle (mais, à leurs yeux, anormale) pour qu'ils soient enclins à tout soupçonner, y compris le premier individu qui vient les en informer.

Un autre policier m'a fait avancer en me tordant le bras gauche dans le dos et m'a jeté dans une cellule grande comme une latrine qui n'avait, pour tout ameublement, qu'un grand panneau en bois faisant fonction de lit, de banc, de commode Louis XIII, de bahut, de prie-dieu et de coffre-fort...

Entre-temps, on m'avait retiré cravate, lacets, ceinture, porte-clés, etc., comme cela va de soi... Assis au fond de ma cellule, sur cette dalle en bois, sans rien, sans même le pouvoir ou le droit de téléphoner, je me suis senti moins que rien, plus minable et plus humilié encore que dans la cellule qu'on m'avait réservée dans les caves de la gendarmerie à Grand-Bassam. On ne m'avait pas pris au sérieux quand j'avais parlé du danger que RR encourait. Tout s'effondrait en moi : une sorte de relâchement se produisit alors, comme sous l'effet des grandes chaleurs moites de mon pays. J'en ai presque oublié la menace qui continuait de peser sur la vie de celle que j'avais perdue ; j'étais comme engourdi par un *leishmania donovani** qui m'aurait inculqué un affaissement splénique. Je me sentais la proie de la fièvre doum-doum ou de quelque variété de la fièvre noire**. Je me suis étendu sur le panneau de bois ; j'étais comme condamné à mon propre emprisonnement, fatigué. Ne pouvant m'étendre normalement en longueur, je me suis couché en chien de fusil, les yeux grands ouverts. Les barreaux de fer me traversaient le crâne. Pauvre moi, me suis-je dit en sombrant dans une sorte de stupeur épanouie...

À l'aube, j'ai été réveillé par un cliquetis métallique. Un policier ouvrit la porte de la cellule.

— Suivez-moi.

Je l'ai suivi ; il m'a conduit à un guichet où l'on m'a remis une grosse enveloppe qui contenait tous mes trucs à suicide. Je me suis rhabillé.

---

* Protozoaire découvert par Leishman et Donovan en 1903. *Note de l'éditeur.*

** Fièvre noire : fièvre irrégulière caractérisée par une coloration bronzée de la peau et une inversion de la formule leucocytaire. Aussi appelée : Kala-azar[217]. *Note de l'éditeur.*

— Asseyez-vous.

Je me suis assis. Quelques instants plus tard, un officier de police s'est assis devant moi.

— Monsieur Ghezzo-Quénum, nous avons procédé aux vérifications d'usage. Il se trouve que vous êtes enregistré en bonne et due forme à l'hôtel La Résidence où vous avez une chambre. Nous possédons aussi votre numéro de passeport. Comme tout est en règle, vous seriez aimable de signer cette déclaration après quoi vous pourrez partir...

— Bien sûr, me suis-je dit, je n'ai qu'à reconnaître que je n'ai pas été emprisonné et, du coup, je suis libéré.

Il y avait une pleine page de texte que je n'ai même pas lue ; j'ai apposé ma signature sur les pointillés.

— Je peux m'en aller maintenant ?

— Vous ne vous inquiétez plus de ce qui a pu arriver à Miss Ruskin ?...

— Qu'est-il arrivé ? ? ?

— Justement : rien... Elle dort paisiblement à l'hôtel. Le gérant nous a dit qu'elle avait pris la clé de la chambre, cette nuit vers deux heures.

En disant cela, le policier me regardait avec un sourire narquois. Mais je n'avais qu'une chose en tête : sortir, et je suis sorti. J'étais faible encore, étonné, mais rassuré surtout...

*

*   *

RR dormait profondément ; elle ne répondait pas. Je revins au bureau du gérant à qui j'expliquai la situation. Il devait se demander quels démêlés j'avais avec la police locale. Il monta avec moi. Il sortit de sa poche un passe qu'il actionna tout doucement et en faisant mine de ne pas regarder par l'entrebâillement de la porte.

Elle était là, tout habillée ; elle dormait. Elle faisait même pitié à voir comme ça : elle était tellement sans défense, tellement relâchée et tellement belle aussi — ses cheveux blonds formant une auréole d'or. Je l'ai regardée longuement, sans bouger ; je la contemplais. Même son ronflement léger (si inhabituel) me faisait chaud au cœur : RR vivait. Mon cauchemar finissait sur cet oreiller qui portait sa tête et sur cet édredon où le corps de RR avait imprimé sa forme élégante. Elle était belle. Elle était là. Elle était tout près de moi, douce et blonde, épuisée, dormant comme une enfant qui a couru toute la nuit dans un de ses rêves. Elle était morte de sommeil, moi pas : j'avais sans doute dormi lourdement, et d'être enfin avec RR me grisait positivement. Je ne voulais pas écourter sa nuit trop brève ; je tournais autour d'elle, je regardais ses jambes légèrement repliées, la ligne de sa hanche, le poids réel de sa poitrine et surtout cet air impénétrable qu'elle avait en dormant.

Je me suis enfermé dans la salle de bains en y apportant une chemise propre. J'ai fait ma toilette, en faisant le moins de bruit possible.

Puis, je me suis approché du lit très doucement. RR s'y trouvait toujours affalée, plongée dans une transe profonde. Je me suis assis sur le bord du lit tout près d'elle. Je voulais m'incorporer à son bien-être, m'approcher très doucement d'elle, ne pas l'apeurer. J'ai posé ma main sur sa cuisse ; elle n'a pas bougé. Elle a continué de respirer également et en profondeur. Sa bouche était légèrement entrouverte, mais elle ne ronflait plus. J'ai laissé descendre ma main le long de sa cuisse et j'ai effleuré un peu son genou. En fait, je n'osais pas trop remuer par crainte de troubler son sommeil : ma main glissait sur sa peau avec une infinie précaution, tandis que je regardais ses paupières, attentif à tout plissement, ébloui aussi par l'évasement de son indice orbitaire — une vraie merveille* ! Je la regardais de près soudain, comme à la loupe : je lisais sur sa peau ce griffage indéchiffrable. J'étais déjà tout remué par le corps chaud et relâché de RR, que je touchais avec effusion, que j'effleurais avec une émotion grandissante, envahissante, presque intolérable ! Après cette nuit d'angoisse passée dans une cellule, je la voyais vivante, palpitante et endormie tout près de moi. J'étais fasciné par sa beauté sereine, par sa grâce que je pouvais détailler à souhait sans qu'elle en fût gênée. Je laissais ma main caresser sa cuisse ; en fait, j'étais rendu au plus chaud de ses cuisses que je palpais ; puis, je me suis moi-même exalté, alors que je la caressais sous son slip avec lenteur et avec patience aussi. Soudain, elle s'est détachée violemment de moi en hurlant :

— Lâche-moi ! Ne me touche pas ! ! !

Elle continuait d'émettre des cris de terreur en me regardant sans me voir, comme si elle était myope ou même complètement aveugle. J'étais terrifié, je ne savais plus que faire ; j'ai tenté de poser ma main sur elle pour

---

* L'indice orbitaire est le rapport entre le diamètre vertical de l'orbite et son diamètre transverse. Ce terme est utilisé en anthropologie. *Note de l'éditeur.*

l'apaiser. Mais elle a hurlé encore plus fort. J'avais le sentiment bouleversant qu'elle s'était mise à me détester...

— N'aie pas peur ; tu as fait un cauchemar. C'est fini maintenant, je suis avec toi. Je t'en supplie : n'aie pas peur, mon amour...

En dépit de mes paroles, elle demeurait comme affolée, crispée, les yeux hagards. Elle s'était réfugiée vers la tête du lit et continuait de me regarder droit dans les yeux comme si j'étais un autre, un ennemi. J'en étais moi-même ahuri, troublé.

— Ne me touche plus, tu comprends, jamais ! Jamais, jamais ! ! !

Elle pleurait. Les larmes coulaient abondamment de ses yeux. Elle était secouée violemment, haletante.

— Allons, mon amour, n'aie pas peur. Je t'en supplie...

— J'ai été violée. Il m'a violée... Tu sais qui. Je ne l'ai pas immédiatement reconnu ; j'étais cachée sous une marquise pour échapper à la pluie. Il m'a attirée dans une entrée sombre, puis, puis...

RR s'est remise à pleurer en me racontant cette abominable séquence de son viol par P. X. Magnant...

*

* *

Deux jours se sont passés depuis que j'ai retrouvé RR endormie dans notre chambre de l'hôtel La Résidence : deux jours affreux, pénibles, pendant lesquels j'ai pensé devenir fou. RR était dans un tel état de trouble que je l'ai confinée d'autorité dans notre chambre. J'ai craint le pire ; j'ai craint qu'elle reparte pour une promenade et que, cette fois, elle n'en revienne jamais.

À force de patience, j'ai réussi à la faire parler et à tout savoir. Je ne l'ai pas questionnée sous pression ; je l'ai laissée s'apaiser, puis elle m'a raconté son aventure affreuse. Au début, elle avait peine à se rendre — dans son propre récit — à l'instant crucial : son débit ralentissait à mesure qu'elle s'approchait de l'instant du viol. Une sorte d'aphasie la frappait quand elle se trouvait à nouveau engagée dans une succession d'événements dont elle connaissait la fin. Deux jours se sont passés et l'émotion de RR renaît immanquablement quand elle me décrit l'apparition, tout près d'elle, de Pierre X. Magnant...

— Il m'a violée ; il m'a violée ! ! ! Il m'a prise de force. C'est affreux...

Quand RR a répété cela, elle éclate en sanglots...

*

*   *

Puis ce fut la même chose dans le TEE-Cisalpin Lausanne-Paris. Ce furent les mêmes spasmes incontrôlables, les mêmes confessions qui ne finissent pas, les mêmes achoppements dans son récit. Nous avions quitté Lausanne à 16 h 25. Je me souviens du paysage de Vallorbe qui défilait à toute allure sur notre droite. RR était dans une sorte d'abattement hypotonique complet. Elle était affalée sans élégance dans son fauteuil, le regard tourné vers le paysage flou qui courait en sens inverse...

J'avais beau récapituler tous les détails de cet épisode, je n'arrivais jamais à reconstituer exactement comment la scène s'était déroulée entre RR et P. X.

Magnant. J'éprouvais peut-être trop de peine à imaginer cette stupéfiante vérité ; je me refusais peut-être, dès lors, à en admettre la simple narration parce qu'autrement je me serais senti moi-même sali, souillé, violé...

Oui, comment donc s'est passé cet incident ? Je vois RR debout sous cette marquise, puis je vois l'autre qui s'approche d'elle ; sa seule apparition à cet endroit et à ce moment-là a dû la terroriser. Après, il lui était facile d'entraîner RR dans un portique, puis dans sa chambre. Oui, il l'a violée et, peut-être même, debout, contre un mur... S'est-elle au moins défendue quand il a eu le geste de relever sa robe et de baisser brutalement son slip ? Ou craignait-elle trop son agresseur ? Le craignait-elle seulement ?... Je ne sais plus ce que je dis, soudain ; j'ai peur de mes propres pensées. Sous le choc de la désintégration, j'en viens à me figurer que RR se tient debout dans un portique et qu'elle se laisse complaisamment dévêtir par P. X. Magnant ; j'entends d'ici ses cris, son halètement euphorique, sa plainte langoureuse, et cela me fait mal ! ! ! Non, je ne peux pas croire... Il faut que ces choses-là se soient passées autrement, mais comment le savoir ? RR ne dit pas un mot, tandis que le Cisalpin roule à toute allure vers Pontarlier. Son attitude hypomimique* s'accentue gravement ; c'est tout juste si elle remue les lèvres et les paupières. Pourtant, ses larmes coulent abondamment, sans mesure ; mais elle reste immobile, inanimée, à moitié morte, en proie au *tædium vitæ***.

---

* Hypomimie : trouble de la mimique émotive caractérisé par une diminution et un ralentissement des mouvements[218]. *Note de RR.*

** Expression du poète latin Horace, signifiant : dégoût de vivre[219]. *Note de RR.*

Je veux absolument savoir comment s'est passé le viol, même si cela doit me terrasser. J'ai besoin de tout savoir et, par le détail même, comment RR s'est fait violer : si elle s'est tenue debout appuyée contre le calorifère ou si elle a accepté de se coucher sur le parquet nu et de se laisser posséder ainsi par son agresseur... Et a-t-elle éprouvé le minimum de plaisir — ce je-ne-sais-quoi d'orgasme que toute femme peut éprouver quand elle accomplit le coït avec n'importe quel individu, pourvu qu'il soit de sexe masculin ? Ma question me fait mal et me rend malade : bien sûr, RR est une femme et, sans doute, a-t-elle joui d'être pénétrée par un homme — et cela, même si c'était sous contrainte. D'ailleurs, comment éviter cette jouissance quand tout ce qui est érectile est érigé et que tout ce qui peut jouir est sollicité ? En deux jours, RR ne s'est pas suffisamment avancée dans son récit pour que je puisse en déduire qu'elle a certainement trouvé son plaisir à être violée par P. X. Magnant... Chaque fois qu'elle s'engage dans le récit de ces heures noires, elle redevient effrayée : elle tremble d'affolement et ne réussit pas à se rendre à la description détaillée du viol lui-même. Elle s'interrompt dans cette entrée sombre où P. X. Magnant l'a entraînée. Après, je ne sais plus rien. Elle ne franchit pas ce seuil de ténèbres : elle se met à pleurer et à trembler comme une enfant qui vient de voir un revenant. Elle n'est plus capable de parler. Des sons inarticulés sortent de sa bouche, des fragments de mots, des cris étouffés...

J'ai beau procéder le plus doucement que je peux : elle se bloque implacablement quand je cherche à lui en faire avouer un peu plus... Le train continuait de rouler dans les vallées ombrageuses du Jura. RR s'était arrêtée de pleurer. Je regardais le paysage, mais surtout le reflet mouvant du visage de RR, qui s'emmêlait dans les dégradés des forêts noires qui s'éloignaient de nous, en même temps que les villages perdus, et ma nuit interminable dans une prison de Lausanne, et ces deux jours qui ont suivi le viol et qui ont précédé le départ du Cisalpin dans lequel nous étions en train de revivre cette succession discontinue de cauchemars.

En deux jours, RR s'était transformée complètement : je le voyais bien. Elle n'était plus la même depuis cette nuit étrange où j'avais été emprisonné sans raison et où RR, en cherchant un abri, s'est trouvé rencontrer P. X. Magnant...

*

* *

Je me suis demandé en cours de route, entre Pontarlier et Dijon, si P. X. Magnant n'avait pas pris le Cisalpin en même temps que nous à Lausanne. Quand je me suis posé cette question, RR et moi dînions dans le wagon-restaurant. RR ne mangeait presque pas. Elle restait muette et immobile, tandis que je dévorais le steak au poivre qu'on nous avait servi. Cette ambiance de wagon-restaurant me plaisait infiniment : c'était, en fait, la première fois que je mangeais dans un wagon-restaurant. Rien de semblable en Afrique : je me suis laissé dire, à Dakar, que la Compagnie internationale des wagons-lits Cook faisait le parcours Dakar-Bamako. Mais je n'ai jamais eu l'occasion de me rendre à Bamako en sleeping, étant donné que la rupture diplomatique entre le Mali et le Sénégal a eu, entre autres conséquences, la destruction du pont ferroviaire sur le fleuve Sénégal.

Si P. X. Magnant avait réussi à monter sur le Cisalpin en gare de Lausanne, il se terrait sans aucun doute à l'extrémité du convoi, masqué par le Manchester Guardian ou la Tribune de Genève. Donc, c'est à Paris, sur le quai de la gare de Lyon, que j'aurais à ouvrir l'œil pour le repérer dans la foule mouvante qui s'affaire autour des grands express internationaux ou, mieux encore, pour m'assurer de son absence...

Suite du journal de Ghezzo-Quénum

C'est ce que j'ai fait. Il y a à peine une heure de cela ou plutôt : il y a déjà deux heures. C'est fou ce que le temps passe... RR dort déjà. Elle s'est couchée en arrivant ; pourtant, il n'était pas si tard. Je peux lire l'heure sur la pendule Huygens* qui est posée sur le manteau de l'ancienne cheminée. Cette chambre va me coûter une fortune. Il va falloir changer d'hôtel demain ou après-demain au plus tard. Comme il n'y avait pas de place à l'hôtel Lord-Byron, je me suis inscrit à l'hôtel des Arromanches, situé juste de l'autre côté de la rue. Les valises ne sont pas ouvertes. RR dort profondément tandis que je me remémore toute notre aventure à Lagos et surtout à Lausanne, et ce voyage dans le Cisalpin — voyage triste s'il en fut jamais pour moi ! RR ne disait rien, elle avait les yeux dans l'eau. Elle était absente. Franchement, je m'inquiète à son sujet ; j'espère qu'elle se remettra du choc qu'elle a subi : ce viol affreux qui me hante et dont le déroulement

---

* Christian Huygens (1629-1695) est l'inventeur de l'horloge à pendule sans accouplement rigide du pendule à la verge. Certains historiens estiment qu'il a eu connaissance des tentatives de Galilée en vue d'utiliser comme norme de temps le pendule à battements isochrones[220]. *Note de l'éditeur.*

imprécis m'obsède. J'ai tout fermé à double tour après être entré dans cette chambre cossue ; je vais me coucher moi aussi. Je brûle de m'étendre nu sous les draps, mais je dois me contenir ce soir et ne pas la brusquer... enfin, pas ce soir ! Ni cette nuit ! Mais cela dure depuis Lausanne, depuis l'instant où je me suis approché d'elle quand elle dormait, tout habillée, sur notre lit. Ce matin-là, je l'ai touchée un peu : j'ai effleuré son genou découvert, puis elle s'est réveillée soudain et elle m'a tout raconté ; enfin, elle m'a dit ce qu'elle était capable de dire. Mais après, je suis resté à ses côtés sans la toucher, sans la caresser, sans même m'approcher d'elle pendant la nuit par crainte de la réveiller. Vraiment, cette chasteté m'est devenue intenable : je la désire follement, je suis dans un état de fébrilité et d'excitation incroyable. Je voudrais me glisser près de son corps nu, l'apprivoiser un peu et glisser en elle comme je l'ai fait tant de fois, comme nous le faisions ensemble avec un émerveillement toujours renouvelé. J'éclate, je meurs d'amour et de désir, je suis plongé malgré moi dans une sorte de transe à l'instant d'approcher de RR qui s'est précipitée sous les draps en entrant ici — nue, car elle était déjà trop fatiguée pour défaire sa valise et y prendre sa chemise de nuit. Elle est là, toute nue ; je peux lire sa forme en relief sur la couverture parchemin qui la recouvre. Je ne peux pas m'empêcher de la désirer ; je ne peux pas non plus m'empêcher de penser à P. X. Magnant en train de la violer ! Cette obsession lancinante ne m'enlève pas mon désir. Néanmoins, un certain gâchis subsiste en moi ; oui, RR m'est désormais gâchée, je n'y peux rien. Je n'ai pas encore réussi à lui extirper tous les détails de cet événement. Je ne l'ai pas retrouvée telle qu'elle était avant... Et je m'apprête à m'étendre près de son corps endormi, sans savoir si c'est encore elle. Ou plutôt : je sais trop bien que ce n'est plus elle. Elle est différente. Elle s'est transformée depuis ce viol par P. X. Magnant.

Est-elle enceinte ?... Non, je ne crois pas ; je crois me rappeler qu'elle était alors en période infécondable. Il me semble avoir vu la petite enveloppe de plastique dans laquelle elle remet son diaphragme. Et, en général, quand elle le remet dans sa sacoche antiseptique, c'est que les jours dangereux sont passés. Mais je me suis peut-être trompé, sait-on jamais ? Puis, de toute façon, il peut toujours se produire une seconde ovulation après un orgasme. Cela est déjà arrivé à F. T.* et, si mon souvenir est bon, à la femme de Raoul Agboton**. Enfin, je ferais mieux de ne pas me braquer là-dessus. Dans huit ou neuf jours, RR devrait avoir ses règles. Je serai fixé alors.

Je suis surexcité et d'ailleurs trop éveillé ; pourtant, il est tard, je devrais plutôt tomber de sommeil comme RR. C'est tout le contraire ; et je ne pense à me coucher que dans le but de violer le sommeil profond de RR. Ce soir justement, il ne faut pas ; il ne faut absolument pas. Je dois la laisser tranquille encore cette nuit. Je vais me déshabiller dans la salle de bains. Mais avant, je vais mettre mes papiers sous clef dans la mallette marron que

---

* J'ignore à quelle femme ces initiales se rapportent. *Note de l'éditeur.*

** Raoul Agboton est aussi pharmacien à Grand-Bassam. *Note de RR.*

j'ai achetée à Lausanne, dans une maroquinerie de la rue du Petit-Chêne, tout près de la place Saint-François...

*
* *

Hôtel La Bourdonnais, mardi le 30 mai[221]. La chambre 12 est équipée d'une grande salle de bains moderne. Nos fenêtres donnent sur une cour intérieure. La chambre est spacieuse et coûte 57 francs — contre 92 francs que je payais à l'hôtel des Arromanches. RR prend son bain, tandis que j'écris sur une table surmontée d'un miroir qui me renvoie mes mots à l'envers. Elle en a pour une heure dans le bain ; c'est son habitude de flâner dans le bain. D'ailleurs, cela augure bien : elle se reprend un peu. L'autre nuit, à l'hôtel des Arromanches, RR s'est comportée de façon pour le moins bouleversante : je m'étais endormi paisiblement près d'elle, puis, au milieu de la nuit, je me suis senti divinement réveillé, soulevé par un plaisir intense. Je me sentais merveilleusement sollicité, caressé avec une habileté folle, insensée, effrayante. Ce plaisir onirique me semblait durer depuis des éternités ; puis j'ai ouvert les yeux : RR était sur moi, assise presque, et elle se frottait contre moi en se balançant et en chantonnant comme pour accompagner sa jouissance. Elle avait les yeux mi-clos et un visage extasié. J'étais moi-même au sommet de l'excitation ; je n'eus presque rien à faire pour entrer en elle. Elle était là sur moi. Elle se déplaçait comme en rêve et, dès l'instant que j'ai pu la pénétrer, elle s'est mise à geindre de plaisir, à hurler presque comme si, en pénétrant dans les parois cachées de son ventre, j'avais surmultiplié son plaisir. Je ne l'avais jamais vue secouée par de tels spasmes, ni animée par une telle fureur. Elle criait sans cesse, en se balançant sur moi et en me faisant occuper de mille façons l'espace invisible dont j'avais une expérience pourtant passionnée. Son plaisir l'isolait complètement : elle voguait sur une mer tumultueuse dont chaque vague la faisait chavirer dans un dérèglement incalculable de plaisir. Puis, son orgasme s'est désintégré en une série de cris suraigus et en secousses interminables, au terme desquelles je suis mille fois mort de plaisir en elle. RR était effondrée sur moi, sa tête contre mon épaule. Elle cherchait son souffle ; un moment s'est passé comme ça. Après, je l'ai retournée sur son côté gauche lentement et elle a repris sa position de sommeil, sans dire un mot. S'était-elle au moins aperçue de cet intermède fulgurant ?...

Nous n'en avons pas parlé le lendemain matin, ni depuis. D'ailleurs, RR ne parle plus, ou presque, depuis cette nuit à Lausanne. Je l'entends patauger dans l'eau. Elle prend ses bains très chauds et y reste longtemps ; c'est comme un jeu pour elle. Je suis vraiment fatigué ; je ferais mieux de ne pas prendre mon bain juste après, car je vais tomber de sommeil, une fois sorti de l'eau. Et il n'est que quatre heures de l'après-midi.

Même jour. Neuf heures du soir. RR est étendue sur le lit. Elle râle plaintivement. Je l'ai obligée à prendre quatre comprimés d'Equanil 400 mg*, que je lui ai fait

---

* Il s'agit d'un méprobamate U.S.P., médicament considéré comme agent thérapeutique contre l'angoisse, aussi indiqué dans les états de nervosité et de tension. L'Equanil agit sur le SNC[222]. *Note de l'éditeur.*

avaler à l'aide d'un gin tonic. Sous l'effet décontractant du médicament, RR est devenue volubile : elle a repris son histoire depuis le début, l'orage sur le lac Léman, jusqu'au moment crucial, et s'est perdue alors en digressions inutiles qui n'avaient pour but que de détourner mon attention... Ah, j'aurais mieux fait de ne pas lui poser de questions. Car elle a recommencé comme l'autre jour quand nous étions dans le Cisalpin ; et ces récapitulations infinitésimales mais toujours inachevées me rendent malade. Je suis vidé, complètement vidé ! RR est couchée sur le côté, tandis que moi je veille, obsédé par le dénouement qui manque toujours à son récit antérograde*, obsédé par ce cauchemar sériel qui m'a ravi celle que j'aime. Elle n'est plus à moi ; je veux la reconquérir et l'aider à sortir de ce dédale épuisant où elle circule comme une somnambule...

Lendemain. Hôtel La Bourdonnais. Elle délire. Je crois même que c'est une forme de délire mnémonique, à moins que ce soit ce que les psychiatres appellent le délire du toucher.

Même jour, dix heures du soir. Ce n'est pas une vie de rester ici encagés vingt-quatre heures sur vingt-quatre. De plus, ce n'est pas très sain pour RR. J'ai beau la surdoser d'Equanil 400 mg, ce médicament ne suffit pas à l'apaiser. D'ailleurs, je n'en ai presque plus.

Jeudi (lendemain). Je suis RR comme un fantôme, je ne la perds pas d'un pas. Je lui fais prendre le repas dans la chambre ou au restaurant de l'hôtel. Après, je

---

* Ce terme doit sans doute référer aux hypothèses émises sur l'ecmnésie[223] ; et, à ce titre, il est impropre. *Note de l'éditeur.*

l'accompagne pour une courte promenade dans le quartier. Elle est toujours dans un état de semi-délire. Les gens se retournent sur notre passage autant parce que je suis un sale nègre qu'à cause de RR qui a l'air d'une folle : elle marmonne confusément à haute voix. À moi, elle ne dit plus rien. Et la nuit, c'est toujours la même chose. Elle commence par dormir lourdement, en m'évitant visiblement et puis, au milieu de la nuit, elle se réveille comme une somnambule et elle se déchaîne complètement sur mon corps. Elle se déchaîne incroyablement — au-delà des limites de la dignité. J'ai beau lui parler tendrement, tenter de la rejoindre enfin, rien n'y fait. C'est comme si elle ne m'entendait pas. De fait, elle ne m'entend pas : j'en ai le pressentiment. Elle me répète sans cesse :

— Fais-moi jouir, fais-moi jouir, fais-moi jouir... ! ! !

Elle n'a d'autre parole à la bouche dans son hypnose que ces exhortations indécentes. Je ne sais plus que faire. Je me demande si elle n'a pas perdu la raison ; étrangement, une sorte d'égoïsme m'incline à une conscience amoindrie quand elle me réveille ainsi en pleine nuit pour se gorger de mon corps avec une sorte de rage insatiable. Quand je réalise ce qui arrive, je suis déjà pris dans l'étreinte sacrée de ses lèvres, en proie à la fièvre pourprée* du plaisir, incapable de m'arrêter et ne désirant surtout pas qu'elle interrompe ses caresses débilitantes. Ainsi, je l'abandonne à son délire alors que je devrais la réveiller brutalement. Et cela me fait un drôle d'effet :

---

* Il s'agit d'une fièvre saisonnière observée dans la région des Montagnes Rocheuses (*spotted fever*). Le terme est ici employé au sens figuré. *Note de l'éditeur.*

j'éprouve une grande solitude après mon plaisir, je me sens désemparé. Elle, bien sûr, se rendort après nos ébats. Moi, j'ai peine à retrouver le sommeil : je reste longtemps les yeux ouverts, sur le dos. Et le lendemain, RR a tout oublié. Elle est une autre. Il faut que cela finisse. Il le faut, sinon...

Le 30. Aujourd'hui, je suis allé à la Pharmacie de l'École Militaire et j'ai demandé, à titre de pharmacien, un flacon d'amytal sodique 0.2 gr en capsules[224]. Le pharmacien français a exigé que je lui présente ma carte ; j'ai produit ma carte du Collège des pharmaciens de la Côte d'Ivoire et de la Haute-Volta ; il l'a examinée et m'a dit péremptoirement que seule la carte du Conseil de l'ordre des pharmaciens de France était reconnue en France.

— Faites-vous donner une ordonnance par un médecin. De toute façon, un pharmacien accrédité ne peut se ravitailler que s'il pratique... ou que s'il est propriétaire d'une pharmacie.

Non seulement il est bête, me suis-je dit, mais il a un je-ne-sais-quoi de raciste en plus. Je suis sorti en claquant sa porte française, de quoi la défranciser à jamais...

Le 31 mai. Pharmacie du Champ de Mars. Résultat nul : c'est tout juste si la pharmacienne, ravissante par ailleurs, n'appelle pas la police...

Le 31, dans la soirée. RR se détériore sous mes yeux : je me demande ce qu'elle va sortir de nouveau. Elle n'arrête plus de m'en apprendre. Elle veut en parler avec moi, elle y prend goût ! La preuve : elle m'a questionné sur ma version de l'événement. Elle m'a tellement supplié de lui faire mon propre récit de l'événement, de lui raconter — oui, moi ! — comment cela s'est passé...

C'est un supplice intolérable ; je n'en peux plus. Et maintenant, quand RR a ses initiatives somnambuliques, j'en arrive à penser que cela ne me concerne pas : elle ne fait que revivre intensément ce qu'elle a déjà vécu à Lausanne, alors même que j'errais comme un fou à sa recherche dans les rues de la ville... Voilà qu'elle me supplie de récapituler le viol, et justement j'en ignore presque tous les détails ! Je sais seulement qu'il s'est produit, que RR a été violée par ce fou de P. X. Magnant, oui, violée ! Mais je ne sais pas comment ils étaient placés tous deux et je ne sais pas combien de temps cela a duré ! Quand elle en vient à me décrire cela en détail, elle recommence à trembler et son visage prend une expression de stupeur. Je ne réussis pas à lui faire franchir ce seuil muet de terreur. En revanche, c'est elle qui me supplie de lui dire tout : elle me demande même si elle était couchée sur le plancher ou étendue sommairement sur un divan quelconque... Ce n'est plus possible. Je suis à bout. Le goût de vivre me passe lentement, je suis désenchanté, envahi par le spleen...

Le 2 juin. J'ai eu de la chance avec la Pharmacie des Invalides. La pharmacienne a écouté gentiment mon boniment professionnel ; et elle n'a exigé aucune pièce d'identification pour me donner la quantité de sodium amytal 0.2 gr que je lui demandais, soit : 20 capsules. Tout cela s'est déroulé avec une facilité qui m'est apparue, du coup, presque exceptionnelle. J'ai pris le flacon de capsules et je suis revenu à l'hôtel La Bourdonnais à toute allure.

Même jour ; dix heures du soir. J'ai mis RR en état de subnarcose depuis environ trois heures cet après-midi.

Elle a d'abord pris deux capsules, puis s'est étendue sur le dos selon mes indications. J'y suis allé doucement avec ma narcoanalyse. J'ai commencé par les événements de Lagos. Elle m'a parlé de son appartement de Lagos, des lettres qu'elle recevait de sa sœur Joan... Et là, elle s'est arrêtée : c'est un peu comme si elle interrompait brutalement la phase liminaire du sommeil. Elle s'est dressée sur le lit et m'a dit, la bouche pâteuse : « Ma sœur a été tuée par lui... » Et alors, au lieu de replonger dans son sommeil, elle est restée éveillée, agitée, incapable de s'apaiser à nouveau. Chose certaine, elle n'était plus en état de subnarcose ; mes deux capsules d'amytal avaient eu tout le temps de se volatiliser dans les couloirs de son hypothalamus, elles n'avaient plus d'effet. Je pris la décision de lui en administrer quatre d'un coup — ce qui pourrait être considéré comme une surdose. Mais je me suis dit que, cette fois, je la laisserais dormir d'abord et que j'attendrais son réveil pour tenter de la faire parler. Je n'avais pas de manuel avec moi, ni de livres techniques auxquels j'aurais bien voulu me référer afin de bien procéder dans cette narcoanalyse*. J'avançais dans sa nuit et je savais qu'en la plongeant dans le sommeil, je pouvais, soit dans la phase liminaire d'endormissement, soit dans les premiers instants de son réveil, lui faire raconter ce

---

* Il est à noter que la narcoanalyse n'est pas pratiquée généralement par un simple pharmacien. Seuls les médecins-psychiatres utilisent la subnarcose à des fins thérapeutiques. Il est curieux même que Ghezzo-Quénum semble assez au courant de cette technique au demeurant très controversée en psychiatrie. *Note de l'éditeur.*

qu'elle n'avait jamais réussi à me raconter, ce qu'elle était incapable d'avouer à l'état de veille. RR s'est endormie lourdement après avoir absorbé les quatre capsules. La subnarcose, elle-même, n'a aucun effet thérapeutique : ce n'est qu'une technique d'incitation à l'extériorisation de charges émotives latentes. Je l'ai recouverte d'une couverture de laine pour ne pas qu'elle grelotte dans son sommeil ; et je me suis étendu près d'elle sur le lit. J'ai dû m'endormir dans cette position dans laquelle je me suis réveillé vers six heures. J'avais la tête lourde ; je suis allé me frictionner avec de l'eau froide et je suis revenu auprès de RR. Normalement, elle aurait pu dormir jusqu'à 7 h 30-8 h. J'ai jugé cependant que je devais la faire parler alors qu'elle se trouvait encore en subnarcose et que l'amytal abolissait ses inhibitions et amoindrissait encore les défenses de sa volonté. Je lui ai retiré la couverture. Elle dormait les poings fermés, couchée comme d'habitude en chien de fusil : sa robe safran — achetée à Lausanne — était remontée au-dessus des genoux ; comme elle ne portait pas de bas, je voyais qu'elle avait un peu la chair de poule, une fois découverte. J'avais bien des choses en tête et j'avais une envie folle de me glisser en elle pendant que l'amytal la rendait si passive. Mais je voulais surtout qu'elle arrive à se libérer de ce poids de noirceur qui l'empêchait d'être heureuse : il fallait qu'elle me raconte ce qui l'avait à ce point terrorisée... Je me suis contenu ; j'ai réalisé, instantanément, que le projet qui venait de me traverser l'esprit ressemblait singulièrement à un viol. Oui, j'avais été sur le point de la violer, moi aussi : quelle horreur ! J'avais honte de moi, honte d'être capable de viol moi aussi. La pensée horrible qui m'avait traversé l'esprit au galop me culpabilisait terriblement. Moi qui m'étais toujours cru à l'abri de ce projet honteux, voilà que, l'espace d'un instant, je devenais cet être incroyable — rêvant de violer celle qu'il aime...

J'en ai ressenti une telle meurtrissure que, pour racheter ce souffle d'horreur, j'ai procédé tout de suite à ma narcoanalyse : j'ai secoué RR par les épaules, non sans brutalité, jusqu'à ce que sa bouche endormie profère une plainte. Ma culpabilité m'a fait tout accélérer, mais cela augurait bien puisque RR était encore plongée dans cette torpeur douce qui précède le vrai réveil. J'en ai profité pour la faire parler du viol qu'elle avait subi à Lausanne. Je lui répétais : « Il t'a violée, il t'a violée... » et je lui demandais, en murmurant très distinctement tout près de l'oreille : « Comment étais-tu ? couchée ou debout ? Essaie de te souvenir... Comment cela s'est-il passé ? Et lui... comment se tenait-il ? »... RR s'est mise à articuler quelques paroles confuses ; elle répétait toujours le prénom double de son agresseur... Mais elle le disait avec tellement de douceur que cela me mettait à l'envers ; j'étais tout remué. « Pierre-Xavier, disait-elle, fais-moi jouir moi aussi ; ne sois pas cruel. Je veux que tu me fasses comme à Joan... » Elle a continué à parler sur le ton lamentatif, tandis que je me suis dégagé d'elle pour pleurer sur mon oreiller... C'était trop. C'était incroyable. Elle s'adressait à moi comme si j'étais P. X. Magnant, en me suppliant de la faire jouir... « Et n'oublie pas mes seins », disait-elle... J'aurais voulu l'arrêter, la faire taire ; ses paroles traversaient les parois de mon cerveau et les trouaient de part en part. Tel saint Sébastien, j'étais perforé par mille petites flèches empoisonnées, voué à toutes les morts et pourtant incapable d'en choisir une. RR râlait comme une damnée ; elle me réclamait sauvagement... Elle me suppliait de l'embrasser longtemps, et encore ; elle voulait sentir sa langue (celle de l'autre) lui lécher la peau du ventre, et ses mains (à lui — et non les miennes !) lui chatouiller tendrement la naissance des seins et puis encore ailleurs, les cuisses, là tout en haut, près de la vulve. J'étais étendu sur le lit juste à ses côtés ; et j'entendais ses plaintes (adressées à un autre que moi...). Elle me réitérait ses moindres désirs et les privations multiples qu'elle ressentait dans tout son corps et qui lui étaient « intolérables »... Moi, je pleurais juste à côté d'elle ; je sentais son corps se soulever, s'arc-bouter sous des pressions imaginaires ! Situation folle et cruelle entre toutes : ses soupirs, ses halètements de plaisir et ses secousses remplacèrent son récit... C'est comme si soudain l'autre (son agresseur imaginaire) avait obéi à ses exhortations lancinantes et la faisait jouir follement, de partout à la fois.

RR ne dit plus rien pendant cet intermède convulsif ; mais moi, j'étais complètement abattu, désespéré. Puis, je me suis approché d'elle : j'ai dégrafé sa robe safran tandis qu'elle continuait de ressentir je ne sais plus quel feu brûlant dans ses entrailles. J'eus tôt fait de glisser la robe sous son corps, de défaire — en l'étreignant un peu — son soutien-gorge pigeonnant et de nous débarrasser, tous deux, de tout vêtement. Puis, je suis entré en elle ; j'ai senti comme une lave m'enflammer tout le corps, moi aussi ! Unis dans cette étreinte — elle, inconsciente ; moi, désespéré... — nous avons continué cette course exaltée vers un terme, hélas, trop rapproché.

Délivré de mon démon intérieur, je me suis endormi

sur l'épaule nue de RR. J'ignore combien de temps je suis demeuré aboli dans ce sommeil de plomb : une heure sans doute ou plus ! Quand je me suis éveillé, j'ai constaté qu'il faisait moins clair dans notre chambre ; et puis, j'apercevais une marque rouge sur l'épaule de RR. J'étais comme abruti et néanmoins tellement reposé. Il m'a fallu découvrir que nos deux corps nus étaient pris l'un dans l'autre pour me rappeler que la narcoanalyse s'était détériorée et que je m'étais rendu aux exhortations délirantes de ma patiente plutôt que d'écouter placidement son récit pour y déceler la révélation tant cherchée...

Elle dormait encore comme une enfant qui s'est arrêtée un moment à l'ombre d'un arbre : elle était belle. Sur ses épaules, je pouvais lire le tracé deltaïque des veines et me perdre dans cet enlacement de ruisseaux secrets qui se ramifiaient sous sa peau brunie. RR dormait, nue, gorgée de sommeil et de plaisir, peut-être même en fin de subnarcose. Je contemplais son corps articulé, ses jambes repliées, ses seins dont les globes gravitaient doucement vers leur centre magnétique. Je me suis levé en silence ; j'ai fermé les lourds rideaux, transformant ainsi notre chambre en une chapelle sombre où je distinguais tout juste une forme pâle qui ressemblait à une femme que je venais d'étreindre follement dans mes bras. Déjà, je m'en repentais ; j'avais cédé à une impulsion puissante, intolérable ! Mais j'aurais mieux fait de mener à bien ma narcoanalyse, de laisser RR continuer son monologue anarchique ; j'aurais dû rester de glace et comprendre enfin ce viol dont j'avais tant espéré l'aveu complet... Mes yeux se font à la noirceur ; je vois, de plus en plus clairement, la nudité muette de RR qui dort toujours...

Le 3 juin. Le directeur de l'hôtel — une sorte d'Alsacien — m'a dit que des voisins s'étaient plaints hier, que nous avions fait un bruit terrible, que certains clients s'en sont offusqués et ont parlé d'indécence... Pour tout dire, RR et moi, nous avons hurlé comme ce n'est pas possible de le faire dans un hôtel qui se respecte. Je lui ai fait savoir fraîchement que, dans mon pays, les chambres d'hôtel étaient insonorisées en plus d'être climatisées...

— Monsieur, me dit-il, si vous le prenez sur ce ton...

— En effet, je prends très mal qu'on ose se plaindre de nous ! Votre hôtel est rempli de vieilles folles décadentes et de GIG (grands invalides de guerre...). C'est un repaire de décrépitude, pour ne pas dire : l'annexe d'un hospice de vieillards et de sinistres fantômes...

Je crois que j'y suis allé pas mal raide. Le gérant a blêmi. Cela n'arrive qu'aux Blancs : mais quand ils le font, j'ai le goût de piquer une crise de fou rire. Ils ont l'air de leurs propres cadavres ; la colère leur donne ce teint cireux des moribonds.

Dégoûté (et sur le point de pouffer), j'ai claqué la porte et me suis retrouvé sur le trottoir de l'avenue de La Bourdonnais, sprintant vers une pharmacie — n'importe laquelle !

Après quelques détours, je déambulais allègrement sur la rue Cler qui débouche sur l'avenue Bosquet : les boutiques se prolongeaient dans la rue avec leurs comptoirs articulables sur lesquels il y avait des tonnes et des tonnes de primeurs, sans compter les oiseaux morts en gelée ou simplement déplumés qui me donnaient carrément la nausée.

Sur la droite, près du carrefour de Grenelle, se trouve une pharmacie ornée de vieux mortiers en bronze et d'anciens pots à mixture.

J'avais presque vidé le flacon de capsules non seulement en plongeant RR en subnarcose, mais aussi pour lui permettre de dormir toute la nuit (4 capsules). Et comme j'en ai avalé quatre, moi aussi, pour noyer mon désespoir dans un abrutissement sodique, il ne restait plus que deux petites ogives bleu ciel...

Je suis entré dans la pharmacie en coup de vent. La porte a claqué dans mon dos parce que j'ai négligé de la retenir ; c'est tout juste si les vieilles poteries ne se sont pas effritées sous l'onde de choc. Cela me faisait une belle jambe pour négocier mes barbituriques avec la femme que je reconnus être la patronne, étant donné son bel air d'élégante intoxiquée... Elle avait ce je-ne-sais-quoi dans le regard de trop brillant et de désolé qui ne trompe pas sur la qualité des nourritures terrestres dont elle s'alimentait. Je lui ai défilé des excuses à n'en plus finir sur ma façon de profiter des courants d'air au risque de faire se volatiliser ses belles antiquités, pour ne pas dire l'excipient* de ses chères capsules. Bref, après une entrée en matière remarquée et quelques allusions bien placées au charme de ses pots vétustes, j'ai abordé la question de mon statut de pharmacien, diplômé en bonne

---

* Excipient : substance à laquelle on incorpore les principes actifs d'un médicament pour les rendre plus facilement absorbables[225]. Ce terme est employé couramment en pharmacologie. *Note de l'éditeur.*

et due forme magna cum laude de l'Université de Dakar. La belle pharmacienne n'a pas bronché ; alors, j'ai franchi le Pont Euxin et le Rubicon d'un seul coup :

— Vous seriez bien aimable, Madame, de me préparer trente capsules d'amytal sodique au dosage de 0.3 gr et de me faire la remise habituelle entre pharmaciens...

Elle était vraiment bien cette personne : drapée dans son euphorie, douce, impassible, très séduisante... et elle me regardait droit dans les yeux avec une sorte de sensualité appuyée ou peut-être de terrible curiosité.

— Et qu'est-ce que vous allez faire, me dit-elle gracieusement, de tout cet amytal ?

J'étais mystifié, légèrement déconcerté ; je n'allais tout de même pas m'engager sur ce terrain glissant...

— J'ai des amis nègres qui croient que les barbituriques rendront leur peau blanche comme la vôtre...

Et j'ai ri un peu — afin de lui faire comprendre que j'ironisais. Elle a sûrement compris : elle était trop belle pour être inintelligente.

— Bah, me dit-elle, j'imagine que vous n'abusez pas des bonnes choses...

Et elle posa un flacon rempli par trente capsules d'amytal sodique.

— Et voici, me dit-elle. Après tout, je ne peux quand même pas vous dénoncer à la Brigade des stupéfiants ; ce serait bien méchant de ma part... et assez paradoxal. De nos jours, les policiers ne respectent plus la profession de pharmacien : ils nous considèrent comme de vulgaires trafiquants... Que voulez-vous ? Nous sommes bien obligés de vendre les médicaments : on ne peut pas se contenter d'en prendre, n'est-ce pas ?...*

5 juin. J'ai l'impression que cela fait une éternité que RR (j'allais écrire : Joan...) passe d'une subnarcose à l'autre sans dérougir ; elle a tout juste le temps de faire un petit somme entre deux variantes de son propre récit. Oui, cela fait une éternité que nous sommes là, elle et moi, en train de dialoguer comme des somnambules au sujet de ce qui s'est passé à Lausanne, après un orage, entre Pierre X. Magnant et RR. Nous avons été obligés de quitter l'hôtel La Bourdonnais : le directeur nous en a chassés avec un préavis de quelques heures, le temps de faire nos valises et de lui payer la note d'hôtel. Nous voici maintenant au Paris-Home : c'est un hôtel assez minable, mais ce n'est pas cher. J'écris sur une table banale, tandis qu'une fois de plus RR dort de son sommeil amytal, ronflant légèrement, épuisée non seulement par les quatre capsules barbituriques que je lui ai administrées, mais aussi par cette épreuve que je lui inflige — en la contraignant à parler pendant les périodes d'ensommeillement qui ont précédé

---

* Ici la page a été découpée aux ciseaux après cette réplique ; et il nous a été impossible de retracer la fin du passage. Il me presse de faire remarquer que cet épisode, bâclé dans son état actuel, n'est pas moins révélateur d'une obsession toxicomane[226]. Et cette obsession, si l'on en croit la disposition des aveux, est en quelque sorte le leitmotiv unique et lancinant de tous les personnages, depuis P. X. Magnant dans son récit autobiographique jusqu'à ceux qu'il a sommairement décrits dans le pseudo-journal de Monsieur Ghezzo-Quénum. Cette hypothèse ne fait que valider l'aspect fictif de tout ce qui a été rajouté au récit inaugural signé par P. X. Magnant. *Note de RR.*

les subnarcoses. Je n'ai plus qu'une idée en tête : fuir Paris, m'installer à Montréal avec RR et y ouvrir une pharmacie, après avoir fait valider mes diplômes de pharmacien patenté. Depuis que nous en avons parlé, je ne pense qu'à cela : je brûle d'en finir avec Paris, nos cauchemars de viol et de poursuites, nos histoires d'Afrique et d'Europe... Je veux rompre avec tout cela et recommencer ma vie avec RR dans sa ville natale ; je veux rencontrer ses amis, ses parents, je veux vivre dans cette ville qu'elle m'a décrite. Elle m'a dit qu'elle n'avait pas beaucoup d'amis du côté des Canadiens français et que, à part Pierre X. Magnant, elle n'en connaissait pour ainsi dire pas. Bien sûr, j'aurai plutôt tendance à fréquenter des francophones et à vivre dans ma langue : le français. Mais RR comprend bien cet aspect-là du problème : d'ailleurs, elle parle uniquement français avec moi. Puis je me dis que Pierre X. Magnant — un criminel, un sadique... — n'a rien de typique du Canadien français ; je suis bien capable de faire la part des choses...

7 juin. Deux heures d'émerveillement cet après-midi : j'ai étudié les deux astrolabes* du Musée des arts décoratifs. Ce sont de pures merveilles. RR se tenait près de moi ; chaque fois que je me penchais pour voir les contours de l'araignée, j'apercevais la tête absente de ma partenaire. Elle naviguait dans un océan de drogue entre l'astrolabe et la sphère armillaire. Moi, je me perdais dans les ramifications délicates des astrolabes : j'y regardais le

---

* Astrobale : instrument ancien pour mesurer la hauteur des astres. Le musée en question possède, en effet, deux astrolabes. *Note de RR.*

ciel de mon pays, celui de Montréal que je ne connais pas encore... J'avais deux heures ; après, il devenait dangereux de laisser RR sans son médicament. J'eus le temps d'y voir le grand théodolite du Musée, ainsi que le loxocosme ; puis nous sommes revenus en vitesse à l'hôtel, saoulés de ces merveilles, mais épuisés... J'ai hâte d'en finir avec Paris*, avec ces interminables séances de narcoanalyse et avec la reconstitution, seconde par seconde, d'un viol dont la seule évocation suffit à m'abattre complètement. Chaque fois que RR recommence son récit, je me retrouve encore à Lausanne, quasiment sous la peau de RR qui se tient sous la marquise ; et j'attends que Pierre X. Magnant m'aborde. Je ne sais pas encore par quelles paroles exactes il a commencé son discours : il me faut les imaginer, les inventer en quelque sorte et donner un timbre précis à cette voix que je n'ai pas entendue. C'est un supplice atroce : j'en viens, moi-même, à moduler diverses intonations et à proférer tout seul — et à haute voix — des phrases introductoires. Mais j'ai du mal à me figurer cette scène ; j'ai beau me glisser en elle, par voie de transsubstantiation sacrilège, cela ne fait que m'induire, de façon chaotique, en ce début de viol. En fait, je m'embrouille dans le début de la rencontre qui s'est terminée par un viol et je ne vais pas plus loin que les évocations interrompues de RR qu'à mes dépens : je vois Pierre X. Magnant murmurer ses paroles magiques à l'oreille de RR, puis après, il l'entraîne dans une chambre obscure, peu meublée — un endroit sûr ! Et là, je vois un

---

* Passage nettement écrit plusieurs heures après le précédent. *Note de RR.*

lit sans drap ni couverture : tout juste un matelas nu posé sur son sommier. Oui, j'imagine qu'il l'a violée dans cet endroit où je ne peux voir que le lit nu. Ils se sont étendus sur le matelas — et ce matelas non recouvert de drap ne fait que multiplier à l'infini l'aspect animal, sordide de leur rencontre... Ce matelas me hante et me fait mal. Je les vois tous les deux ; je vois RR surtout, étendue sur le dos, écartelée pour recevoir l'autre. Ses râles de plaisir, alors qu'elle est sous le poids de Pierre X. Magnant, m'emplissent la tête... C'est affreux d'aller plus loin, pourtant je le fais ; et je la vois renversée sur le dos et faisant l'amour comme une bête — même pas sur un lit, selon le protocole habituel, mais en vitesse et sur un matelas nu...

Je n'en peux plus : si je continue dans cette voie, je vais me sentir souillé comme ce matelas qui a hérité de tout ce qui déborde de l'union d'un homme et d'une femme, réduits à se reconnaître dans ces gestes sommaires... Il faut que je chasse ce matelas nu et affreux qui se tient seul dans mon désert : je n'en veux plus, sinon je vais devenir fou... Je ne veux pas accepter ce qui est irréversiblement arrivé à RR : ce viol par Pierre X. Magnant, ce sombre intermède sur un matelas nu et dans une chambre improvisée. Je n'ai plus la force de voir et de revoir cette scène saccadée, d'imaginer l'orgasme hurlant, puis les plaintes de RR qui me jettent dans un gouffre de noirceur et de désenchantement. Ma foi, s'il me restait assez d'amytal, j'avalerais tout le flacon d'un seul coup pour en finir une fois pour toutes avec la vie. Car j'ai le sentiment de porter un fardeau intérieur dont je ne pourrai plus me défaire. Ce matelas indécent se tient en travers de mon existence comme un embâcle géant ; je me frappe sans cesse dessus, je tombe et je retombe dessus, je m'étends de tout mon long, là même où RR s'est renversée ; et je vois, sur la texture du matelas, quelques taches humaines dont la fraîcheur m'incline à l'insomnie totale et incurable. Ce lit taché endigue toute ma joie de vivre et fait fondre en larmes tous mes projets d'avenir. Je ne veux pas et pourtant : ce lit m'est inoubliable... C'est là que j'ai perdu RR ; c'est là qu'elle a hurlé interminablement son plaisir... Ah, que ma mémoire se casse enfin, que la vie s'effrite et que cet édifice incertain de souvenirs soit réduit à néant, car je n'en peux plus !

7 juin. Il sera bientôt minuit. Je regarde le guide du musée que nous avons visité cet après-midi. Les heures inégales de l'Antiquité n'en finissent pas de couler sans adoucir mon mal. Je commence à comprendre l'isochronisme et aussi la grande découverte de Huygens qui a créé un nouveau régulateur isochrone — autre que le pendule à poids — en combinant un ressort spiral avec le foliot circulaire[227]. Cette idée géniale fut à l'origine des montres de poche. Comme j'aimerais en posséder comme celles que j'ai vues cet après-midi, ne serait-ce que pour mesurer les crises convulsivantes de RR ou noter les différentes durées de ses récits répétés. J'aimerais posséder cette montre en forme de tête de mort* que j'ai vue dans une

---

* De fait, cette pièce célèbre figure dans le catalogue du Musée des arts décoratifs de Paris ; elle provient de la collection Cassirer de Londres et primitivement de Genève où elle fut fabriquée. Le nom de Josias Jolly, mentionné plus bas, n'est pas celui de l'auteur de cette montre tout à fait remarquable dont on ne connaît pas l'horloger[228]. *Note de l'éditeur.*

vitrine du musée : chaque fois que je la sortirais de mon gousset pour y lire l'heure, je ne manquerais pas de penser à la mort, à cause de ce crâne qui fait fonction de boîtier. Véritable chef-d'œuvre que cette montre mortuaire signée Josias Jolly, Paris, 1620.

Le 8 juin. J'ai acheté deux allers Paris-Montréal aux comptoirs d'Air Canada, rue Scribe. Nous partons pour Montréal dans deux jours.

Le 8. Pendant la soirée. Il n'y a plus aucun doute : RR a fait une crise terrible aujourd'hui. Elle a alerté tout l'hôtel : elle a crié comme si je la violais à mort et interminablement. Je crois que je n'en réchapperai jamais et que c'est fini, bel et bien fini : une tempête de noirceur vient de s'abattre sur elle, provoquant un torrent tumultueux et soudain comme le sang menstruel, souillant le blanc de ses yeux et le tréfonds de son âme. Le corps de RR est tout imprégné de sueur ; maintenant, elle dort tout habillée, crevée comme une bête suante, anéantie ! Je l'ai recouverte un peu. En fait, il faudrait que je la déshabille et que je réussisse à la laver en l'aspergeant abondamment d'eau de cologne ; car, dans son état, elle n'aura sûrement pas la force de prendre un bain. Elle est en train de se désintégrer complètement : c'est une loque, elle n'est plus que l'ombre d'elle-même. Je ne la reconnais plus et j'éprouve une sorte de nostalgie aiguë quand je repense à ce qu'elle était avant, à sa beauté et à sa douceur et à son charme et à sa conversation délicieuse... Celle qui est devant moi n'a pas mangé depuis des jours : c'est un cas parfait d'anorexie* mentale. Et c'est peut-être entièrement

* Anorexie : perte ou diminution de l'appétit. *Note de RR.*

de ma faute : je ne l'ai plongée dans le sommeil que pour l'en tirer prématurément afin de la faire parler ; et j'ai dû la forcer sans tenir compte de son état d'épuisement et sans même remarquer les signes annonciateurs de sa dépression. Je dis : dépression parce que je ne saurais qualifier autrement cet affaissement dépressif : il s'agit d'un déficit organique et psychique vraiment terrible. RR a soudain basculé dans une sorte de krach intérieur — véritable chute dans le vide, banqueroute totale, absolue, terrifiante... Elle présente tous les symptômes de la vagotonie* ; et cela m'affole de considérer qu'elle est devenue le lieu tragique où se déroule un combat affreux, une lutte acharnée et inavouable. Ce conflit se déroule entre ce qu'elle pense et ce qu'elle ne dira jamais, mais que son corps en proie à la bradycardie laisse paraître. Pauvre elle : elle est à moitié morte. J'espère seulement qu'il sera possible de la sortir de cet état stuporeux. Je me sens coupable de sa déchéance physique et de son délabrement...

---

* Vagotonie : parasympathicotonie. *Note de RR.*

Note finale

Tout a une fin. Le texte s'arrête ici ; du moins, j'en décide ainsi avec la certitude que personne ne m'en voudra. Les derniers événements racontés par Olympe Ghezzo-Quénum, le pharmacien de Grand-Bassam, se sont passés en 1967.

L'Expo 67 avait attiré à Montréal des hordes de visiteurs, des millions d'étrangers qui venaient payer leur cotisation à la deuxième ville française du monde*. Tout ceci pour dire que les histoires de Ghezzo-Quénum et de RR ne faisaient pas les manchettes en 1967... La première fois que j'ai rencontré le pharmacien ivoirien, c'était le jour même qui a suivi le célèbre « Vive le Québec libre[229] ! » lancé par le général de Gaulle, du haut du balcon de l'hôtel de ville de Montréal**.

Les esprits étaient surchauffés ; tout le monde commentait ce mot d'ordre que certains révolutionnaires du Québec avaient rendu célèbre depuis 1960. Combien de

---

* Montréal a une population qui dépasse largement deux millions.

** L'événement auquel il est référé ici s'est déroulé le 12 juillet 1967.

fois n'avais-je pas vu Pierre X. Magnant lancer « Vive le Québec libre ! » en fin de discours et recevoir des ovations tout à fait délirantes ? Olympe Ghezzo-Quénum, lui-même, se souvenait de cette expression incendiaire qu'il avait lue dans le compte rendu d'un discours de Pierre X. Magnant. Le cri de de Gaulle lui avait rappelé d'étranges souvenirs. Il faut dire qu'en cette chaude journée de juillet, tout semblait troublant à l'esprit chancelant de Ghezzo-Quénum. Il était venu me raconter ses hantises à mon bureau de la rue Saint-Sacrement.

Après bien des circonlocutions et des précautions oratoires, Olympe me demanda de lui consentir un prêt de sept mille dollars ; et cela, me dit-il, parce qu'il voulait ouvrir une pharmacie à Montréal, ville prospère pour les pharmaciens — s'il en fut jamais... Il s'enquit aussi de la fin de ce pauvre Pierre X. Magnant ; je lui racontai, non sans complaisance, la fin tragique du héros et je commençais à décrire ses funérailles lorsque soudain Olympe m'interrompit :

— Êtes-vous sûr de ce que vous me racontez ? me lança-t-il en me regardant droit dans les yeux.

— Pourquoi doutez-vous de moi ? Je ne comprends vraiment pas...

— Parce que... me dit-il, RR a été violée par Pierre X. Magnant il y a tout juste deux mois. De plus — aussi bien vous le dire — celui que vous prétendez mort la poursuit depuis Lagos où il s'est rendu après le meurtre de Joan à Montréal.

— Mais qu'est-ce que vous me racontez là ?

— Ce que je sais !

— Cela voudrait donc dire que Pierre X. Magnant...

n'est pas vraiment mort ! ! ! Vous croyez peut-être aux revenants en Afrique ; mais vous aurez beaucoup de mal à faire accréditer votre histoire en plein Montréal, un 13 juillet 1967... alors que les Québécois ont peine à croire ce qu'ils ont entendu, hier soir, dans la bouche du général de Gaulle.

— Je ne crois pas aux revenants... et non seulement j'ai lu, moi aussi, le *Discours de la méthode* ; mais je l'ai compris ! Vous prenez les nègres pour des sauvages ou quoi ? Pour des imbéciles ?...

— Mais ne le prenez pas sur ce ton, lui dis-je avec l'intention de l'apaiser un peu...

— Pierre X. Magnant a violé la sœur de Joan ; et il n'a pas cessé de nous poursuivre à travers l'Europe et jusqu'en Amérique du Nord...

— Depuis qu'il est mort ? ? ?

— Êtes-vous bien sûr qu'il soit mort et enterré ?

— Écoutez... je suis un peu surpris par votre question : avouez que...

— Où étiez-vous quand il est mort ?

— Quand Pierre X. Magnant est mort... eh bien, je ne sais pas : j'étais sans doute ici même à mon bureau ou à mon appartement...

— Ma question est pourtant simple : ai-je besoin de la répéter une seconde fois ?

— Excusez-moi : l'émotion m'embrouillait l'esprit. Je m'en souviens fort bien... J'étais... à mon ancien bureau, rue Papineau...

— Ah bon, ce bureau, donc, vous ne l'occupez pas depuis bien longtemps ?

— Il faut que je vous explique, mon cher...

Et je me suis lancé dans un monologue insensé afin de lui faire comprendre que j'avais fait faillite et que, poursuivi par des créanciers, j'avais décidé de disparaître et de me lancer en affaires sous un autre nom[230]. Et, pour me lancer à nouveau sur le marché de l'édition, j'avais décidé d'éditer l'autobiographie de Pierre X. Magnant et je comptais ainsi bénéficier d'un levier populaire dans la réputation déjà acquise par mon défunt ami...

— Vous ne vous appelez donc pas Charles-Édouard Mullahy[231] ?

— Oui, je veux dire : non... mais RR me connaît sous ce nom. Et d'ailleurs, on ne me connaît plus que sous ce nom d'emprunt... N'ayez crainte : vous n'avez pas affaire à un imposteur. Mais vous devez me comprendre : j'étais fini, sans aucun crédit, sans espoir ; et, croyez-moi, la société est dure pour ceux qui ont failli. Elle est implacable... J'ai relevé le défi ; et je réussirai sous le nom de Charles-Édouard Mullahy...

Olympe Ghezzo-Quénum me regarda avec une sorte de fascination. Il comprenait, bien sûr ; mais il se posait peut-être encore des questions, il cherchait à faire certains joints. Il me dévisageait comme si j'étais un être extraterrestre...

— Mais si vous avez fait faillite, vous ne pourrez sûrement pas m'avancer les sept mille dollars que vous dites pouvoir me prêter...

— Mon cher Olympe, soyez rassuré : vous ne sortirez pas d'ici les mains vides... Mais parlez-moi un peu de vous et de RR...

— Elle est enceinte, me dit-il laconiquement.

— Bravo, mon cher. Mais ne prenez pas cette mine déconfite...

— Elle est enceinte de lui[232] !

Je suis resté un moment sans comprendre, stupéfait, presque ému : RR enceinte ! ? ! J'avais du mal à me faire à cette idée... Mais Olympe reprit froidement :

— J'ai dit : elle est enceinte de lui, Pierre X. Magnant ! Elle est enceinte de votre ami mort...

— C'est impossible ! ! !

— Vous me croyez fou ?

— La question n'est pas là : Pierre X. Magnant est mort et enterré. L'évidence est là...

Et je lui mis sous le nez une pile de journaux où la mort de Pierre X. Magnant était annoncée sur cinq ou huit colonnes, avec sous-titres et photographies du défunt. Olympe Ghezzo-Quénum ne broncha pas et me dit doucement :

— Un détail, monsieur Mullahy... où avez-vous rencontré RR ?

— Je ne l'ai jamais rencontrée...

— Comment se fait-il qu'elle m'ait dit votre nom et qu'elle m'ait parlé de vous ?

— Très simple, dis-je... Après la mort de Joan, je lui ai écrit à Lagos... Vous comprenez, n'est-ce pas, je voulais rétablir la vérité à propos du récit autobiographique que j'allais publier. Elle m'a répondu aimablement, m'annonçant d'ailleurs qu'elle ne manquerait pas de me passer un coup de fil si elle passait par Montréal. Et, là-dessus, je lui ai répondu que, si jamais elle avait besoin d'un service, elle pouvait toujours compter sur moi...

— Et c'est à cause de cela, bien sûr, qu'elle m'a aiguillé vers vous pour cet emprunt...

— Sans doute...

La conversation avec Olympe Ghezzo-Quénum allait trop vite à mon gré : je ne réussissais pas à embrasser toutes ses pensées à la fois. En fait, cet Africain était venu m'emprunter de l'argent (cela, je le comprenais) ; mais soudain il s'était mis en tête de me faire des aveux insensés, de me révéler que RR était enceinte ; et maintenant, il me demandait depuis quand je la connaissais et si je la connaissais. En niant la connaître, je retrouvai mon assurance — mais pas pour longtemps...

— Monsieur Mullahy, dites-moi, comment avez-vous appris que RR et moi nous nous trouvions présentement à Montréal ?

Je me suis troublé, cela est certain...

— Et par quelle intuition avez-vous appris que nous étions descendus au Versailles Lodge ?

— Ah !... Mais j'ignorais que vous y étiez...

— Alors, me dit Olympe, pourquoi avez-vous fait un appel téléphonique à RR, hier soir à sept heures juste ?

Trop bête, c'est vraiment trop bête, me suis-je dit... Ce sale petit pharmacien est en train de me désarçonner ! Et il continua d'ailleurs sur le même ton :

— J'imagine que vous lui avez glissé un mot, hier soir, des questions d'argent... Vous lui avez sans doute conseillé de m'envoyer ici même, en lui recommandant de me conseiller de vous appeler auparavant afin de prendre rendez-vous... Exact ?...

— Oui... Et il n'y a rien de mal à cela, mais absolument rien...

Olympe prit une longue respiration et me dit avec un air malin :

— Dans ce cas, cela ferait plaisir à RR de faire votre connaissance ; j'en suis positivement sûr...

Je me suis tu ; j'étais coi, frappé d'apoplexie, bègue, aphasique !

— Allons donc, continua le nègre insidieusement, vous n'allez pas lui faire cette injure : croyez-moi, RR meurt de vous rencontrer... Elle m'a prié de vous transmettre une invitation...

Même abominable silence.

— Tenez, me dit Olympe, allons dîner tous les trois ensemble au restaurant Neptune, ce soir... D'accord ?

— Ce soir...

— Quoi ? Vous êtes pris ce soir, monsieur Mullahy ?...

— Oui...

— Demain alors... ou quand vous voulez. Dites...

Ces phrases m'avaient plongé dans un abîme indescriptible. Je prenais conscience soudain de la précarité de ma position : j'étais traqué, je ne savais plus quelle direction prendre, ni comment sortir de cette trappe. Olympe Ghezzo-Quénum se tenait là devant moi, lucide, sûr de lui, bien vivant. RR savait sans doute qu'il était venu à mon bureau... Une pensée folle m'effleura ; mais j'eus encore la force de la repousser. Je ne cherchais qu'à gagner du temps — histoire de me reprendre un peu... Mais, au lieu de me ressaisir, je calais de plus en plus : mes jambes s'enlisaient lentement dans la vase mouvante... L'évidence était implacable : je me trouvais devant la conséquence de mes erreurs ! J'aurais mieux aimé me trouver sous terre, mangé par des vers ! Mais, hélas, cette situation intenable se prolongeait : ce cher

Olympe avait les deux pieds bien posés sur la moquette de mon plancher...

— Et puis, au cours du repas, cher monsieur Mullahy, vous pourrez me tendre le chèque de sept mille dollars... Après tout, c'est un peu à cause de RR, qui sera assise entre nous deux, que vous consentez à me prêter tout cet argent...

— Que voulez-vous insinuer, monsieur Ghezzo-Quénum ?

— Moins que rien, voyons...

Et il se mit à rire ; il était pris d'un fou rire incroyable, se tapant sur les cuisses, y perdant presque son souffle. Cela n'en finissait plus ; et je voulais en finir.

— Pourquoi riez-vous, enfin ???

— Parce que je deviens fou, peut-être... N'est-ce pas, monsieur Mullahy, que j'ai de quoi devenir fou, oui : tout bonnement fou en bonne et due forme ?

Mais il s'arrêta net ; et son regard se fit perçant, presque furieux tout d'un coup.

— Monsieur Charles-Édouard Mullahy... j'en viens à me demander pourquoi vous avez attendu jusqu'à maintenant... pour me tuer !

Je ne bougeais plus : j'étais comme figé, dans une transe immobile. J'écoutais religieusement Olympe...

— Après tout, continua-t-il, cela ne serait pas tellement compliqué de me supprimer, de porter mon corps dans un champ de patates et d'éliminer ainsi le seul homme qui vous comprenne !!! Car je vous ai compris ; je vais même plus loin : je sais que RR est enceinte de vous. Je sais aussi que vous avez assassiné Joan et que vous vous définissez volontiers comme révolutionnaire... C'est sans doute à cause de votre activité subversive que vous vous êtes transformé en un éditeur nommé Mullahy. Et toute cette histoire autour de la publication de l'autobiographie de P. X. Magnant n'est qu'une manœuvre de diversion et une feinte pour permettre à votre « ami », une fois mort et enterré, de ressusciter pour œuvrer plus sûrement dans la parfaite clandestinité de la mort[233]... Oui, j'ai tout compris : j'en sais trop... et, pour tout vous avouer, je suis fatigué de la vie. J'ai la mort dans l'âme... Et je ne comprendrai jamais pourquoi vous avez tout gâché, ni pourquoi RR est enceinte de vous. Non ! Cela me fait trop mal sans doute de trop savoir ce que vous avez fait à RR, dans votre existence antérieure... Je vois tout en noir — comme vous dites, vous, les Blancs ! Eh oui, je vois vraiment en noir ; je suis empli de noirceur : j'aimerais dormir dans le ventre de mon Afrique ténébreuse, y suffoquer et devenir, moi aussi, mort entre les morts...

*

*   *

Ce furent ses dernières paroles. Oui, ses dernières et aussi les dernières paroles que Charles-Édouard Mullahy devait entendre de son vivant... (Il faut bien le dire : c'est moi, Rachel Ruskin, qui écris ces mots...) Le corps d'Olympe Ghezzo-Quénum a été banalement rapporté à la police de Montréal le 3 août ; celui de Charles-Édouard Mullahy ne fut découvert que le 9 août.

Le 15 août 1967, j'eus enfin accès au bureau de ce cher éditeur : en quelque sorte, je n'en suis pas revenue... Qu'on me pardonne d'avoir indiqué, tout au long du livre, que je lisais derrière votre épaule et d'avoir manifestement multiplié les notes infrapaginales signées RR. Bien sûr, tout cela paraît paradoxal : me voici, moi RR, dans le rôle de l'éditeur... Ce texte informel, constitué par la lettre d'Olympe, le récit strictement affreux de Pierre X. Magnant et tout ce qui s'ensuit, me voici en train de le regarder d'un point de vue final qui me fait découvrir la vérité raccourcie de cette perspective que chaque document rallongeait de façon indue... Ce roman secret est désormais sans secret pour moi : j'en saisis d'un seul regard l'histoire indécise, le style trop lent, le déroulement discontinu : véritable somme informelle, ce texte rallongé m'apparaît soudain si court parce que, tout simplement, je m'apprête à le quitter pour le confier aux presses et à ce public qui n'attend que l'instant de le dévorer, selon l'ordre que je lui ai inculqué et dans la succession que j'ai choisie...

Mais la vérité, elle-même, s'est chargée d'aller vite. Olympe s'est donné la mort* ; Pierre X. Magnant aussi, du moins selon toute vraisemblance — puisqu'il est mort très exactement comme l'avait rapporté son présumé éditeur, son double posthume en fait, soit : dans un accident d'automobile qui ressemble singulièrement à un suicide pur et simple. La police n'a fait qu'un constat banal de mort accidentelle ; ce n'est pas à elle qu'il faut demander d'interpréter de pareils événements...

Qu'on me pardonne aussi d'avoir écrit ce passage où je raconte que moi, RR, j'ai écrit tout ce livre, que j'ai été l'amante de Joan qui est ma sœur ; j'espère seulement

---

* Intoxication aiguë aux barbituriques. Son cadavre a été découvert dans une chambre d'hôtel qu'il a louée le 13 juillet 1967 sous le nom de Pierre X. Magnant. *Note de RR.*

que cette plaisanterie n'a rien d'injurieux pour sa mémoire... Mon propos était seulement de troubler cet éditeur qui m'avait relancée bien avant qu'Olympe ne s'en aperçoive et que j'étais allée espionner un soir où Olympe dînait avec des représentants du Collège des pharmaciens. La porte principale de l'immeuble de la rue Saint-Sacrement était gardée par un homme costumé et armé, assis sur un tabouret, en train de lire son journal ; le plus simplement du monde, je fis comme si j'étais une secrétaire travaillant dans cet immeuble. Le gardien me fit signer un livre : je fis un gribouillage et lui dis laconiquement : les éditions Charles Mullahy... Pendant que l'ascenseur montait lentement, je lui fis part de mon étonnement de le voir là ; j'étais venue travailler un soir, mais cela faisait plusieurs mois, et il ne s'y trouvait pas... Il mordit très bien. L'ascenseur s'ouvrit au quatrième : j'en sortis en disant merci. Puis je cherchai le nom de Charles Mullahy sur une porte ; elle était fermée, bien sûr, je l'avais prévu. Je redescendis auprès du gardien en faisant l'innocente qui a oublié sa clé de bureau. Il s'empressa et remonta avec moi. Il m'ouvrit avec son passe ; une fois entrée, je repérai le dossier... enfin : la fameuse autobiographie. Je suis restée là deux heures à la lire. Puis j'écrivis ce passage insensé dans le but de le troubler. Et j'ai signé : RR*... Tout cela n'a pas tellement de sens puisque,

---

* On aura remarqué, au passage, que P. X. Magnant (transformé en éditeur) se surprend d'un passage de ses mémoires décrivant le littoral africain : ce pseudo-éditeur s'étonne de cette description parce que l'auteur-assassin ne serait jamais allé à Lagos. Ce brouillage de piste ne fait que donner une preuve supplémentaire de la capacité qu'avait P. X. Magnant de se dédoubler[234]. *Note de RR.*

comme l'a fait l'assassin de ma sœur et le père de mon enfant, je vais moi aussi changer de nom. Déjà, j'ai déclaré au médecin, l'autre jour, que je m'appelle Anne-Lise Jamieson (Jamieson : car mon père était irlandais : cela explique tout, même l'accent que j'ai quand je parle français). Bien sûr, je n'ai pas encore dit que le père était Pierre X. Magnant...

Si c'est un garçon, il portera le nom de son père ; si c'est une fille, je l'appellerai Joan — oui : Joan X. Magnant.

Je vis seule, en paix. Maintenant que je sais tout (car j'ai lu tout ce qui a précédé), je me suis réconciliée avec ma sœur. Et, comme elle l'a fait, j'ai moi aussi changé de langue et je suis devenue une Canadienne française — Québécoise pure laine ! Il a fallu beaucoup de morts pour abolir mon passé, tout ce passé. Mais maintenant qu'il est réduit à néant et que j'ai changé ma vie jusqu'à changer de nom, j'ai cessé à jamais d'être la pauvre folle qu'on a violée à Lausanne. Cela a pris quelques semaines, bien sûr, et beaucoup de médicaments. Aujourd'hui, enceinte de quatre mois, je suis une autre femme : heureuse, détendue, nouvelle...

En lisant ce livre, je me suis transformée : j'ai perdu mon ancienne identité et j'en suis venue à aimer celui qui, s'ennuyant follement de Joan, est venu jusqu'à Lagos pour en retrouver l'image — cherchant en vain l'éclat de sa chevelure dans mes cheveux. Il a perdu la raison quelque part dans le delta funéraire du grand fleuve. Oui, je sais maintenant qu'il m'a suivie, de Lagos à Lausanne ; et je sais ce qu'il a fait quand il m'a surprise sous cette marquise à Ouchy — bien que je n'aie jamais réussi à m'en souvenir par moi-même. Mais j'ai lu le journal d'Olympe ; et je crois tout ce qu'il raconte et même ce que je lui aurais raconté mais dont le souvenir s'est volatilisé. Je sais tout cela : il s'est lancé dans la publication de cet inextricable récit. Drôle d'éditeur qui poursuivait l'ombre de la femme tuée par l'auteur d'un roman inachevé et que j'achève, en ce moment, tandis que mon ventre est tout plein de son enfant. Après Lagos, ce fut sa réapparition foudroyante à Lausanne. Le restant, Olympe l'a vécu plus intensément que moi. C'est lui, pauvre enfant dépaysé, qui a vécu mon drame, me sachant poursuivie par l'autre, hantée, folle, toute détériorée... Son récit m'a semblé d'autant plus affreux que je ne reconnais pas cette fille éperdue qu'il a aimée sans savoir qu'il allait se suicider au terme de notre course. Au Versailles Lodge, Olympe se comportait déjà péniblement. Cela me fait mal de penser que je l'ai guidé vers l'autre sans le savoir... Tout ce que je sais, c'est que la voix de cet homme, au téléphone, m'a hypnotisée : un peu comme celle de Pierre X. Magnant quand je l'ai rencontré sous une marquise ! Mais je ne fis pas le joint entre mes deux fascinations et je fis ce qui me semblait alors dicté par un impératif obscur et implacable : j'envoyai Olympe au bureau de cet éditeur, rue Saint-Sacrement. Il n'en est jamais revenu ; il n'en reviendra pas...

Depuis, tant de choses se sont passées : j'ai changé de nom, je porte un enfant qui s'appellera Magnant — et jusqu'au bout, je l'espère, et sans avoir peur de son nom. Et je veux que mon enfant soit plus heureux que son père et qu'il n'apprenne jamais comment il a été conçu, ni mon ancien nom[235]...

F I N

NOTES

1. Ce nom évoque celui du père Emmanuel MAIGNAN, professeur de théologie et auteur de la *Perspectiva horaria* (1648). Il a produit une des premières anamorphoses par la déformation des principes de Dürer, dont il a adopté la technique du « portillon » (voir Jurgis BALTRUŠAITIS, *Anamorphoses ou perspectives curieuses*, Paris, Olivier Perrin, 1955 ; sur l'anamorphose, voir la présentation, p. XXXIX-XLI). Magnant évoque aussi *Ars Magna*, d'Athanase KIRCHER (1646), ouvrage qui étudie la diversité des rayons de lumière et leurs applications multiples. Par ailleurs, on peut rapprocher le nom du personnage de celui du docteur Valentin Magnan (1835-1916), psychiatre français, souvent cité dans les ouvrages de référence consultés par Aquin. Pierre MAGNAN est également le nom d'un auteur français de romans policiers. Mais il n'a publié qu'un seul ouvrage avant 1968 (*La Mer d'airain*, Paris, Julliard, 1961), qui ne figure pas dans les listes de lecture d'Aquin. Enfin, XP est un symbole pour le Christ, formé des lettres grecques « khi » (X) et « rhô » (P), premières lettres du mot « Khristos ».

2. Située entre les rues Saint-François-Xavier et Saint-Pierre, près de l'église Notre-Dame, à Montréal. Le numéro 123 est fictif.

3. Ville de la Côte d'Ivoire. Voir note 9.

4. Rassemblement pour l'indépendance nationale. Voir la présentation, p. XV.

5. Ces données proviennent probablement de *Ethnologie de l'Union française* d'André LEROI-GOURHAN et Jean POIRIER (Paris, PUF, 1953, p. 280, BIB), ouvrage qui mentionne l'étude de Le Hérissé : « Les Fon sont 815 000 au Dahomey et 7 000 environ au

Togo : proches parents des Ewe, ils parlent une langue (fongbé) dérivée de l'ewe. [...] Dans le passé, les Fon furent constitués en trois principautés, les "royaumes" d'Allada, d'Abomey et de Porto-Novo. Le royaume [du Dahomey] domina bientôt ses voisins : son histoire fut essentiellement celle d'une lutte contre les Yorouba qui prirent la capitale en 1738. » L'orthographe des pluriels des noms propres est variable et correspond à l'usage de Leroi-Gourhan.

6. Dans *Anamorphoses...*, BALTRUŠAITIS établit un rapport entre Descartes et les théoriciens de la perspective et de l'anamorphose : « Par une curieuse coïncidence, tous ceux qui se sont occupés des perspectives paradoxales se trouvent plus ou moins en relation avec l'auteur du *Discours de la méthode.* » (p. 33) Dans le discours IV de la *Dioptrique*, DESCARTES étudie les erreurs visuelles qui proviennent de la distortion de la perspective naturelle.

7. L'intérêt d'Aquin pour la vie et l'œuvre de l'anarchiste russe se manifestera en 1971-1972 dans un projet de film sur l'histoire de l'anarchie. Le film ne sera jamais réalisé.

8. Voir note 42.

9. Allusion, vraisemblablement, aux événements qui eurent lieu, le 6 février 1949, à Treichville, près d'Abidjan. À la suite de plusieurs grands congrès publics organisés par le parti anticolonialiste RDA (Rassemblement démocratique africain), huit dirigeants du Comité directeur furent emprisonnés. Parmi ceux-ci était Jean-Baptiste Mockey, secrétaire administratif du parti et pharmacien, qui, le 27 novembre 1948, avait prononcé, devant une foule immense, un discours qui s'attaquait aux intérêts coloniaux de l'époque. L'arrestation des dirigeants du parti ainsi que celle de 2000 autres personnes provoqua la marche célèbre de milliers de femmes sur la prison de Grand-Bassam en décembre 1949. Port-Bouët, où se trouve l'aéroport du pays, est situé en face d'Abidjan.

10. Un remède contre la malaria.

11. Peuple africain islamisé vivant surtout au Sénégal et en Guinée. Leur système économique est agricole par tradition, mais, depuis de nombreuses années, la pauvreté les force à émigrer dans des centres urbains où ils doivent faire face au chômage et à la misère.

12. Il y a probablement un jeu de mots sur l'expression *quoad vitam*. Voir note 134.

13. Poète et homme politique guinéen (1921-1969), Fodeiba a été ministre de l'Intérieur dans le premier gouvernement guinéen (1958). Contrairement à ce qu'affirme Olympe, il est devenu successivement ministre de la Défense nationale (1960) et secrétaire d'État à l'Économie rurale (1965). Accusé de complot par Sékou Touré (président socialiste de la république), il a été exécuté en mai 1969.

14. Ces quatre peuples sont dispersés à travers plusieurs pays de l'Afrique occidentale, de sorte que les frontières politiques ne correspondent pas à une réalité ethnique.

15. LEROI-GOURHAN cite plutôt des indices céphaliques (p. 261) pour décrire les peuples africains. Son étude, l'*Ethnologie...*, a servi de source à certains éléments ethnologiques dans *Trou de mémoire*.

16. Peuples noirs de la Côte d'Ivoire.

17. On distingue trois hiérarchies d'anges, chacune divisée en trois chœurs. Les dominations appartiennent à la deuxième hiérarchie, les archanges à la troisième.

18. En plus d'évoquer le roi des Fon (note de l'éditeur, p. 4), ce nom est apparenté à celui de l'écrivain fon Olympe BHÊLY-QUÉNUM. Né au Dahomey en 1928, il entreprit des études en France où il fut directeur de la revue *La Vie africaine*. Ses romans traitent de la colonisation en Afrique occidentale. (Pour ses rapports avec Aquin, voir la présentation, p. XXI-XXII).

19. Empruntée au domaine de l'administration financière, cette expression est utilisée par Aquin pour signifier « dépasser les limites ». Il a déclaré dans une entrevue à propos de *Trou de mémoire* : « [...] j'ai incroyablement déliré dans *Trou de mémoire*. J'ai déplafonné dans tous les sens du point de vue de la langue et j'ai joui comme un maniaque, en brouillant les pistes. » (« James Bond + Balzac + Stirling Moss = Hubert Aquin », *Maclean*, VI, 9, septembre 1966, p. 42)

20. Abréviation d'anti-gravitationnel.

21. Cette comparaison énigmatique rappelle d'autres propos d'Aquin : « Parce que je rêve jusqu'à l'obsession d'un univers ima-

ginaire qui me permette de décoller de la réalité comme une fusée Atlas de deux étages, avec capsule au bout et tout. » (« James Bond... », p. 14)

22. Il s'agit probablement de Jacques Delamare qui a mis à jour le *Dictionnaire des termes techniques de médecine* (Marcel GARNIER et Valery DELAMARE, Paris, Maloine, 1965), livre qu'Aquin achète en 1966 et qui lui servira de source pour certains termes médicaux dans *Trou de mémoire*. Toutefois, on n'y trouve aucune mention du phénomène « Dunkelschock », expression allemande qui signifie « choc noir ». Citée dans le *Journal* (le 3 août 1964), l'expression reviendra dans *Prochain Épisode*. L'ouvrage *La Pharmacologie dynamique* ne semble pas exister.

23. L'expression est vraisemblablement inventée. Cependant, Aquin a fréquemment recours à l'adjectif « total », qui figure dans le *Journal* de Pierre TEILHARD DE CHARDIN (BIB), œuvre qu'Aquin cite dans ses notes de lecture (CIT) : « Le Christ total est le bout de nous-mêmes. » On lira aussi dans *Trou de mémoire* « pain total » (p. 29) ; « défaite totale » (p. 41), « spectacle total » (p. 48), « abomination totale » (p. 51), « terreur totale » (p. 131), « théâtre total » (p. 145), « nuit totale » (p. 148), etc.

24. La notion selon laquelle des rapports étroits relient l'écriture, le meurtre, le crime parfait et la révolution est exprimée dans le *Journal* : « Écrire comme on assassine : sans pitié, sans régression émotive, avec une précision et dans un style intraitables. Que l'écriture retentisse cet acte fondamental premier : tuer. Créer la beauté homicide. » (4 août 1964)

25. Au cours des années cinquante, Léon Derobert a beaucoup écrit au sujet de l'intoxication. L'ouvrage cité demeure introuvable.

26. Ce mot anglais, qui veut dire autochtones, évoque l'aspect primitif des indigènes par rapport aux colonisateurs. Le mot était employé couramment dans les écrits de *Parti pris* pendant les années soixante. Dans ce contexte, l'autoréférence ironiquement péjorative renvoie à l'attitude des Canadiens anglais face aux Canadiens français.

27. Rien dans les écrits de l'anthropologue Bronislaw Malinowski ne laisse supposer que les habitants des îles Trobriand aient

eu des tendances « irrédentistes ». Il y a peut-être une allusion à Régis de TROBRIAND et à son roman *Le Rebelle* (1842) portant sur la rébellion de 1837.

28. Ce nom semble être calqué sur ceux de la rue Redfern à Montréal et du Redpath Hall, bâtiment de l'Université McGill.

29. Le jeu de mots créé à partir du « Bas Canada » et de « chambre basse », terme qui désignait la Chambre des communes avant la Confédération, laisse supposer une certaine continuation jusqu'à l'époque contemporaine de l'oppression politique et économique des francophones par les anglophones. Voir la présentation, p. XVI-XX.

30. Mise en garde répétée dans *Obombre* (tapuscrit) : « Lecteur, ne t'épuise pas, ne cherche pas hors du mot à mot que je te propose le sens de mon discours. » (p. 2)

31. Couramment utilisé dans le système judiciaire anglais, « certiorari » désigne l'ordonnance délivrée à un tribunal inférieur de soumettre le dossier d'une affaire à un tribunal supérieur aux fins de vérification. Aquin a fait le commentaire suivant à propos de l'authenticité juridique : « J'irais jusqu'à dire que le Code civil, les volumes de jurisprudence, c'est de la littérature. » (« Hubert Aquin et le jeu de l'écriture » [entrevue], *Voix et images* 1, n° 1, 1975, p. 6)

32. La métaphore du soleil chez Aquin date de 1960, lorsqu'il utilise la notion de « soleil intérieur » pour exprimer la conscience (*Journal*, le 5 décembre). Dans *L'Invention de la mort*, on lit : « C'est là, dans ce court espace charnel, que j'ai été heureux ce jour-là, avant que mon corps n'éclate, au moment où j'étais au midi de ma course comme un soleil encore invaincu » (p. 49).

33. Le parler québécois est marqué, entre autres, par une tendance à la diphtongaison étrangère au français standard. Ce phénomène est problablement dû à l'influence de l'anglais.

34. Voir p. 68*.

35. Expression pseudo-latine pour signifier « fleur de nuit africaine ».

36. Voir p. 100*.

37. Exemple du jeu de fausse érudition par lequel l'éditeur apporte une précision inexacte au sujet des Rhésus, qui appartien-

nent en réalité à l'ordre des Primates. Les renseignements sur les noms et les origines des singes sont tirés de Paul RODE et Achille URBAIN, *Les Singes anthropoïdes*, (Paris, PUF, «Que sais-je», n° 202, 1948, p. 19, 20, 27, BIB).

38. Dans les « Deux Cahiers », le mot « choque » s'écrit « choke ». (Voir Appendice I, p. 296). Il s'agit donc probablement d'un jeu de mots à partir de l'anglais « choke » et « shock » et du français « choquer ». On peut dire en anglais « you shock me », mais s'il s'agit de l'étouffement, il faut dire « you're choking me ».

39. Émile FORGUE, (1860-1943), chirurgien français et professeur de clinique chirurgicale, est l'auteur du *Précis d'anesthésie chirurgicale ; anesthésies générale, rachidienne, locale* (Paris, G. Doin et Cie, 1934).

40. « Abbott Laboratories Limited », compagnie pharmaceutique de Montréal qui produit des ampoules du barbiturique penthotal, utilisées pour l'anesthésie.

41. Le terme d'anatomie « os basilaire » est ici appliqué à la chimie.

42. Scène récurrente chez Aquin (voir p. 48). Voir également *L'Invention de la mort*, (p. 13 et 148). Écho possible à l'essai « L'Heurt à la porte dans Macbeth » de Thomas de QUINCEY, un des auteurs préférés de Ghezzo-Quénum et P. X. Magnant et qu'affectionnait Aquin. De Quincey analyse l'effet de l'intrusion du monde réel dans l'imaginaire par les coups à la porte après le meurtre de Duncan (*Macbeth*, acte II, scène iii).

43. Invention à partir de « Spansule », nom d'un type de capsule de phénobarbital, produit par Smith Kline & French. C'est un sédatif employé pour régulariser les états d'hypertension, de nervosité et d'épilepsie. Une dose excessive peut provoquer le délire et des hallucinations. La présentation en « capsules à embout bleu, monogrammées et contenant des granules bleus et blancs » (*Vademecum*, note 161) rappelle les « pulvules bleu turquoise », p. 69.

44. Probablement calqué sur « Church of England », ce nom évoque le protestantisme anglais et la tradition d'une Église officielle de l'État.

45. Système nerveux central.

46. Le motif de l'agent double revient surtout dans *Prochain Épisode* et dans *Faux Bond* (1966), film dans lequel Aquin a interprété le rôle d'un agent double. Pour Aquin, l'image évoque la problématique nationale : « Le Canadien français est, au sens propre et figuré, un agent double. » (« La Fatigue culturelle du Canada français », *Blocs erratiques*, Montréal, Quinze, 1977, p. 96)

47. Saint Jean-Baptiste est le saint patron du Québec, fêté le 24 juin par des défilés. Au cours des années soixante, ces défilés deviennent de plus en plus nationalistes. En 1968, ils donnent lieu à de violentes manifestations.

48. Chef du groupe indépendantiste « Les Chevaliers de l'indépendance ». Leur drapeau, un étendard noir orné d'une fleur de lis rouge (couleurs choisies pour leur signification révolutionnaire), est décrit dans Raoul ROY, *Pour un drapeau indépendantiste* (Montréal, Éditions du Franc-Canada, 1965, p. 128, BIB).

49. Dans « L'Art de la défaite » (*Blocs erratiques*), Aquin souligne l'importance de la guérilla dans les guerres révolutionnaires : la défaite des Patriotes serait due au renoncement à ce genre de combat en faveur d'une attitude de colonisé selon laquelle on « fait la guerre aux Anglais exactement comme ils nous ont appris à faire la guerre » (p. 116).

50. On remarquera dans ce passage le jeu de mots qui fait allusion à la colonisation d'une nation d'autochtones du Canada (les Cris) par les Canadiens français et à celle de ces derniers par les Canadiens anglais. Le « cri », au sens habituel du mot, était un thème récurrent pour les écrivains de *Parti pris*. Dans « Notes sur le non-poème et le poème », Gaston MIRON écrit : « Je n'ai que mon cri existentiel pour m'assumer solidaire de l'expérience d'une situation d'infériorisation collective. » (*Parti pris*, vol. II, n°s 10-11, 1965, p. 95).

51. Les deux conquêtes du Canada français sont la défaite, par les Anglais, des forces françaises en 1759 et celle des Patriotes en 1837-1838.

52. Le droit commun, le « Home Rule » et la Grande Charte sont les trois institutions à la base du système démocratique anglais.

53. Allusion à une expression qui évoque la puissance

coloniale de l'empire britannique : « The sun will never set on the British Empire. »

54. « Blitzkrieg » (guerre-éclair) évoque l'attaque aérienne des Allemands contre Londres pendant la Deuxième Guerre mondiale. La métaphore de l'amour comme guerre se trouve déjà dans *L'Invention de la mort* (p. 26, 128).

55. Hubert Aquin était amateur de course automobile et la vitesse de sa conduite lui a causé plusieurs accidents graves : « Le coureur pense à la vie et il vit intensément. Mais vivre intensément, c'est forcément vivre sur le bord de la mort. » (« James Bond... », p. 42). En 1960, il voulait fonder une compagnie de course automobile pour promouvoir des courses sur l'île Sainte-Hélène, mais ce projet n'a jamais été réalisé. Il a fait un film sur la course avec Guy Borremans pour l'ONF : « L'Homme vite » (1964).

56. Jeu de mots à partir de scotch (ruban adhésif/whisky) ; « on the rocks » signifie avec glaçons.

57. Allusion aux émeutes nationalistes qui eurent lieu dans la ville algérienne et qui furent brutalement réprimées par le gouvernement français en mai 1945.

58. Premier virage du circuit du Mans et l'un des plus dangereux.

59. *La Guerre révolutionnaire*, (Paris, Éditions 10/18, 1962, p. 94, BIB). Aquin cite la même phrase dans « L'Art de la défaite » au sujet de la victoire des Patriotes (p. 118-119).

60. Le 17 février 1962, Aquin fait une communication intitulée « Problèmes politiques du séparatisme » à l'occasion de l'assemblée du RIN tenue à l'hôtel Windsor à Montréal.

61. Le viol de la foule rappelle les propos d'Aquin dans une entrevue avec Yvon Boucher : « [...] j'admets que j'essaie d'étreindre le lecteur littéralement dans *Trou de mémoire*, ou de le violer même, à la limite, et de l'agresser pour ensuite le relâcher et le reprendre indéfiniment » (« Aquin par Aquin », *Le Québec littéraire*, 2, « Hubert Aquin », 1976, p. 134).

62. La révolution russe, octobre 1917.

63. Aucune reférence n'est faite à ces événements dans les journaux cités. Toutefois, le 19 juin 1964, *Le Devoir* (p. 3) publie

des extraits d'une lettre envoyée par Aquin au journal, dans laquelle il annonce son intention de quitter le RIN pour entreprendre « l'action clandestine » : « Je déclare la guerre totale à tous les ennemis de l'indépendance du Québec. Préparons-nous. La révolution s'accomplira. Vive le Québec ! » (Cité d'après Louis FOURNIER, *FLQ. Histoire d'un mouvement clandestin*, Montréal, Québec/Amérique, 1982, p. 82)

64. La duplicité amoureuse du héros évoquerait celle d'Aquin : « En somme, chacune pense qu'il s'adresse uniquement à elle. » (F. MACCABÉE IQBAL, *Desafinado : otobiographie de Hubert Aquin*, Montréal, VLB Éditeur, 1987, p. 413).

65. C'est également dans une chambre de l'hôtel Windsor que le narrateur de *L'Invention de la mort* rencontre son amante.

66. *Journal*, 31 octobre 1961 : « Je suis fini ».

67. Allusion à *Macbeth* de SHAKESPEARE. Dans une lettre à Louis-Georges Carrier (10 mars 1952, *Point de fuite*, p. 122), Aquin cite le passage célèbre : « [Life] is a tale / Told by an idiot, full of sound and fury, / Signifying nothing » (Acte V, scène v). *The Sound and the Fury* (1929) est aussi le titre d'un roman de William FAULKNER (*Le Bruit et la Fureur*, 1963, BIB).

68. La « chambre profonde et obscure » décrit le lieu de l'amour dans *L'Invention de la mort* (p. 110). Aquin se passionnait pour les écrits de NABOKOV : le roman *Chambre obscure* figure dans sa liste de lectures (*Journal*, septembre 1959) ; plus tard, il traitera de Nabokov dans ses cours sur le baroque et la littérature contemporaine. Au sujet de l'importance des romans de Nabokov pour *Trou de mémoire*, voir la présentation p. XXXVI-XXXIX.

69. Pendant son séjour à l'Institut Prévost, Aquin écrit : « L'attentat, crime parfait : prototype du meurtre capable de procurer à son auteur une satisfaction profonde. » (*Journal*, 31 juillet 1964). Par contre, dans *L'Invention de la mort*, c'est le suicide qui représente le « crime parfait » (p. 66).

70. Ces données mélangent l'histoire passée et contemporaine. En 451, à Chalcédoine (Asie mineure), le quatrième concile œcuménique érigea en dogme la nature à la fois humaine et divine du Christ. Cette décision, qui préserva le mystère de la trans-

substantiation, laissa les Coptes et les Syriaques en schisme avec Rome. L'allusion aux Adventistes et aux Anglicans évoque probablement le mouvement œcuménique des années soixante.

71. Allusion au 21e concile œcuménique, Vatican II, qui eut lieu entre 1962 et 1965.

72. Ces renseignements ne sont pas tout à fait précis. Deux des statues du pont Saint-Ange, exécutées entre 1667-1671 (non pas 1688), ont été sculptées de la main du Bernin. Clément XI, les estimant trop précieuses pour être sur le pont, les a placées à Sant-Andrea delle Fratte. Par ailleurs, le pont a été construit en l'an 134. Enfin, le nom du chef-d'œuvre du Bernin est « Sainte Thérèse en extase » (1646).

73. Dans ses notes de lecture (CC), Aquin fait référence à un passage de *L'Œuvre de Catulle* par Jean GRANAROLO (Paris, Belles Lettres, 1967, p. 84) qui, lui, cite Épicure : « Il est impossible à celui qui rompt secrètement le contrat passé entre les hommes en vue de ne se point nuire mutuellement, de se persuader que sa faute demeurera toujours secrète, même si mille fois de suite elle demeure secrète dans le temps présent. Car jusqu'au jour de la mort il ne peut savoir s'il ne sera pas découvert. (Épicure, *Pensées*, XXV) ». Et Granarolo d'ajouter : « Autant dire : "Méfiez-vous ! il n'y a point, il ne saurait y avoir de crime parfait." »

74. Rue située dans l'ouest de Montréal, reliant la rue Notre-Dame au Vieux Montréal et la rue Sherbrooke à Westmount.

75. Aquin utilise l'expression « tissu d'art » pour décrire *Le Souffleur ou le théâtre de société* de Pierre KLOSSOWSKI (Paris, J.-J. Pauvert, 1960) : « sorte de tissu d'art aux récurrences noires, aux correspondances multiples — mais tout en surface. Roman brillant comme une étoffe décorée ! » (*Journal*, 12 août 1961). Dans le texte d'une communication prononcée par Aquin à Drummondville en 1970, on lit : « [...] un roman représente, si l'on veut, un tissu : on a beau inventer des trames du tissu (ou croire qu'on en invente), il se trouve que parfois on reproduit sans le savoir des trames réelles qui sont vérifiables » (texte inédit, à paraître dans *Mélanges littéraires*). Plus loin dans *Trou de mémoire*, Aquin cite un passage tiré des *Tissus d'art* de Michèle BEAULIEU, voir note 205.

76. Allusion au *Rapport Durham* (voir la présentation, p. XX). Dans « La Fatigue culturelle... », Aquin écrit : « [...] le Canada français détiendrait un rôle, le premier à l'occasion, dans une histoire dont il ne serait jamais l'auteur. » (p. 92) « Lord Durham disait vrai, en ce sens, quand il a écrit que le Canada français était un peuple sans histoire ! » (p. 92, note 22)

77. Dans « L'Art de la défaite », Aquin décrit la défaite des Patriotes par la même métaphore théâtrale en la reliant au théâtre antique : « Le chœur, figé de stupeur, ne peut pas enchaîner si l'action dramatique qui vient de se dérouler n'était pas dans le texte. » L'analyse proposée dans « L'Art de la défaite » va à l'encontre de l'idée d'un « trou de mémoire » : « [...] les Patriotes n'ont pas eu un blanc de mémoire à Saint-Denis, mais ils étaient bouleversés par un événement qui n'était pas dans le texte : leur victoire ! » (p. 116)

78. Référence implicite à la Pentecôte, lorsque le Saint-Esprit descendit sous l'apparence de langues de feu sur les Apôtres, leur accordant le don surnaturel de s'exprimer dans des langues inconnues.

79. « Parler, dire — quelles merveilles, quels blasphèmes incantatoires ! » (*Journal*, 7 janvier 1963)

80. On serait tenté de corriger pour « sténotype », si dans les « Deux Cahiers » on ne lisait le mot « sténotypifie » (p. 303).

81. Ce proverbe est cité par LEROI-GOURHAN dans *Ethnologie...*, p. 396.

82. Selon PLATON (*Cratyle* 402a), le philosophe Héraclite établissait une analogie entre le mouvement continuel du monde et un cours d'eau puisqu'on ne peut jamais se baigner deux fois dans la même rivière. On lit dans *L'Invention de la mort* : « On ne baigne jamais deux fois dans le même sang, ni deux fois dans la même extase. » (p. 23)

83. Le Stamp Act fut promulgué à Londres en 1765 dans le but d'imposer une taxe aux colonies américaines. Quant à l'Acte de Québec (1774), par lequel le gouvernement britannique restituait certains droits aux Canadiens français, en dépit de son apparence conciliatoire, il a été réinterprété par l'histoire contemporaine. On y a vu un moyen de prolonger la soumission du peuple canadien-

français à l'Église catholique et à l'élite canadienne-française qui s'étaient alliées aux conquérants afin de sauvegarder leur statut.

84. Calque du nom de la compagnie pharmaceutique « Smith, Kline & French ». Dans les « Deux Cahiers », la référence à Leacock, Leacock & French est suivie de : « (celui-là, je le retiens !) » (p. 300). Par ailleurs, c'est la compagnie Smith, Kline & French qui fabriquait les capsules mentionnées dans « De retour le 11 avril » : « les petits cylindres bleu ciel avec sur chacun une inscription de trois lettres (SK&F) » (*Point de fuite*, Montréal, CLF, 1971, p. 152).

85. Allusion au sort économique des peuples subalternes au sein des sociétés dominantes. Dans son *Journal*, Aquin parle du Québec comme d'une « Irlande au second degré » (25 septembre 1962) et, en 1964, il se documente sur la situation politique du pays.

86. Loi adoptée par le gouvernement Duplessis en 1937 pour combattre la menace du communisme. Elle autorise la fermeture des locaux où il y aurait présomption de propagande bolchévique. La loi a surtout été utilisée contre certains regroupements syndicaux.

87. Tout ce passage est un collage de phrases tirées du *Journal*. Voir Appendice II.

88. La notion d'épuisement dans le contexte de l'art baroque se retrouve dans un passage tiré de BORGES (prologue à l'édition de 1954 de *L'Histoire universelle de l'infamie*), et cité dans les notes de cours d'Aquin : « J'appellerai *baroque* le style qui épuise délibérément [...] toutes ses possibilités et qui frôle sa propre caricature » (JJ).

89. « Pulvules d'Amytal Sodique » est le nom enregistré des capsules d'amobarbital sodique produites par la compagnie Lilly, Eli et Co.

90. Dans une note de lecture sur *L'Œuvre ouverte* (Umberto ECO, Paris, Seuil, 1965, BIB), Aquin souligne le mot « entrelacs » et écrit « très bon TdeM » (C1972). Le passage traite de la poétique médiévale de James Joyce, qui compare son œuvre aux enluminures du *Livre de Kells*, texte du Moyen Âge irlandais. Eco écrit : « Dans un refus absolu du réalisme, prolifèrent les *entrelacs*, [...] ; on pourrait croire qu'il s'agit, comme dans un tapis, de la répétition des

mêmes motifs ornementaux, alors qu'en fait, chaque ligne, chaque corymbe, est une création originale. C'est un enchevêtrement de figures abstraites en forme de spirales, qui ignorent volontairement la régularité géométrique et la symétrie [...] » (p. 279, Eco souligne). Le passage se termine sur une citation de Joyce qu'Aquin a également prise en note : « Vous pouvez comparer bien des passages de mon œuvre avec ces enluminures compliquées... » (*L'Œuvre ouverte*, p. 280) Le mot « entrelacs » revient plusieurs fois dans *Trou de mémoire*.

91. Homme politique et révolutionnaire algérien, fondateur de l'Union populaire algérienne, Abbas serait « collègue » de P. X. Magnant plus par son métier de pharmacien que par sa politique qui prônait un État algérien intégrationniste et fédéré de la France.

92. Les références sont fausses et le nom J. Rodier semble avoir été inventé. On remarquera, cependant, non pas dans le volume 7 mais dans le volume 5 de *Recherches sociographiques*, un article signé Hubert Aquin et intitulé « Commentaires I » (vol. v, n°s 1-2, janvier-août 1964) dans lequel Aquin mentionne la surproduction littéraire dans des cultures colonisées.

93. Titre d'un film américain (1945) de Billy WILDER d'après le roman de Charles JACKSON (1944). Certains thèmes de ce film apparaîtront dans *Trou de mémoire*. Un écrivain passe un week-end de débauche pour oublier son échec littéraire. Détourné du suicide par son amante, il décide d'écrire l'histoire de son « lost weekend ».

94. Actions industrielles : le nom exact de la deuxième action est Texas Gulf Sulphur.

95. De l'anglais « sugar daddy » : homme d'un certain âge protecteur d'une jeune femme.

96. S'agit-il d'une erreur typographique ou bien d'un jeu de mots entre cardio-vasculaire et basculer ?

97. Jeu de mots obscur formé à partir de Lord Strathcona (Donald Alexander Smith, homme d'affaires canadien, d'origine écossaise, 1820-1914) et Stratford on Avon, village natal de Shakespeare et ville ontarienne. Strathcona est également le nom du bâtiment de l'Université McGill qui abrite le département d'anatomie.

98. Dans le catalogue Koechel des œuvres de Mozart, l'opus 69 est une sonate d'église en ré majeur, pour 2 violons, contrebasse et orgue. La signification de la référence n'a pas été éclaircie.

99. Dans l'introduction à l'*Histoire de l'insurrection au Canada* (Montréal, Leméac, coll. « Québécana », 1968, p. 9-38), Aquin explique le rôle de cette banque dans les préparatifs de la rébellion de 1837-1838 : « En 1835, un groupe canadien-français fonde la Banque du Peuple ; dans l'esprit des fondateurs, la Banque du Peuple devait servir non seulement à aider les Canadiens français, mais aussi à financer la révolution. » (p. 13)

100. Voir note 103.

101. Modèle de téléphone.

102. Dans ses notes de lecture (CIT), Aquin cite un passage tiré du *Journal* de Pierre TEILHARD DE CHARDIN (BIB), philosophe catholique qui l'a beaucoup influencé : « Le hasard est un effet de perspective, dû à une vision inverse des choses. » (p. 336)

103. Ces renseignements sont imprécis. À l'époque, Wyeth & Co. et Squibb se trouvait sur la Côte-de-Liesse alors que Smith, Kline & French (modèle pour Leacock, Leacock & French) était situé au 300, boulevard Laurentien.

104. Allusions aux ouvrages de NIETZSCHE : *Humain trop humain* (1878) et *Par-delà le bien et le mal* (1886). Aquin a préparé un texte sur Nietzsche pour la série radiophonique « Philosophes et penseurs » (jamais diffusé).

105. L'altitude du village est en fait de 1797 mètres.

106. Dans « L'Art de la défaite », Aquin fait de Robert Nelson et du Chevalier de Lorimier les vrais héros de la Rébellion des Patriotes (voir p. 120-122). Lorimier a été pendu en 1839.

107. L'article de Kestemberg ne fait aucune mention de Van Schooters et de Henderson ou de la structure hallucinatoire de la pensée. L'article est toutefois pertinent à *Trou de mémoire*, car il décrit l'érotomanie comme une « psychose passionnelle » où l'illusion d'être aimé peut être le symptôme d'une homosexualité refoulée conduisant à la toxicomanie (déplacement de la sexualité vers la drogue) ou à des actes extravagants ou violents.

108. Aquin a prononcé un discours lors d'une assemblée publique du RIN à Montréal, le 27 mai 1964. L'assemblée s'est terminée par de nombreuses arrestations.

109. Dans *Psychopathologie de l'échec* (Genève, Éditions du Mont-Blanc, 1963, BIB), René LAFORGUE traite du syndrome d'échec chez Jean-Jacques Rousseau, syndrome suivant lequel une homosexualité refoulée et une impuissance auprès des femmes provoquent non seulement des idées de persécution et un désir d'humiliation, mais poussent souvent le sujet à l'écriture de la confession (p. 117-144).

110. L'ouvrage de Blanchot ne semble pas exister. Jean-Pierre Martel affirme, d'ailleurs, que la citation ici attribuée à Blanchot viendrait d'une lettre adressée à Aquin par Roland Barthes (« *Trou de mémoire* : œuvre baroque. Essai sur le dédoublement et le décor », *Voix et images du pays*, VIII, 1974, p. 75). Dans son *Journal*, Aquin fait son propre éloge de la répétition : « [...] pour moi, rien n'est plus éloquent que la répétition, véritable approfondissement du réel par le retour du même nom, d'une même vision [...] : et il serait faux de croire que la répétition exacte n'ajoute rien [...] la répétition gêne et défie la raison » (19 décembre 1960).

111. L'article d'Arieti étudie le cas d'un homosexuel schizophrène et suicidaire atteint de crises d'immobilité catatonique dues au refoulement de la pulsion homosexuelle. Dans le cas étudié, le suicide s'avère le seul acte qui permette au malade de surmonter l'immobilité imposée par le refoulement des pulsions sexuelles. Les états catatoniques sont souvent suivis de perte de la mémoire.

112. Détectives dans les romans policiers d'Agatha Christie pour le premier et de Georges Simenon pour le second.

113. Le numéro 221b, Baker Street est l'adresse de Sherlock Holmes et du Dr Watson dans les romans d'Arthur Conan Doyle. Il n'y a toutefois jamais eu de maison ni de musée à cette adresse qui n'existait pas à l'époque de la composition des romans. Depuis, la rue s'est allongée et, à l'emplacement hypothétique du numéro 221b, on trouve les bureaux de l'Abbey National Building Society. Cette compagnie maintient un bureau consacré à la correspondance adressée à « Sherlock Holmes », mais pas de musée.

114. Ce développement s'inspire de BORGES, « Les Théologiens », cité d'après A.M. BARRENECHEA, *Borges, The Labyrinth Maker* (New York, NYUP, 1965, p. 96, BIB) : « Il est possible que toutes les histoires que j'ai mentionnées ne soient, au fond, qu'une seule et même histoire — un prototype éternel. » (JJ)

115. Les Dogons, peuple africain, sont connus pour le caractère spectaculaire des masques qu'ils utilisent dans les danses et les rituels funéraires.

116. Électro-encéphalogramme.

117. Le « Golden Square Mile » désignait à l'époque un riche quartier anglophone de Montréal circonscrit par l'Université McGill, la rue Sherbrooke, l'avenue des Pins et la rue Atwater.

118. Ville natale de Hamlet.

119. Jeu de mots à partir de l'expression « entre chien et loup » et les noms des généraux français et anglais qui s'affrontèrent lors de la bataille des Plaines d'Abraham à Québec, en 1759. La défaite de Montcalm par l'Anglais Wolfe marqua la fin du régime français en Amérique du Nord. Montcalm est qualifié de « chien » sans doute parce qu'il imposa aux forces canadiennes une stratégie de guerre à l'européenne dans laquelle les batailles rangées remplaçaient la guérilla qui s'était révélée très efficace contre les Anglais.

120. Cet épisode figure dans les « Deux Cahiers ». Voir Appendice I, p. 307-309.

121. L'expression « royal canadian », qui évoque l'ancienne appartenance du Canada à l'empire britannique, désigne des institutions rattachées au système anglais telles que « Royal Canadian Mounted Police » et « Royal Canadian Air Force ».

122. L'expression désigne Toronto.

123. Le thème de la dépossession totale de soi marque la psychologie du colonisé. Memmi écrit : « [Le colonisé] n'a ni langue, ni drapeau, ni technique, ni existence nationale ni internationale, ni droits, ni devoirs : *il ne possède rien, n'est plus rien et n'espère plus rien.* » (*Portrait...*, 1972, p. 117)

124. La citation de *Hamlet*, pièce de SHAKESPEARE, n'est pas littérale : « To die, to sleep ; / To sleep, perchance to dream,— ay, there's the rub ; / For in that sleep of death what dreams may

come, / When we have shuffled off this mortal coil, / Must give us pause. » (Acte III, scène i)

125. L'expression est tirée de Jean BUCHMANN, *L'Afrique noire indépendante*, (Paris, Librairie générale de droit et de jurisprudence, 1962, p. 18, BIB).

126. Légère déformation du passage cité. Après « Benue », on lit : « — the Niger-Benue trough — » et « adjacent uplands » s'écrit « surrounding uplands ». La dernière phrase est tirée de la page 113.

127. Banque canadienne dont le nom évoque la puissance économique et politique des Anglais dans l'allusion au « Dominion of Canada ».

128. « Nervous breakdown ».

129. Titre d'un roman de Percival Christopher WREN (London, John Murray, 1924) qui raconte les aventures d'un légionnaire français (Beau Geste) au Nigéria.

130. En réalité, il existe un petit lac au centre de Granby, ainsi qu'un « Motel du lac » près de son bord.

131. Allusion au vers célèbre de *Hamlet* en réponse à Polonius : « What do you read, my lord ? — Words, words, words. » (Acte II, scène ii)

132. Dans une scène identique des « Deux Cahiers », le nom biffé est celui de Monique Miller, comédienne québécoise. Voir Appendice I, p. 295.

133. Dans les « Deux Cahiers », on lit : « "Je vous étrange" a dit le poète, qui je ne sais pas. » (p. 296) L'identité du poète reste obscure. S'agit-il de Marcel DUCHAMP, qui a inventé le jeu de mots « étrangler l'étranger » dans « Rrose Sélavy » (*Marchand du sel : écrits de Marcel Duchamp* (réunis et présentés par Michel Sanouillet, Paris, Le Terrain vague, 1958, p. 105) ?

134. L'expression *quoad vitam* apparaît plus tôt dans « De retour le 11 avril », *Point de fuite*, p. 152. Elle signifie la posologie maximale d'un médicament.

135. Voir *Journal*, 1er août 1962 : « Je m'imagine partant incognito pour refaire ma vie à Dakar ou Abidjan, écrivant, dans cette île géante, le livre anonyme qui me vaudrait un nom. »

136. En pharmacologie, « magistral » indique un médicament dont la formule est composée par le médecin lui-même, plutôt que par une compagnie pharmaceutique. L'expression « vin magistral » n'existe pas.

137. Jean-Paul DESBIENS, frère enseignant, auteur anonyme des *Insolences du Frère Untel* (Montréal, Éditions de l'Homme, 1960). De sa critique de l'éducation québécoise, on retient surtout celle de la langue « joual », expression qui désigne la langue populaire au Québec. Aquin s'est impliqué dans ce débat. Voir, par exemple, « Le joual-refuge », *Blocs erratiques*, p. 137-142.

138. « Priez pour nous » : formule liturgique catholique.

139. Référence obscure. L'« accidenté » est peut-être une allusion à Wilfrid O'Neil, première victime à trouver la mort par une bombe du FLQ en 1963. Le « frère o'neil » évoque aussi Louis O'Neill, de « l'Action catholique » de l'Université Laval. En 1956, il a publié, en collaboration avec l'abbé Gérard Dion, un pamphlet critique qui a fait scandale en exposant non seulement la corruption des pratiques électorales, mais aussi la complicité de l'Église dans cette situation.

140. Saint-Paul-hors-les-murs, basilique byzantine de Rome.

141. « C'est dans la langue que je peux forniquer ce pays maudit, irréel en tout sauf dans la langue par laquelle on le décrit. » (*Journal*, 25 septembre 1962)

142. Écho possible de *L'Afficheur hurle* (1964), recueil de poèmes de Paul CHAMBERLAND qui fut cofondateur de la revue *Parti pris*. Dans le *Journal* d'Aquin, on lit : « Désécrire s'il le faut, crier, hurler plutôt que des phrases, utiliser les structures motiles comme des haut-parleurs de ma fureur et de ma cruauté. » (4 août 1964)

143. Titre d'un téléthéâtre d'Aquin, Radio-Canada, 1962.

144. Papineau. Voir la présentation, p. XVIII-XX.

145. Dans une interview avec Gaëtan Dostie, Aquin avoue : « J'ai été élevé dans un univers où mon père est mort au travail, parce que le travail était une vertu, si tu veux ; il était pauvre, il est mort comme ça, il a même pas pu jouir de sa retraite... » (*Itinéraires...*, p. 39). Le thème du père travailleur et soumis se manifeste la première fois dans *L'Invention de la mort* : « Pauvre père, je ne l'ai

pas aimé ; en ce moment, et pour quelques instants encore, je l'aime parce qu'il a été mon père et que tous les jours de sa vie, il s'est levé tôt le matin pour aller à son travail, sans jamais se révolter contre sa condition. » (p. 149)

146. Titre d'un roman américain de Margaret MITCHELL (1936) sur le Sud des États-Unis à l'époque de la guerre civile. Sujet d'un film célèbre.

147. C'est à Napierville, située dans la région du Haut-Richelieu et de la rivière l'Acadie au Québec, que le Dr Robert Nelson proclama l'indépendance de la nouvelle République en novembre 1838. Dans « Une révolution oubliée » (1966, texte inédit qui servira pour l'introduction à l'*Histoire de l'insurrection au Canada* de L.-J. PAPINEAU), Aquin mentionne que c'est dans ce village que les Patriotes se regroupèrent avant la « rencontre fatale » avec les forces anglaises qui mit fin à la rébellion.

148. À cet endroit, proche de la frontière américaine, eut lieu, le 6 décembre 1837, une bataille où les Patriotes furent défaits.

149. Ville du Lancashire, en Angleterre.

150. Information que l'auteur peut avoir empruntée à François PAGÈS, *Le Paludisme* (Paris, PUF, « Que sais-je », n° 594, 1953, p. 22, BIB).

151. L'expression est utilisée par Aquin comme titre d'une nouvelle (1953, inédite). Elle revient à la page 137 de *Trou de mémoire*.

152. Dans *Terminologie du paludisme et de l'éradication du paludisme*, (Genève, OMS, 1964, p. 11, BIB), on lit que mal'aria signifiait à l'origine « mauvais air », et qu'il revient à Horace Walpole, 1740, d'en avoir le premier fait usage, attesté par l'*Oxford English Dictionary*. Le rapport avec le Moyen Âge n'a pas été vérifié.

153. Il y a ici une erreur : voir les notes de l'éditeur, p. 23 et 25.

154. Les expressions entre guillemets, attribuées à Gabriel Dromard, sont tirées du *Manuel alphabétique de psychiatrie* d'Antoine POROT (Paris, PUF, 1965, rubrique « Simulation », p. 515 et 516, BIB). Le nom de DROMARD est mentionné dans cette rubrique. Il est, par ailleurs, l'auteur des *Mensonges de la vie intérieure*

(Paris, Alcan éditeur, « Bibliothèque de la philosophie contemporaine », 1910) et de l'*Essai sur la sincérité* (Paris, Alcan éditeur, 1911).

155. Source probable : le résumé de la communication de M. A. FRIBOURG-BLANC faite à ce congrès, publié dans *Encéphale*, 26 juin 1931. L'article est intitulé « Les Fausses Simulations en médecine légale psychiatrique » (p. 473-475) et il traite des cas pathologiques méconnus et des conséquences médico-légales des « fausses simulations ». Aquin retient trois types : les « sursimulations », les « exagérations » et les « faux aveux ».

156. Citation du *Manuel*... de POROT, voir Appendice II. À propos de la simulation, Porot décrit une « sorte d'état crépusculaire [...] absurde » (p. 517).

157. Lagune de la Côte d'Ivoire. Abidjan est située sur une péninsule à l'intérieur de la lagune Ébrié.

158. Nous ne trouvons aucune trace de *Rivista de psichiatria*. Le passage précédent est toutefois une citation exacte du *Manuel*... de POROT. Voir Appendice II.

159. Le titre exact de l'article est « Sémantique et altération du langage » (p. 15-43) ; il est suivi d'une discussion par MINKOWSKI et EY (p. 44-48). Dans cet article, ROSOLATO préconise l'analyse des troubles pathologiques par le biais des phénomènes linguistiques. Il établit des liens entre certains discours poétiques et les discours pathologiques en rapprochant « ce qu'il y a de commun à une sémiologie psychiatrique classique (quant au langage) à la psychanalyse, et à la sémantique » (p. 42). L'article figure dans la liste des lectures d'Aquin (*Journal*, juin 1961).

160. Renseignements tirés vraisemblablement de POROT, *Manuel*..., article « Graphorrée ». La référence à Gaëtan Gatian de Clérambault (1872-1934) est incorrecte, celui-ci ayant étudié le syndrome d'automatisme mental et non pas la graphorrée.

161. *Vademecum international* (Montréal, J. Morgan-Jones Pub. Ltd., 1965, BIB). Index de produits pharmaceutiques dans lequel, pour chaque produit, sont indiqués les effets, la posologie et le fabricant. Aquin utilise cet index pour la rédaction de *Trou de mémoire* et pour des fins d'automédication.

162. L'accident d'automobile qui finit par une noyade reprend le motif du suicide contemplé par le narrateur dans *L'Invention de la mort*. Il rêve de renaître de ce suicide pour « vivre une autre vie. Ce long voyage, à travers les cours d'eau du monde et jusqu'au fleuve antique, aura opéré ma transsubstantiation : je serai un autre. » (p. 135)

163. Voir la présentation, p. XXXI-XXXIV.

164. Trois ouvrages de Wilhelm STEKEL : *L'Homme impuissant* (1920, trad. fr., Paris, Gallimard, 1950) ; *Onanisme et homosexualité* (1917, trad. fr., Paris Gallimard, 1951) ; *La Femme frigide* (1921, trad. fr., Paris, Gallimard, 1949, BIB). Aquin achète ce dernier en 1962 et en cite des passages dans « Le Corps mystique » (*Blocs erratiques*, p. 105-112) au cours d'une analyse des métaphores utilisées pour décrire la relation entre le Canada français et le Canada anglais. Il compare cette relation à « une liaison vénérienne rendue au paroxysme de l'écœurement » (p. 105). Dans une « note inédite », écrite par Aquin au moment de la parution de *Prochain Épisode*, il utilise la même métaphore pour décrire « la colonisation incessante du Canada français et ses efforts de femme frigide pour connaître un orgasme révolutionnaire » (« James Bond... », p. 14).

165. Voir note 107.

166. Voir note 214.

167. Militant du groupe révolutionnaire FLQ, arrêté pour collaboration avec le mouvement des Noirs américains (Black Liberation Front) et accusé d'avoir fourni de la dynamite lors d'une conspiration de dynamitage à New York. Il s'est pendu dans sa cellule de la prison de Bordeaux à Montréal, le dimanche 18 avril 1965.

168. L'article est intitulé : « Bouffées délirantes et psychoses hallucinatoires aiguës » (p. 201-324). Cette étude semble inspirer la création des personnages Magnant/éditeur : Ey souligne l'importance du clinicien Magnan et de son école (*Leçons cliniques* 1887-1889) pour l'identification des formes de la « déstructuration de la conscience ». À propos de Magnan, voir la note 1.

169. Le début de la « Semi-finale » est à rapprocher du chapitre 8 dans *Le Pont*, contribution d'Aquin à une nouvelle d'auteurs

multiples parue dans *Liberté* (VI, 3, mai-juin 1964, p. 214-215). Signé « Elga von TOD », le passage met en scène un narrateur qui avoue être une femme à « âme de morte » affublée de nombreuses identités masculines afin de « traverser le mur de la vraisemblance » : « À vrai dire, je ne suis rien : je ne suis même pas un homme, mais une femme ! » (p. 215)

170. Jacques Polieri, metteur en scène, scénographe et théoricien français, né en 1928. Il travaille à une conception de l'espace scénique qui tend à abolir les frontières entre médias et genres pour promouvoir une nouvelle idée du « théâtre au mouvement total ».

171. Inspiré du théâtre français du Moyen Âge, le théâtre supérieur était un étage et même deux étages au-dessus de la scène principale à l'époque de la Renaissance. L'allusion à Port Royal reste obscure. Toutefois, dans la scénographie italienne de la Renaissance, l'entrée principale située au milieu de la scène avait la forme d'un portail en arche : on l'appelait la Porte Royale.

172. Ingénieur militaire né à Urbino, Italie, vers le début du XVe siècle, mort en 1571. Il inventa un instrument destiné à faciliter la représentation de la perspective.

173. Citation exacte mais tronquée de l'ouvrage de Vitruve.

174. Allusion probable à la tradition européenne du Moyen Âge où les « mystères » (jeux religieux) étaient présentés sur des scènes montées sur des chariots ambulants. En France, on préférait stationner les chariots en rond ou en demi-cercle, d'où la « scène annulaire ». Dans ce système, les chariots ne bougeaient pas et c'était les comédiens et les spectateurs qui étaient « mobiles », se déplaçant de chariot en chariot pour effectuer les changements de scène. L'emplacement circulaire a donné lieu aux premiers théâtres « en rond », tel le « Globe Theatre » à l'époque shakespearienne en Angleterre.

175. C'est chez Philander, annotateur de Vitruve (Paris, 1545), que l'on trouve l'origine de cette expression. Nicola SABBATTINI, auteur de *Pratique pour fabriquer scènes et machines de théâtre* (Ravenne, 1638), n'emploie pas lui-même le terme et, loin d'avoir inventé le procédé, lui préfère la méthode de la « scena versatilis », c'est-à-dire les décors triangulaires.

176. Expression espagnole utilisée en tauromachie (« à recevoir »). C'est une forme de mise à mort aujourd'hui abandonnée au cours de laquelle le torero suscitait l'attaque du taureau et le laissait venir s'enferrer sur son arme.

177. Ces artistes, architectes et théoriciens qui ont contribué à la théorie et à la pratique de la perspective et du théâtre, sont tous mentionnés dans *Anamorphoses...* de BALTRUŠAITIS.

178. Dans BALTRUŠAITIS, *Anamorphoses...*, p. 15, on lit : « La perspective rend invisibles les images apparentes. ».

179. Voir BALTRUŠAITIS, *Anamorphoses...* : « Un "Vexierbild" (tableau à secret) de Schön, graveur de Nuremberg et élève de Dürer » (p. 15). Erhard Schön a exécuté des dessins anamorphotiques dans les années 1530.

180. Expression allemande qui signifie « cabinet des merveilles ». Il s'agit de salles de collection d'objets de curiosité, souvent décorées avec des murailles anamorphotiques ou en trompe-l'œil. Ce phénomène était répandu à l'époque de la Renaissance et surtout à la fin du XVIIe siècle.

181. Méthode géométrique utilisée pour dessiner les tableaux en perspective. Il s'agit de la deuxième règle de la perspective de Vignole selon laquelle, pour donner à un objet représenté l'apparence de la réalité, il fallait déformer ses proportions. La même technique fonctionne en sens inverse pour opérer la déformation anamorphotique de l'image. Le passage suivant d'*Anamorphoses...* de BALTRUŠAITIS est marqué dans la copie d'Aquin : « C'est la "costruzione legittima", [...] qui fournit la dernière preuve de la fausseté des apparences du monde physique. La Perspective n'est pas un instrument des représentations exactes, mais un mensonge. » (p. 42)

182. De Vinci.

183. Aquin découvre Hans Holbein le jeune et se passionne pour la Renaissance lors d'un voyage en Hollande en 1951. À la mi-février 1953, il visite le Kunstmuseum de Bâle où il est de nouveau impressionné par les tableaux de Holbein.

184. Voir BALTRUŠAITIS, *Anamorphoses...*, p. 67 : « La Mort n'est pas dissimulée et le rideau ne ferme pas le "cabinet de vérité". » Il faut noter cependant que Baltrušaitis fait allusion non

pas au tableau de Holbein, mais à un tableau de Ferdinand Bol du XVIIe siècle, « Philosophe en méditation ». Le « cabinet de vérité » est un leitmotiv récurrent des tableaux de la Renaissance, où un rideau s'ouvre sur « une révélation ou une vision sacrée » (p. 64). Contrairement à ce qu'affirme ici le narrateur, le rideau, dans les « Deux ambassadeurs », est « tiré sur les sciences divines » : « Le cabinet des vérités est clos et fermé même aux saints et aux sages. On le devine derrière. » (*Anamorphoses...*, p. 64)

185. Il s'agit de BALTRUŠAITIS. La citation entre guillemets est une reprise presque intégrale d'un passage d'*Anamorphoses...*, p. 65. Toute la première partie du paragraphe est une citation légèrement déformée de la page 58. Voir Appendice II.

186. Salle consacrée à Holbein dans le Musée d'art de Bâle, nommée en l'honneur de Bonifacius Amerbach (1495-1562), ami de Holbein. On attribue à ses efforts la préservation de nombreux tableaux religieux de la destruction par les fanatiques.

187. Toutes ces œuvres de Holbein sont exposées dans le Kunstmuseum de Bâle. « Anne Meyer » : dessins préparatoires (vers 1526) pour la « Madone du bourgmestre Meyer » (1526-1530) ; « Adam et Ève » (1517) ; « Érasme de Rotterdam en rond » : probablement « Érasme de Rotterdam en vieil homme », miniature en rond (1531/32) ; le « Christ [...] cyanosé » : « Le Christ au tombeau » (1521).

188. Dans *Anamorphoses...*, BALTRUŠAITIS affirme que ce dessin, qui accompagne le « Totentanz » (Danse de la mort) de Holbein (exécuté en 1526), s'inspire des « Wappen des Todes » (« Blasons de la mort ») de Dürer (1503) et aurait été un modèle des « Ambassadeurs » (p. 64).

189. « Vanitas est, et vanitas vanitatum » (*Ecc.* I,ii), extrait repris dans *Éloge de la Folie* (1509) d'Érasme (« C'est vanité, et la vanité des vanités »). Baltrušaitis cite le passage en latin au sujet des « Ambassadeurs » de Holbein (p. 62).

190. Érasme de Rotterdam était le protecteur et l'ami de Holbein. Celui-ci a d'ailleurs illustré l'édition bâloise (1515) de l'*Éloge de la folie*. Baltrušaitis cite la phrase sur le faux savoir des philosophes à la page 62.

191. Le tableau est catalogué sous le numéro 1314 et non pas 314.

192. Passage tiré d'*Anamorphoses...*, (note 123, p. 82), où on lit : « Le rapprochement du "Blason de la Mort" et des "Ambassadeurs" de Holbein a été fait déjà par WORNUM, *Some Account of the Life and Works of Hans Holbein*, Londres, 1867. » L'auteur de cet ouvrage est en fait Ralph Nicholson WORNUM, alors que c'est Paul GANZ qui a écrit *Hans Holbein der Jungere*, publié à Bâle, 1949 (selon BALTRUŠAITIS). Contrairement à ce qu'affirme la note, l'ouvrage de Wornum est plus facilement disponible que celui de Ganz, dont nous n'avons trouvé aucune trace. Dans GANZ, *The Paintings of Hans Holbein* (1re édition, Londres, Phaidon Press, 1950), Wornum est mentionné mais non cité.

193. Commençant par « Hans Holbein a lui-même exécuté... », ce passage est tiré presque intégralement d'*Anamorphoses*... de BALTRUŠAITIS. Voir Appendice II.

194. Passage tiré d'*Anamorphoses..*, p. 65.

195. Tout ce passage est une réécriture de la description de Baltrušaitis. Voir Appendice II.

196. Thomas de Quincey emploie l'expression courante « mort subite » à deux reprises dans les sous-titres de son essai « La malle-poste anglaise », dont la deuxième partie s'intitule « La vision de mort subite » et la troisième « Fugue de rêve : fondée sur le précédent thème de la mort subite ».

197. Titre de l'ouvrage de Jean-François NICERON, *La Perspective curieuse* (Paris, 1638), qui aurait inspiré celui de BALTRUŠAITIS : *Anamorphoses ou perspectives curieuses*. Le portrait de Niceron figure au début de l'ouvrage de Baltrušaitis.

198. Ces termes, qui décrivent diverses passes de la cape du torero, proviennent probablement de Jean TESTAS (*La Tauromachie*, Paris, PUF, «Que sais-je», nº 568, 1953, BIB).

199. École privée pour jeunes filles catholiques à Montréal. Villa Maria est réputée pour son atmosphère bourgeoise et conservatrice.

200. Voir *Anamorphoses...*, p. 10-12 : « La perspective au ralenti, freinant la fuite par l'accroissement proportionné des dimen-

sions, est appliquée à la façade et au décor sculpté. » La citation de R.-F. de Chantelou est tirée de BALTRUŠAITIS, p. 12 et la référence à la dépravation et à la violence renvoie à la page 45.

201. D'après le contexte, ce terme désignerait un appareil permettant de dessiner correctement l'illusion de la perspective comme le portillon de Dürer.

202. L'importance pour Aquin de cette notion, empruntée à la géométrie de la perspective, est illustrée par le titre qu'il donne à son premier recueil d'essais, *Point de fuite* (Montréal, CLF, 1971).

203. Cette description reproduit exactement l'illustration du portillon de Dürer dans *Anamorphoses...*, p. 55, d'après une gravure originale de Dürer.

204. Ces précisions sont tirées de A. DÜRER, *Lettres et écrits théoriques. Traité des proportions* (présentation de Pierre Vaisse, Paris, Hermann, 1964, BIB), p. 18, notes 23 et 25 ; sur Michel-Ange, p. 25.

205. Ces données s'inspirent des *Tissus d'art* (Michèle BEAULIEU, Paris, PUF, « Que sais-je », 1953, BIB). La date du tapis est signalée à la page 32. Toutefois, les initiales sur le monogramme sont XP pour le Christ et non pas « S ». La phrase sur « la composition à compartiments [...] fenêtres gothiques » reprend une phrase de la page 71, voir Appendice II.

206. Société suisse de radiodiffusion et de télévision.

207. Wildhorn et Haut de Cry sont deux crêtes du Valais. Le premier mont (3247 m) se trouve au nord de Sion ; le second (2969 m), situé entre Ovronnaz et Derborence, est mentionné dans *Prochain Épisode* (p. 107).

208. Devises de la Communauté financière africaine établie vers 1945 et réunissant, entre autres, les treize colonies africaines de la France.

209. Vraisemblablement, francisation du terme « Plasmodium falciparum », nom du parasite qui provoque la fièvre tierce dite tropicale ou maligne. (*Le Paludisme*, p. 18-19).

210. British Motor Company.

211. D'après *Le Paludisme*, le « blackwater fever » est une forme de paludisme qui frappe surtout les sujets de race blanche ou jaune (p. 64).

212. Compagnie mandatée par le gouvernement britannique en 1885 pour administrer la justice et le commerce au Nigéria. Le mandat fut révoqué en 1899.

213. Situé en Haute-Savoie, près du lac Léman.

214. Selon un témoignage, Aquin aurait caressé le rêve d'un suicide à deux, rêve qui paraît s'inspirer du suicide d'Heinrich von Kleist et d'Henriette Vogel. Voir *Desafinado*, p. 411.

215. Expression italienne qui signifie : le temps passe et ne revient plus.

216. Devises du Nigéria : 2 shillings six pence.

217. Les données de ces deux notes proviennent du *Dictionnaire* de GARNIER et de DELAMARE. Dans l'ensemble, les renseignements sont exacts excepté celui sur la fièvre doum-doum qui, selon Delamare, serait identique à la fièvre noire.

218. Citation exacte de la définition du *Dictionnaire* de GARNIER et de DELAMARE.

219. L'expression apparaît chez le grammairien Aulu-Gelle (mort en 163) dans ses *Nuits attiques* (vii.xviii) et chez Papinus Statius (45-96) dans son *Thebias* (7.464).

220. Citation presque exacte de *Montres, horloges et pendules* de Ernst VON BASSERMANN-JORDAN et Hans VON BERTELE, (Paris, PUF, 1964, p. 373-374, BIB). Voir Appendice II.

221. D'après cette date, il s'agit de l'année 1967.

222. Le *Vademecum* indique que la posologie de cette drogue ne doit pas excéder 3 capsules de 400 mg par jour.

223. L'ecmnésie, c'est-à-dire l'oubli des événements qui suivent un point de repère, est en fait un synonyme de l'amnésie antérograde.

224. « Amytal Sodique » est le nom d'une marque d'amobarbital sodique. C'est un sédatif dont les doses de 0,1 à 0,2 g ont des effets hypnotiques.

225. Citation exacte du *Dictionnaire* de GARNIER et DELAMARE, sauf pour « d'un médicament », ajouté par Aquin.

226. Aquin a longtemps pris des stimulants et des calmants et les absorbait en doses qu'il déterminait lui-même. En juillet 1972, il a été arrêté pour falsification d'ordonnance médicale.

227. À partir de « l'isochronisme », ce passage s'inspire de *Montres...* de VON BASSERMANN-JORDAN, p. 171. Voir Appendice II.

228. Dans *Montres...* de VON BASSERMANN-JORDAN (p. 130), on voit la photo d'une montre à tête de mort qui figure dans le Musée d'histoire de l'art à Vienne. Cette montre est sans signature. À la même page, une deuxième montre est signée « Josias Jolly, à Paris » (1620). Cette deuxième montre fait partie de la collection du British Museum de Londres. La mention, par l'éditeur, du Musée et de la collection est probablement une fabrication.

229. Cette phrase indépendantiste, lancée par Charles de Gaulle lors d'un discours à Montréal le 24 juillet 1967 (et non le 12 juillet), provoqua un scandale : de Gaulle déclarait ainsi ouvertement son soutien à la cause indépendantiste du Québec. L'incident fit connaître le Québec sur le plan international.

230. Selon un témoignage de L.-G. Carrier, Aquin aurait recouru au stratagème de la fausse mort pour éviter de payer des impôts. Ce stratagème aurait réussi jusqu'à ce qu'il se trahisse par la publication de *L'Antiphonaire*. Voir *Desafinado*, p. 381.

231. Patrick MULLAHY est l'auteur de *Œdipe : du mythe au complexe* (Paris, Payot, 1951, BIB). Aquin prend en note la citation suivante : « Une autre caractéristique du mythe est le dédoublement ou la multiplication. » (p. 98) (TR)

232. « Je suis sur le point de boucler la boucle : P. X. Magnant est l'auteur et l'éditeur de ce TROU DE MÉMOIRE. R.R. est violée à Lausanne ; à Montréal, elle découvre qu'elle est enceinte... de qui ? » (« Un drôle de souvenir... », 19 janvier 1967, *Point de fuite*, p. 95)

233. « Ce roman — que je suis en train de finir — a une finalité : il a été écrit pour tromper la police et le public au sujet de la disparition de Pierre X. Magnant (hypothèse de son pseudo-suicide...) afin de lui permettre de ressusciter clandestinement et de travailler à la révolution. » (« Un drôle de souvenir... », 15 janvier 1967, *Point de fuite*, p. 95)

234. Voir le *Journal* (23 août 1961) : « Les situations de dédoublement sont de plus en plus rares dans notre société hygiénique. Le dédoublement jeu n'est accessible qu'au théâtre ou pen-

dant le carnaval ; en dehors de cela, il prend figure d'anomalie. Il se présente comme maladie non comme jeu. [...] Ce que je veux, dans mon théâtre, c'est une situation où le dédoublement soit possible, mais un dédoublement rapide et coupable, car, dans notre monde, il est mal de se dédoubler ! »

235. Dans *L'Invention de la mort*, le narrateur, amoureux d'une femme mariée, réfléchit à son suicide dans une chambre d'hôtel louée sous une fausse identité : « Non, je ne finirai pas dans un bain noyé sous une fausse identité. Je veux bien porter mon nom jusqu'au bout... » (p. 16) Par ailleurs, son amante lui dit : « Je voudrais être enceinte de toi un jour, tu m'entends ? Oh ! pas maintenant, je veux dire : pas maintenant, si ton enfant ne devait pas porter ton nom, ni te connaître... » (p. 113)

APPENDICES

Appendice I

Avant-textes

1. Plan de Trou de mémoire

Il existe deux plans de *Trou de mémoire* qui ne sont pas sans poser des problèmes de datation. Un plan, intitulé « Le roman » (trois pages dactylographiées), est daté du lundi 29 octobre 1962 et porte au verso de l'avant-dernière page l'indication écrite à la main « Recopié le 7 février (10 ans plus tard) ». Un autre plan, intitulé « *Trou de mémoire* (premier plan) » (six pages dactylographiées) est également daté du 29 octobre 1962 et suivi de la même inscription tapée « Recopié le 7 février 1972 ». En plus, ce plan contient des réflexions faites par Aquin le 2 mars 1972.

Malheureusement, il est impossible de déterminer le rapport entre les deux textes, en particulier de savoir si les deux versions datent effectivement de 1962 ou si des ajouts ont été faits lors de la transcription en 1972.

Nous reproduisons ici « *Trou de mémoire* (premier plan) » car ce texte présente une version semblable, mais plus étoffée, de l'intrigue développée dans l'autre plan.

TROU DE MÉMOIRE
(premier plan)

Montréal, le 29 octobre 1962

LE ROMAN

PREMIER RÉCIT : (13 octobre 1962) Le pharmacien, au cours d'une nuit épiamphétaminique, raconte sa nuit précédente, pleine — elle aussi — d'évocations fulgurantes du début de sa liaison avec Joan. Ce récit se trouve brusquement interrompu. Le dernier chapitre de ce récit sera considéré comme apocryphe. Notes infrapaginales par l'éditeur.

> ÉVÉNEMENT INSU DU LECTEUR : Le suicide de P. X. Magnant (le pharmacien) en date du 29 octobre 1962. Ce jour est aussi celui de la première tempête de neige sur Montréal et celui des élections municipales (Drapeau est élu).

SECOND RÉCIT : (commencé le 31 octobre 1962) Michelle entreprend un roman dans lequel les permutations de noms sont nombreuses. Ce roman est construit à partir de l'histoire de P. X. Magnant avec qui elle était liée. Les écarts entre la variante de Michelle et celle de P. X. Magnant sont manifestes. Soudain, Michelle débouche sur la forme qu'elle veut inculquer à son roman dans un chapitre où l'auteur fictif se dévoile comme un des personnages du premier récit. Elle dénonce sa propre fiction, l'abolit et passe aux aveux censément rigoureusement vrais: elle raconte avec sobriété la liaison qui existait entre Joan et P. X. M. ; elle va même jusqu'à dire comment elle a découvert tout cela et mentionne, pour finir, que Joan est son amie intime. Elle décrit la fin lamentable de PXM, dresse un tableau complet de son «messianisme», de ses activités politiques, de son discours exalté qu'il a prononcé au Mont Saint Louis...

Toutefois, il manque 5 jours entre les derniers jours de la rencontre Michelle PXM (21 oct.) puis le 24 octobre 1962, (quand les navires américains encerclaient Cuba, faisant ainsi monter la tension mondiale...). PXM a presque avoué à Michelle le meurtre de Joan ; ils ont suivi, tous deux, le cortège funèbre de Joan — qui a fini en silence, pour Michelle et PXM dans l'appartement de ce dernier à la honte de Michelle. Le désordre final du récit, commencé dans le respect de la vérité, semble un contre-coup de cette façon de partager un deuil — celui de Joan enterrée le jour même au cimetière protestant de Côte-des Neiges... Ce récit reste inachevé.

> ÉVÉNEMENT INSU DU LECTEUR: Après un séjour à Toronto (où elle a enseigné le français), elle est revenue à Montréal. Elle a trouvé un poste au PROTESTANT SCHOOL BOARD moyennant une abjuration et $50 dollars. Son salaire lui permet de poursuivre son doctorat en Lettres à L'U. de M. Liée amoureusement à son directeur de thèse (marié), elle lui a tout dit et même remis le texte inachevé qui, à l'origine et selon son

désir, devait constituer le manuscrit unique de ce récit.

TROISIÈME RÉCIT (PREMIER TEMPS) Lettre ou équivalent formel d'une lettre adressée à « mon amour » (Michelle). L'auteur de la lettre Alain S. (frère de PXM) : ce Alain S. est tombé amoureux — manifestement — de celle que PXM a aimée d'abord. Il trouve comme prétexte pour communiquer avec Michelle, un manuscrit de PXM : mais une explosion affective lui fait inventer un journal intime de PXM qu'il juge plus correct de remettre à Michelle plutôt que de le confier, tel quel, aux journaux. Alain S. est marié (père de deux enfants) à Gertrude D. — la sœur même de Michelle. Mais, cette année-là, Gertrude vit seule à Paris où l'UNESCO, dont elle fait partie du personnel technique, lui fournit assez d'argent pour subvenir à ses besoins et s'offrir, même, un train de vie supérieur à celui auquel elle était habituée. De plus (graduer les aveux intimes), Gertrude a la garde des deux enfants et est ouvertement en instance de divorce. Selon Alain S., elle s'est comportée odieusement et de façon dégradante. Mais avant de céder, Alain S. veut obtenir, en échange de son consentement légal, la garde des deux enfants qui — de toute évidence — sont gardés par leur mère sous prétexte de passer des vacances avec elle ; les vacances n'en finissent plus et ressemblent aux procédés vexatoires utilisés jusqu'à maintenant contre lui. Multiplication des détails intimistes.

TROISIÈME RÉCIT (DEUXIÈME TEMPS) La lettre s'inverse totalement soudain, en cela que le destinataire devient l'auteur (et vice-versa). Michelle, en décodant le pseudo-journal intime de PXM (son grand et son premier amour) [*sic*] ; cela ne s'explique que par le fait qu'Alain S. a remis à Michelle le journal intime de son frère décédé. Celle-ci est profondément touchée par ce geste, mais — surtout par le texte même de PXM, plus mystifiant, plus troublant, plus merveilleux que le manuscrit-prétexte qui avait instauré une relation amoureuse entre eux ; cette fois, Michelle — rendue au comble de sa joie et de son éblouissement — devient follement éprise d'Alain S. Elle se confond en remerciements ; toutefois, elle a beaucoup de difficultés à lire ce journal secret de PXM ; elle fait appel souvent à Alain S. pour l'aider. Mais ce dernier, découvrant des recoupements étranges entre les confidences qu'il a reçues de son frère et les révélations de ce journal, fait les joints nécessaires pour édifier sa version implacable de la vérité concernant les actes de son frère ; mais il ne peut pas faire part à Michelle de l'histoire de son frère dont il découvre la fin spectaculaire et meurtrière. Cette situation le contraint à construire une pseudo-histoire en contrepoint de la véritable (qu'il est seul à connaître). Michelle, par contre, se laisse duper par cette fiction au deuxième degré que lui propose Alain S. en guise de déchiffrement vrai et de version loyale des événements.

Michelle devine vaguement que celui qu'elle aime (Alain S.) ne fait que la détruire ; elle devine qu'il garde, pour lui seul, les découvertes qu'il fait avec la collaboration de bonne foi et grâce à elle partiellement. Alain S., de fait, n'ose pas parler librement avec Michelle du lien secret qu'il connaissait en détail et dont il sait que ce lien entre Joan et son frère a constitué, du vivant de PXM, un contrepoint à l'intrigue liant Michelle et celui qui s'est donné la mort. Michelle le relance sans arrêt, l'enveloppe de son amour, le confine à une réticence qu'elle transcende inutilement ; car Alain S., en se réfugiant dans le silence le plus rigoureux, en vient à s'identifier ardemment à son frère disparu. Michelle, du coup, a une valence contrapuntique ; le Canada français lui apparaît sous un jour nouveau, comme un pays en gestation révolutionnaire...

TROISIÈME RÉCIT (troisième temps) : (à l'approche de Noël 1962) Alain S., déchiffrant sans dégir [*sic*] le texte de son frère, revivant en pensée ce qu'il a vécu tout près de lui (sans jamais se confier)..., apprend une chose qu'il ignorait complètement : il est un fils adopté que [*sic*] les parents de PXM. Ce dernier n'est donc pas son frère — cet homme à qui il se complaisait à trouver des qualités dont les copies s'étaient reproduites en lui. Finalement, Alain S. établit une distanciation radicale avec cette affaire ; Michelle, désormais éprise de lui, s'est trompée en trouvant, en lui, le double posthume de PXM. Alain S. se charge de la désenchanter à tel point (et y mettant tant de rancœur), que Michelle, subjuguée, attribue cette «invention», y reconnaît — à sa cruauté — l'ombre fantômale de PXM ; si elle avait douté de la véracité de cette imposture, elle en aurait éprouvé quelque sécurité. Au contraire, elle a peur intensément de son beau-frère, ou plutôt de son « pseudo-beau-frère ». Ainsi, le roman sur lequel elle avait débouché (2ème récit) est pulvérisé par l'intrusion de cette réalité horrifiante pour elle. Toutes les hypothèses imaginées par Michelle sont — brutalement — caduques. Rien n'a de sens depuis la révélation qui vient d'être faite.

> ÉVÉNEMENT INSU : La chute de Michelle (consécutive à l'accumulation qui précède) survient, frappe Alain S. comme s'il en était l'auteur. Puis, étalage de lettres inédites de Joan. Une, surtout, le retient par son intensité et sa démesure : elle est adressée à PXM, mise à la poste de Londres (GB), datée du 1er janvier 62. Après avoir lu cette lettre, Alain S. prend l'initiative d'écrire à Michelle une lettre où il se laisse aller complètement : comme contrepoint aux commentaires délirants de Michelle, il se sert de la grille de Villerège (contre celle du Saint-James Park). En cours d'écriture, Alain S. avoue qu'il lui a sûrement menti quand il a raconté les anecdotes concernant son identité de « pseudo-beau-frère »... La vérité lui confère un halo de gloire et de mystère ; en effet, il révèle à Michelle qu'il n'est nul autre que PXM, son propre frère et celui que Michelle aimait ! Troublante révélation...

TROISIÈME RÉCIT : (Temps final)
(POST-SCRIPTUM)
Cher lecteur, je meurs d'être un autre, plus vrai et plus lamentable que tous ces personnages de mes romans inachevés. Je suis nul autre qu'Hubert Aquin. Cet auteur — mis à nu — tente vainement de faire résonner toutes ces correspondances imaginaires, tout au long de cette nuit blanche ... Dépothéose [*sic*] finale.

le 29 octobre 1962

(Recopié le 7 février 1972)

NOTES (le 2 mars 1972) :

1) J'ai été surpris de constater que ce plan (le tout premier) de *Trou de mémoire* a été fait à l'automne 1962.
2) Ce qui m'a le plus impressionné, toutefois, c'est sa grande complexité, la profusion de ses indications propres à me servir tout au cours de sa composition.
3) Ce plan, si détaillé et si soigné, ne semblerait pas — au lecteur de *Trou de mémoire* — constituer le germe du roman dont il n'a été qu'un point de départ. Cela, parce que la complexité du roman ne recoupe que très rarement celle du roman publié dans les premiers jours de l'année 1968.

2. Les «Deux Cahiers»

Le troisième avant-texte de *Trou de mémoire* est le plus important quant à son envergure et à ses rapports avec le texte final. Il s'agit de deux cahiers intitulés « Cahier II » et « Deuxième Cahier (Roman III) ». Au début de chaque cahier, il y a une série de dates : le premier commence le 7 octobre 1962 et le deuxième, le 16 octobre de la même année.

On remarquera qu'au début de « Cahier II », Aquin fait un commentaire à propos des parties égarées du manuscrit. Ce commentaire demeure toutefois énigmatique. Il s'agit peut-être d'un plan perdu auquel Aquin a fait allusion lors d'une entrevue avec Anne Gagnon:

> J'avais perdu le plan de *Trou de mémoire* et cela m'a obligé à une performance absolument épuisante. Lorsque j'ai perdu le plan, j'étais déjà bien avancé dans la rédaction et je dois dire qu'une fois le livre bien avancé, j'oublie le reste du plan, je ne me casse pas la tête, je sais que tout est pensé. Au moment où j'ai perdu le plan j'avais malheureusement oublié la fin ; c'était trop compliqué. J'ai dû en reformuler un. J'en ai refait deux ou trois je crois, c'est-à-dire des plans qui changeaient, des versions possibles, avec des variantes. («Hubert Aquin et le jeu de l'écriture», *Voix et images*, vol. 1, nº 1, sept. 1975, p. 7)

Nos interventions sur ce manuscrit (écrit à la main) se limitent à la correction des coquilles et des erreurs d'orthographe. Nous avons respecté les ratures de l'auteur sauf dans les cas où les mots raturés sont nécessaires au sens du texte. Les passages biffés, qui ont plus d'une phrase sont reconstitués entre crochets [ ]; le sigle ‹*ill.*› indique un élément illisible et ‹ › indique une difficulté de déchiffrement. Signalons enfin que les notes en bas de page font partie du texte d'Aquin.

CAHIER II

Écrit le 7 oct 1962	(24 avril)	
8 oct	1er juin	
12 oct	29 sept	
16 oct	31 déc	tome III

Faire une nouvelle avec ce cahier — si je ne retrouve pas les autres parties (égarées) du roman!

10 nov.

CHAPITRE*

Le collapsus circulatoire est décidément intense : je collapse depuis tout à l'heure. Ma fatigue vient moins du circuit sanguin que je parcours en un laptime imbattable, mais de chaque coup de frein que je m'impose pour ne pas éclore tout à fait, pour ne pas quitter la piste trop étroite, la veine glissante et circulaire sur laquelle je roule. Ce scotch ‹ collapsiraire › me fera du bien. Il freinera pour moi

---

* l'écriture dilatée et confuse à partir de ce moment semble indiquer que PX Magnant a fait une longue pause avant de reprendre son récit.

la machine anxiogène que je conduis non pas comme Stirling Moss mais comme un pauvre dare devil. Je n'ai pas téléphoné, je n'ai pas encore épuisé la force gaspillante qui m'habite — et seule la ligne cursive de mon écriture sur cet agenda (me voici au 19 juillet 1963) aux armes de Leacock, Leacock and French me retient de déraper scandaleusement ; mais cette cursivité même ne correspond pas au gaspillage vital que j'appelle : les souvenirs informes que je vérifie sur les pages de l'année qui vient me fuient avant que je les capture avec mon lasso graphique. Vienne l'analgésique déprimant qui me sauve de ces frustrations intolérables qui font de moi un écrivain secret qui courre [*sic*] après son propre récit comme Sherlock Holmes après l'ombre inaliénable de ses assassins. Quand je pense qu'à dix-neuf ans j'ai écrit des sonnets pour une folle et, pharmacien déjà sous tant d'aspects, je me croyais condamné à l'être, moi le poète philosophal que les carbures ravissaient déjà à sa vocation réelle. Quelle folie. La vocation est un absolu conditionnel que toutes les réussites altèrent, et plus grande est la vocation, plus vague sa définition et aussi plus petits tous les succédanés qu'on en accepte. Je n'ai pas de vocation, pas plus que l'homme n'a de nature. Je vis, pharmacien modèle, une vocation double: à vingt ans quand je vendais des gelées vaginales aux riches clients de Westmount entre 6 et dix heures tous les soirs, j'avais le temps, entre deux clients, de mémoriser mon ‹ Larose › et aussitôt fait, de dévorer les pocket books américains que toute pharmacie digne de ce nom se doit de vendre. Certains soirs, au lieu de lire un Mickey Spillane, je prenais le téléphone et tenais, par cette arme ubique, mon ennemie en joue pendant des heures, lui imposant même les conversations de comptoir avec mes clients. Exécuter quelques savantes formules pour des clients trop rares m'était un tel besoin que j'en inventais, par la parole et à distance, pour des partenaires complaisantes que j'abreuvais ainsi de mélanges. La politique, obsession surajoutée aux autres, me prouve que, pharmacien total, je rêve de provoquer des réactions dans un corps malade : je rêve de m'introduire en lui, sulfate ou soluble, pour influencer par mon action sa transformation / regénérescence. Pharmacien, je sais tout : aucune profession ne peut se comparer à mon travail qui, sans nul doute, découle des anciens alchimistes. Que le pharmacien soit révolutionnaire, qu'il fonde un GPRA ou écrive des romans pornographiques ou des purs poèmes ; qu'il erre dans les rues de Londres en 1890 pour flairer l'odeur de la belladone sur la bouche d'un mort, qu'il transforme sa propre vie ou celle de son pays, qu'il opère selon une formule continue : il transforme, dilate, relâche, agent secret ou vasoconstricteur il calme ou révulse, excite, déprime, il agit sur chaque cellule ou sur le corps tout entier, non pas parce qu'il veut en tirer du profit d'abord, mais parce que son mode d'être est cette action continuelle, multiple, alchimique sur ce qui vit le plus à ses yeux. Ce qui caractérise le pharmacien est une sorte de fascination inavouable pour une action incessante sur l'être philosophal : peu sensible aux définitions (qui postulent l'arrêt de l'objet défini), le pharmacien ne pense qu'à inventer une nouvelle poudre cristalline blanche peu soluble dans l'eau dont l'administration savante rivalisera avec le début ou la fin d'une existence — formule secrète, sur ordonnance seulement, dont le mode d'emploi préfigure l'action révolutionnaire. Le vrai pharmacien ne possède rien, il transforme — et c'est l'ironie sans doute, qui veut que dans les nations prérévolutionnaires le recrutement des pharmaciens soit surabondant et celui des hommes d'affaires à la baisse. Le pharmacien veut déjà ce que l'Église interdit, ce que la loi combat — ce qui compte, la dragée philosophale instantanée — retard dont se meurt l'homme assoiffé, humilié, appauvri. Joan ne pouvait comprendre pourquoi je me désintéressais tant de ses recherches en microbiologie et que seules certaines hypothèses de travail (réductibles à une formule) pouvaient me retenir. La dernière hypothèse, atropine animale avec sédation lente des centres nerveux et élimination par les centres végétatifs en moins de 24 heures, m'a beaucoup impressionné. Pendant des week-ends complets, au lieu de l'entraîner vers l'autoroute du nord, j'ai forcé Joan à m'initier à son hypothèse de travail et je me rappelle avec quelle joie elle a rempli le fond d'une éprouvette de son mélange déliquescent (extrait du liquide anté-cervical du rat de Suède, ‹ sang › immunisé de polio...) que je l'ai forcée à administrer, par voie intra-veineuse, à un singe. L'effet magique n'a pas tardé et, après des cris stridents qui ont fait se blottir Joan dans mes bras, nous avons fait l'amour tout près de la cage où le pauvre cobaye gisait, convulsé à jamais, tandis que nous, convulsés pour un temps que la science ne peut pas tellement allonger, donnions une image fugace de notre deuil. Le fond de l'éprouvette, qui contenait quelques gouttes seulement du châtiment liquide, j'ai pris soin de le verser dans un pot fermé que je glissai dans ma poche pendant que Joan refaisait son maquillage devant la glace suspendue tout près des rats. Jamais, je crois, jamais je n'ai aimé quelqu'un comme j'ai aimé Joan, et le frisson posthume que je tire soudain de son évocation m'en fournit une preuve superflue. Joan m'excitait profondément et, quand je découvrais soudain son action sur moi, cela était fulgurant, et comme si rien n'avait préparé cette congestion vénérienne qui m'éblouissait, je devenais sans transition réconcilié avec tout ce qui m'avait paru lointain. Joan, Iahvé qui me terrassait, chute heureuse, me permettait de la voir, moi, l'aveugle, saint Paul converti, qui ne voyais qu'elle depuis des semaines, ou des mois. Ainsi, d'éblouissement en éblouissement, vaincu mille fois dans ce laboratoire aveugle, j'ai connu les nombreuses transformations de l'amour et en retour, j'ai fait subir à ma sœur la seule transformation organique qui interdit l'accoutumance. Point mort. Si la carburation amphétaminique ne m'agitait encore (mais déjà mon scotch analgésique combat cet effet), je me sentirais affreusement seul, au point mort, dont mon discours est le contraire vital sans quoi (et faute de psychotonique), je chercherais en vain des raisons de vivre. Sherlock Homes voulait se suicider et, par une addiction à la cocaïne, il a réussi à se tenir en vie. C'est étrange comme on oublie cela : et tous les romans policiers modernes nous présentent des sous produits domestiques de ce grand homme dont le seul stimulant réel était l'odeur du crime et qui, privé de ce musc opiacé, avait recours aux grands moyens (citer en anglais le passage de Étude en rouge). L'homme qui a inventé le crime parfait, Sherlock Holmes, l'a aussitôt rendu imparfait. Et les polygraphes modernes qui le continuent ne s'aperçoivent pas qu'ils dérivent, mais de loin, de leur archétype. L'obsession funèbre qui a fait Sherlock Holmes l'égal, alchimiste, de ceux qu'il poursuivait, ne jouait plus chez Agatha Christie, ni chez Spillane. Le crime au départ est frappé d'imperfection et sa mesure ne saurait dépasser celle de Poirot ou Maigret qui l'encerclent de leurs raisonnements. Sherlock Holmes, contrairement à tous nos inspecteurs mariés et domestiqués, était capable d'être l'auteur des crimes qu'il démontait. Au 221b Baker Street, je me suis arrêté l'autre hiver, dans une promenade avec Joan, et là j'ai eu le sentiment que j'étais au centre même — à la porte — de ma vie. Holmes, pharmacien posthume, a inventé la pharmacie posthume : il hantait les laboratoires de Charing Cross et battait les macchabées à coups de ‹ canne ›. Voilà mon homme, ancêtre victorien dont je voudrais tirer mon hérédité coloniale ! (tous les romans sont policiers, c'est l'évidence même — et je ne peux ouvrir un livre sans y chercher la silhouette de ce cocaïnomane de Baker Street, ni l'ombre criminelle qu'il projette sur toutes les pages blanches de la fiction. On a tort d'enseigner l'histoire litt. selon la chronologie : elle commence au crime parfait — de la même façon que l'enquête alchimique de Sherlock Holmes débute, infailliblement, à partir d'un cadavre trouvé par un policier irlandais qui faisait la ronde de nuit. Si on tente de comprendre Dante sans avoir mesuré Sherlock Holmes, on fait fausse route ! On invertit les séquences d'un film unilatéral dont le centre ne peut reposer que dans le crime, acte central qui, paradoxalement, une fois perpétré agit sur une seconde chaîne de dérivés. Chimie au second degré, l'obsession du crime est le dépassement de l'alchimie : car ce qui est fini transforme et le cadavre, impliqué dans le processus mortuaire, devient la cocaïne qui permet l'idéation euphorisante. Les romans policiers, et Dieu sait que j'en ai avalé derrière les comptoirs chargés d'antihistaminiques, expriment, sous des airs de réalisme, une croyance obscure en la vitalité des morts. Les assassinés du Moyen Âge ; les nôtres, ceux qui encombrent nos romans mortuaires ne reviennent pas : ils précipitent la vie et parfois les morts [*sic*] des survivants. Si je cherche à comprendre pourquoi j'ai emmené Joan à Londres et pourquoi nous avons été si malheureux dans cet hôtel splendide, c'est que je retrouvais là non pas ‹ *ill.* › la seule ville que ‹ *ill.* › mon subconscient politique, mais aussi la seule ville où, frôlant le crime, je retrouvais mon identité véritable. Les ombres londoniennes qui me hantaient, les visages déjà vus, les assassins dont je me sentais entouré étaient autant de reflets de mon visage enfin nu. J'ai tué. Joan immobile, preuve de mon action agit sournoisement : elle commence une seconde carrière, occulte et indéfinie. Life begins at forty, erreur : la vie commence au crime, la vie du criminel bien sûr mais aussi la vie de son partenaire funéraire. Vivante, je me débarrassais aisément d'elle : en une heure, j'alternais de la passion qu'elle me faisait connaître à l'oubli ingrat. Maintenant, j'ai peine à me débarrasser d'elle et j'en viens à me demander si, avec son cadavre sur les bras, mon obsession, ainsi localisée, ne serait pas pour ainsi dire absorbée par un problème strictement concret. Mon crime parfait me lie désormais à Joan dont j'ai voulu, me dirait un juge, me débarrasser. Né au crime, je me trouve condamné à agir selon la loi de concurrence qui régit nos projets. Comment échapper à ce progrès ? Comment pourrais-je retourner à Michelle pour la tromper seulement ou exhorter mon public du 21 à la révolution sans leur tenir le langage du crime ? La révolution, cela je le vois pour la première fois, est un crime, rien d'autre. Le reste, je pense à toutes les concessions et aux compromis douteux, relève de la légalité dont la transgression, pour être véritable, doit être totale. Le crime, l'acte a-social par excellence, se trouve le fondement même de toute société : son interdiction crée l'ordre, de la même façon que la légitimité d'un régime politique ne peut se fonder que sur la conjuration de son renversement. Le crime innerve ainsi les bienséances qui font les villes et provoquent la recrudescence de ce qu'elles combattent. De là à dire que le crime révolutionnaire surgit parce qu'il est redouté par une légitimité intraitable... Peut-on imaginer de légitimité qui soit autre chose que la non-révolution ? de morale sociale qui soit autre chose que l'envers du crime ? Maintenant que Joan, mon premier amour, témoigne froidement de mon crime, j'ai la certitude que je suis parvenu à un autre niveau de vie et que, préparé à cela par une soif déraisonnée de tout transformer, je ne puis qu'agir en récidiviste et tendre toute situation dans laquelle je me trouverai au point qu'elle éclate. Envenimer, gâcher, saboter (éviter surtout les amendements à la légitimité ou les preuves d'amour !) voilà l'action convulsive à laquelle je me voue pour toujours ou pour un temps, peu importe, car le crime exècre tout progrès : le temps n'y fait rien, non plus qu'à la révolution. Les révolutions ne se préparent pas comme des textes de loi : elles sont, à la limite, préméditées de la même façon que, pendant des semaines, j'ai soigneusement préparé mon hypersédatif et l'action que, par voie de procuration, j'ai exercée pendant une heure ou deux aux épicentres nerveux et aux points de contrôle du grand sympathique du corps impénétrable et doux que j'ai pris sous les espèces d'un soluble et que j'ai habité enfin, aquatile enfin comme l'eau corporelle de Joan, eau morte désormais où des électrodes nous révèleraient des vagues encéphaliques dues aux effets secondaires imprévus ou à cette continuation de la vie végétative alors même que la mort certaine a remplacé les pulsations du cœur. Les grands courts-circuits sanguins de notre dernière étreinte accomplie dans le sursis prévu par mon médicament ne reproduira plus jamais sur ce corps possédé quelques minutes seulement avant la fuite absolue. Elle m'a dit, quand nous nous sommes étendus sur le parquet, devant la galerie des sinanthropes avortés, elle m'a dit en anglais... Pierre, each time we make love, I feel I will never walk again out in the streets. Tu ne peux pas savoir mon amour (j'entends encore son français syncopé et la façon dont elle réinventait l'accent tonique), tu ne peux pas savoir. Why do I feel this way, why. So you sleep (Mais non je ne dormais pas, elle l'a bien vu ; je ne dormais pas, j'étais de garde — sentinelle entre deux rivages qui allaient bientôt se confondre en Joan, je guettais les signes de la sédation, l'approche du sommeil dont elle m'accusait et qui annulerait d'un instant à l'autre ma compagne apaisée déjà mortuaire. Sleep et by a sleep of death to shuffle off this mortal coil (Belles-Lettres, 1947, Brébeuf). Pierre dear, each time, each time now I feel I will not live afterwards and find no sense in my life. What am I doing, what have I done ? I mean... even you, yes even you have lost confidence in me. So you love me still I mean (Ce I mean si particulier aux Canadiens anglais revenait à une fréquence accélérée ‹ *ill.* ›. I mean ... et pourtant l'insensé ne meane rien ; les premières manœuvres de mes agents secrets faisaient désirer à Joan une signification qui, précisément, fuyait de plus en plus. I mean, do you love me. Why don't we live together, why don't we fly once and for all far away from Montreal. I loathe Montreal. You must understand me. You know what I mean... Montreal or whatever city where I stay with my family and when every day I come in a lab. Pierre... Maybe it's because I'm tired, oh yes, tired because of you love, but do we have enough cash money to take a jet. Nigeria is surely ‹damp› — but Roslyn came to live there and three years have passed. You know, her last letter made me sick, yes sick of being in this poor lab where ... (Roslyn, sa sœur infirmière, au King Edward hospital de cette ancienne colonie). Lagos you know is a Portuguese name for lagoon — lagune comme tu dis toi avec tes lèvres sinueuses. Dis-moi lagune encore... (je l'ai dit : elle a ri comme une enfant et m'a embrassé sur les lèvres) Christ de calisse (accent canadien) avec tous nos diplômes on pourrait make a living in Lagos. Work anywhere in a hospital or even in the brousse mon beau sauvage, mais tu me tromperais avec les négresses ! (Elle disait cela en m'embrassant) But still, if you have to deceit [*sic*] me, why should I care for the skin or the shape of the skull of my rivales [*sic*] ? (Elle rit elle-même de sa trouvaille, tandis que moi, couché côté cœur, je la voyais de profil tout près de moi et, mot à mot, je suivais dans sa confidence la cristallisation de mon ordonnance euthanasique. « Monsieur mon passé voulez-vous passer (elle mélodiait les mots absents) ... refaire la vie ? » Tu te souviens, quand tu m'as fait entendre le disque I cried like a little girl. But I am dying of my life. Je veux refaire ma vie Pierre, together, I mean... Let's start anew nowhere, in a city absolutely unknown, would not it be wonderful. All I know of Lagos, I have gathered from a post card from Roslyn : the long bay, ships from all continents floating there, and the rest : something which seems to me ‹ know › as ‹ knew › as Dorchester Street. I don't mind about the heat you know... et ta neige canadienne-française (elle rit, moi aussi). You could live without it maybe. (J'ai dit oui avec un sourire peut-être ; chose certaine, ma tristesse commençait déjà, ma solitude je veux dire — non pas cette tristesse post coïtum, celle étrange de me sentir sur un quai solide et d'imaginer Joan sur un train qui, après m'avoir fait imaginer que le quai s'ébranlait, me prouve que c'est lui qui s'en va, elle Joan passagère unique de ce convoi funèbre que rien ma foi, l'aurais-je soudainement désiré, m'aurait permis d'arrêter dans son élan.) Lagos, yes Lagos, Pierre somewhere deep in the Guinean Gulf of Guinea, ailleurs mon amour ailleurs et sous les tropiques, loin d'ici, far away from all this dying lab. (Y a-t-il des singes dans l'hinterland de Lagos des singes comme ceux qui nous observaient avec la jouissance odieuse des pauvres qui regardent l'étreinte des riches et surtout l'épuisement qui la suit. Joan avait déjà recouvert son ventre et ses cuisses de la chienne immaculée d'une blancheur qu'elle n'aurait sûrement pas imaginé offensante en pays noir. Les médecins nigériens porteront-ils un jour, fût [*sic*] par chauvinisme, la chienne noire pour bien marquer la distance qui les sépare des rats blancs qu'ils étudieront ?) Lagos. Yes Pierre. Why don't you take me away with you. Let us fly. I cannot go back in downtown Montreal anymore. Maybe... Maybe I say that because I am beginning a nervous « b » or because, would say professor von Blank, I am suject to the lunar cycle of [*sic*] that imprisons all women. But no, I have two weeks still before mes règles. Alors, je suis folle tout simplement. Ne m'écoute pas Dear, je déraisonne — avec ou sans accent Pierre, est-ce qu'on dé raisonne ou on de raisonne... Il y a sûrement l'accent. Aigu, aigu, aigu. What am I going to do if you don't want to go to Lagos ? Kill myself — Nonsense, pure nonsense. Stay here and meet you when you wish to and absorb a fantastic quantity of french canadian habitant poison, so that I become like you a sauveur de race. But Lagos Pierre Lagos je te jure Lagos ou Accra c'est notre chance. Partons au plus vite avant que nous ayons les talons asphalted in the street ! Lagos or Accra or ou tu veux : et je veux bien te promettre de parler français toute ma vie, si tu m'emmènes, ou swahili je ne sais plus quelle langue on parle au bord de la mer, dans la baie du Benin ou comment dis-tu dans la boucle du Low Niger. Ici j'ai peur de mourir. Life kills me and I am afraid that you stop loving me.

You know when you brought me in this room at the Windsor — after your speech before the ‹ séparatistes ›. I had the feeling that you could love me or kill me... I mean that each attitude seemed to me terribly logic that afternoon. Why do you love me. I am thirsty, and not so beautiful when I compare my breast don't look to that of Sophia Loren and what more [*sic*], I am stupidly sous-douée dans mes leçons de français ! Pourquoi m'aimes-tu Pierre, pourquoi... (Il m'a semblé qu'elle n'avait même pas la force de tourner la tête vers moi pour lire dans mon visage la réponse que je taisais). According to Roslyn, the Nigerian pound is a sound money. You know she makes a pretty good salary there. And she has servants, air conditioning... Let's die in Lagos instead of living in those sad british north american and royal canadian walls, Pierre, tu te souviens de Granby, je ne sais pas pourquoi je pense à Granby tout d'un coup. C'était quoi le nom du motel ? Tu t'en souviens ? Le motel du Lac. Oui, Motel du Lac, mais y a-t-il un lac à Granby ? Non, nous ne l'avons pas vu en tout cas... Why was I so happy that night. We even forgot to turn off the TV set and we are still hearing the voice of Monique Miller (Non, je sais, il faut dire Millère) une pièce italienne où tous les personnages seraient partis pour Lagos, s'ils avaient eu l'argent en poche... Nous aussi, Pierre. 565 M L Niamey Lagos, c'est ce que Roslyn a payé, how much could it be by jet Montreal London Lagos ? 7 or 8 hundred. It cannot be much more, if we paid 360 hors saison pour Londres. Cette nuit quand tu es revenu tard du congrès, tu sais, tu m'as fait peur... Et sur le Mall, alors que j'étais frozen to death, tu m'as caressée comme un enfant, mon amour. Partons. Londres est surpeuplé et tu ne supporterais pas la brume. À Lagos, nous serons plus heureux qu'à Londres l'an dernier, plus follement heureux que je l'ai été moi appuyée sur la grille du St. James Park et nous l'avons été dans notre chambre jaune chaque nuit jusqu'à notre départ, tu te souviens. C'est moi qui vais dormir, Pierre. Je suis morte, mon amour, me permets [*sic*] de dormir... ; quand je m'éveillerai, je ne veux pas te voir habillé dear. Please let me sleep. I am dying as if I had been through London nights and nights walking with you and freezing. Let's go before winter comes. Avant la neige Pierre soyons couchés dans notre appartement à Lagos. Sur la carte postale, il y avait des arbres, oui des arbres et la promenade sur le bord de la mer mais ce n'est pas la mer. Une sleepy, sleepy lagoon. Will I sleep like this in Lagos. Pierre, you choke me, you choke me Pierre. (La distance entre Joan et moi allait s'augmentant selon une préméditation savante qui échappait à mon contrôle). « Je vous étrange » a dit le poète, qui je ne sais pas. Oui, je vous étrange, ma belle étrangère étendue dans sa chienne pure, ma dernière caresse — aliénation subtile — est tellement simple que peu de gens y auraient pensé. Étranglement c'est beaucoup dire alors que j'ai simplement étrangé, de ma main droite, l'inconnue de Lagos, passagère voilée de mes vaisseaux fantômes, anglaise décantée, fugace

— fugace à tel point que justement j'ai posé ma main, comme un scellé de la Reine, sur son eveloppe barbituée de l'intérieur. Le nombre de suicides ratés aux barbiturates vous oblige à prendre des précautions, presque méticuleuses, avec l'index et le pouce et sans faire une pression capable de laisser un hématome léger (discernable à un dit Sherlock Holmes). J'ai bouché son nez et j'ai posé doucement ma main droite sur la bouche du Niger qu'elle appelait en vain quelques secondes avant. Jamais caresse ne fut plus douce, ni moins pressante. Jamais, non plus, strangulation ne fut plus près d'un geste de vénération. Pourtant, de cette façon, stoppant pendant de longues secondes l'inhalation de Joan, j'ai donné à son corps déjà désâmé par l'action anesthésique de mon remède à chaîne ouverte l'air d'avoir rendu son dernier souffle en l'empêchant, mais si doucement, de le rendre. La certitude que la plus forte dose imaginable de barbiturique ne peut donner, je l'ai trouvée dans cette dernière étreinte qui, de par l'attouchement de la zone buccale provoqua mon désir et, aussitôt, rendait son objet inapte à y répondre. Ainsi, étranglante d'abord ou, pour déformer le poète, étrangère d'abord, mon geste est devenu infiniment funéraire [*sic*]. Lagos inaccessible est devenue, l'espace d'un baiser, la ville tue, capitale humide du pays où Joan ne refera pas sa vie. Moi qui ai tant de fois entendu Joan me parler de Lagos et des charmes sordides que sa sœur Roslyn y découvrait à £ 60 pounds/guinées par semaine gagnés à surveiller de la peau blanche,

Lagos qui ne m'a jamais dit plus que toutes les capitales que visite la reine Elizabeth II, soudain m'attire, bouche au fond du Golfe de Guinée, vulve masquée dont l'entrée me convoie à la mort parfaite que Bougainville a trouvée, un jour de conquête, après avoir cherché en vain la bouche d'un grand fleuve dont il avait été, une fois en sens inverse déjà, ‹ *ill.* › du courant. Ce qui est dit est dit. Bougainville debout dans les sables mouvants d'une bouche fermée, c'est moi. (C'était devant la lèvre noire de Lagos où Joan, blanche blonde, voulait m'entraîner avant que ne l'entraîne, mais dans le sens du courant, la mort savante et ambiguë que je lui avais préparée la nuit dernière. J'aurais dû, au lieu de lire des pocket books dans la langue étrangère par excellence qui est ma langue seconde — celle que parlent les Irlandais, ces doubles conquis — oui, au lieu de m'emplir le cerveau de ces whodonit, j'aurais mieux fait de lire Bossuet (passé de mode peut-être, et confessionnel !) ou des manuels de stylistique... Ce soir, injecté de mon sang rejailli sans cesse et affluant par toutes mes veines dans le Niger interminable qui ne peut s'agrandir qu'en disparaissant !, au lieu de divaguer, j'écrirais un chapitre immortel de l'histoire du Canada. Un discours que, dans vingt ans, les pauvres étudiants de nos collèges apprendront par cœur comme j'ai mémorisé à 12 ans celui que Bourassa a improvisé sous les voûtes boisées de l'église Notre-Dame pour défendre la langue française devant un évêque irlandais. Oui j'écrirais, mais

Sainte hostie, métylpropylphénol, cher cœur de Jésus dont le myocarde s'est infarcté avant même que le glaive romain ne vienne l'hémorragier. Je ne suis pas un écrivain et nulle formule hydroxyle ne peut [moi, pharmacien parfait (par analogie ou homologie avec crime parfait)], me transformer, en un soir, en prophète lyrique d'une nation muette dont la civilisation même date d'avant l'écriture. Au Canada français, écrire autre chose qu'une ordonnance émolliente ce n'est pas sérieux : la preuve, la preuve oui en serait l'importance grandissante de notre littérature de notaires de notre [*sic*] propres yeux étonnés si elle ne trouvait une évidence plus grande dans le nombre inflationnaire de ses *styles*, ses parlers aussi qu'ils inventent sans cesse en remontant de plus en plus loin dans le temps. Comme si l'un d'eux, authentique enfin, allait redonner aux Canadiens français qui ont introduit la morale dans le langage (le bon parler français versus le joual) une assurance linguistique qu'ils n'ont jamais eue — n'en suis-je pas l'exemple clef ? — et recherchent d'autant plus ! À 10 ans, je parlais style jardin d'enfance, à 11 je sacrais comme un ancêtre ; à 15-16 ans, je mettais une imagination scientifique à blasphémer, je câlissais ma tête contre les murs en mal de trouver un accent désaintciboirisé, je m'extasiais même devant les chars de christ six par banc et les pissettes de papes tranchées en hosties pour donner la communion aux fifis... Les jeunes filles de bonne famille que j'ai poursuivies comme ‹ *ill.* › The Knife, les christ de vierges ou agace !, m'ont obligé à châtier mon langage, à me châtrer de mon identité — la seule, à vrai dire, qui soit accordée au pauvre Canadien français, puni en naissant de parler sa langue, condamné à la parler mal sans plaisir ou à la parler trop bien avec mauvaise conscience, battu sur tous les fronts, battu d'avance parce que cela était écrit ! Et pourtant, me dis-je, même « cinte » notre débilitation verbale a-t-elle traversé le mur du son. Redébut. Je parle trop bien pour inventer un dialecte, trop mal pour m'écouter. Pas parlable, illisible, je me sens soudain devant un état collectif que nul produit de Leacock, Leacock et French (celui-là, je le retiens !) ne peut combattre ni même enrayer les symptômes de ! C'est vrai que la Conquête n'a pas eu lieu (dixit père Lévesque après John A. MacDonald, ce beau ciboire !). Le Canada français a été victime, tout au plus, d'un double sens et des ruines de la guerre sur le sol de mon pays maudit, je n'en vois point car elles sont verbales, rien de plus. Words words words voilà nos morts, fils morts pour la langue maternelle, bâtards hostiaques, petits monstres thalidomidiens qui sortent tous les jours de nos bouches autochtones. Mais voilà, j'ai mauvaise bouche, ma langue a mauvaise haleine, mon parler sent la tonne. Sa majesté la langue française n'est qu'un pot de listerine, produit fort en vogue à Westmount et qui, selon toute vraisemblance, n'est utilisé dans l'est de Montréal que par les homosexuels ou les grands cochons érotiques! Le bon parler sent mauvais ici, il a l'haleine impropre de la fierté nationale. Qu'importe si j'ai tort, puisque j'ai raison. Et que le temps de l'écrire ralentit mon staccato chimique. Je me vois en ce moment écrire et suis attristé [conscient que la révolution ici aurait dû être écrite ! Hélas, elle ne l'a jamais été, ni par ceux qui comme l'auguste ‹ Thibodeau R › a travaillé 15 ans en vue de réformer le code civil qui n'intéresse personne et dont les lenteurs des ajustements donnent une triste idée de la précipitation de l'Histoire du Canada français* ni par vos inventeurs d'idiotismes savoureux, autant de parlers irréels d'un pays qui se tait ! Non, la révolution n'a pas été écrite, ni verbalisée, ni crissée au sommet, ni tabernaculée, mais blasphémée ! Les livres canadiens-français sont ennuyeux à mort et racontent des histoires de conquis qui se passent dans le nowhere où nous demeurons, et avec des mots aussi ‹ beaux › que des fous de bassan (fous mon œil !) ou le chant de l'« alouette ». Littérature des conventions pour un pays où seul le blasphème est parole.] Que ne deviens-je pas (fameuse cette tournure !) le blasphémophète national : le christalliseur de calvaires, l'abominable homme des rues de ma ville dont je n'entends que les imprécations tumultueuses et rythmées. Crossons tous nos ciboires de livres inédits, emplissons-les des mots sublimes qui retentissent dans les salles d'accouchées et que, près de Ghislaine** j'ai entendu avec ravisse-

---

* Très ‹ *ill.* › dans cette partie finale de son récit, PX Magnant a recours à des lettres initiales que nous avons pris la liberté de compléter.

** Seule allusion à la femme de P. X. Magnant.

ment sortir des bouches si closes de nos primipares. Ces congrès ininterrompus d'accouchées se déroulent toujours sous le signe du blasphème et, à bien y penser, ‹ comment › saluer mieux l'avènement d'un messie colonial qu'en ponctuant les douleurs de son enfantement par les seuls mots parfaits de notre langue maternelle ! Six chars de Christs en effet et six barges de viarges [*sic*] en douleurs ne peuvent se concilier / tolérer qu'en maudissant la naissance. Et par ce malthusianisme rétroactif, l'enfant est attendu comme un Christ, couvert d'avance de toutes les saintes interjections qui, dans nos bouches à langue maternelle, deviennent langage pur, incommunicable et dont notre littérature fait écho en euphémisant la graine de pape en viande à chien et le saint crème [*sic*] en sirop d'érable ou mieux, mais ce sont là des audaces trompeuses, en câline, tabac noir, tabarouette, ‹ *ill.* › (et même Christ-tophe Colomb ! ou cristal). En 1930, Ringuet a risqué un Christ, et l'on doit marquer d'une croix cette date qui, si jamais on fait le sacrament de révolution, aura été celle de son premier mot ! On fait une révolution avec des mots, cela ne fait aucun doute, et nous n'en avons pas, ou bien les rares qui pointent encore, dans les tavernes ou sur les lèvres de nos accouchées, nous avons besoin de la bière ou des contractions format 50 cents pour les dire, sans quoi les « ne blasphème pas » dont sont couverts les murs de notre split level national nous rappelleraient vite à la honte ! Un peuple qui se fait dire « ne blasphème pas » par toutes les ligues de Sacrés

Cœurs est un peuple humilié. Les mots sacrés profanent tous les autres et se créent ainsi une langue dissociée, dont le moteur verbal est constitué de blasphèmes (prières inverties) et d'un grand nombre de mots au sens figuré (le Canadien français ne parle jamais au sens propre) qui sont neutralisés, abandonnés comme tant de parties du corps éloignées des zones érogènes se trouvent désacrées. Le Canadien français qui, pour des raisons sociales, refuse le blasphème, se condamne à désacrer toute sa vie, à parler comme on marche et à considérer molle sa bouche — que nul cri ne durcit plus ! Si la révolution n'est pas un cri, elle n'est rien. Et ce cri étouffé dans notre gorge, comme dans ta gorge blanche, ma belle étrangère étranglée, ce cri inédit devait être blasphème noir, cri funèbre, mot juste et non le bégaiement atavique que je sténotypifie avec tristesse dans ces pages, pour masquer mon crime parfait, pour ne pas prononcer le cri parfait. Tu, ce cri l'a été

DEUXIÈME CAHIER

ROMAN III

mardi le 16 oct [1962] (20 février)
mercredi le 17 oct (4 mai)
vendredi 19 oct (1er juin)
samedi 20 oct (19 juillet)
dimanche 21 oct (24 oct)
lundi 22 oct

des millions de fois, tué dans toutes les gorges depuis que Papineau, après une fugue inachevée, est revenu, cri tu, s'asseoir sur les bancs d'une assemblée dont les pouvoirs mêmes et le bilinguisme lui criaient: « ne blasphème pas ! » Papineau est un ivrogne repentant. Il n'a pas prononcé le nom de Dieu en vain, il a crié en vain ! Quelle image tuante au possible que Papineau, député salarié de la reine Victoria, discutant dans une chambre mandatée pour tuer la révolution. Et il a supporté cela ; il ne faut pas lui en vouloir, c'est mon père fatigué rentrant après une journée de travail comme s'il avait raté sa révolution quotidienne. Moi aussi, je la rate et le cri impossible ne s'articule pas dans ma bouche obsédée par une désaliénation typique de toute confusion amphétaminique. Mesdames et Messieurs, je suis venu vous parler ici ce soir d'un sujet difficile à cerner, insaisissable, de cela même sans quoi nous mourrons et que, par un bégaiement vieux de deux siècles, je n'arrive pas à articuler, de cette essence chlorale qui, chlore mais autre chose encore que la chimie ne parvient pas à emprisonner en formules, se définit par l'impuissance qui me prend à la gorge — cher amour, où es-tu — à l'instant même, par l'impuissance dans laquelle je me trouve de la définir. Mesdames et messieurs, si j'arrête de parler qui définira ma mort, qui décrira ce que nous n'avons pu réaliser et que tout notre passé appelle. Qui dira que ce qui n'est pas dit ne sera pas fait et que notre drame précis, circonscrit par nul événement, est de ne rien dire sinon vous décrire ce drame interminable. La révolution dont les assises se tiennent aujourd'hui dans ce gymnase du MSL me fait l'effet d'un corps décharné que les trapèzes n'arrêtent plus et qui s'effondrerait, épuisé, dans ce lieu même de glorification du corps. De plus, ce gymnase est la propriété des FEL dont la propension à l'homosexualité est aussi connue que leur silence. Ils n'ont jamais blasphémé à moins que les pratiques solitaires qui les rongent ne leur arrachent, les soirs de pleine lune, des râles vite regrettés selon le ferme propos. Ce sont des tueurs de révolution, des tueurs solitaires engagés, par psychose narcissique, dans une circonvolution chrétienne que des esprits vulgaires décriaient comme un crossage infini. Tue la révolution de demain celui qui se la fait aujourd'hui, de même que moi — oui moi, domicilié à 221 b Baker Street — j'ai tué la révolution en étouffant un cri dans la gorge d'une belle anglaise. Auteur du crime parfait, comment puis-je maintenant me surpasser ? L'ambiguïté me direz-vous (circonstance atténuante) vient du fait que c'est un

Canadien anglais que j'ai étranglé hier soir, dans une chambre noire à Lagos, (dans le somptuaire humide du fleuve buccal), et pourtant cela est-il ambigu ou typique ? Qui devais-je tuer ? Qui était-il écrit que je tuerais dans cette chambre à singes ? Pourquoi l'ai-je tuée elle, ma partenaire parfaite et docile, qui n'a de suaire que sa chienne ? Je ne m'en souviens plus. Ou plutôt qu'importe puisque cet acte d'étouffement dit clairement ce qu'il veut dire : que moi, celui qui ai posé mes deux mains pour arrêter ce que mes médicaments [calmaient, de toute façon], avec une faible marge d'incertitude, j'ai étouffé, je suis donc l'ennemi du cri, le parfait Canadien français qui calfeutre toutes les fissures du réel et s'étonne toujours d'avoir survécu à son propre étranglement ! J'ai étouffé Joan — doucement je veux bien et c'est un CA, je vous le concède — mais cela compte-t-il puisqu'aujourd'hui — le 21 — est une journée étouffante ! Je me croyais né pour faire la révolution, je me présente devant vous comme l'auteur d'un acte qui, unique, ne peut être que symbolique. Je n'en peux plus de m'entendre dire tout ce que j'écris sans relire sur ce beau papier imperméable. Quelque chose se passe en moi. Je ne ‹ suis › plus ‹ ni › Joan ‹ ni › moi. Michelle m'a peut-être aimé. Mais j'ai mal mal. Il est tard. Si je prends 2 équanil, cela me calmera. Trois ne seront pas de trop pour tenir ce cheval noir qui me piétine avec une fougue insoutenable et dont la bave mouille mes lèvres. Joan je t'aime Joan Joan*.

---

* La page est couverte de Joan.

CHAPITRE

À Tottenham court road, oui c'est à Tottenham court road, sur le bar d'un pub où je mangeais un sandwich en buvant ma noire guinée. C'est là que j'ai écrit à Michelle quelques lignes pour en finir. Au cœur même de Londres aux après-midi interminables, à quelques yards de la lettre où Lord Byron écrit à sa sœur Augusta que leur fille est morte en Italie dans un couvent, quelques mois avant la campagne de Grèce. Mon cerveau, semblable déjà au portrait de Dorian Gray, traçait sur le papier incestueux les lignes fuyantes et ovales comme le corps de l'enfant morte. Je l'ai lue cette lettre et suis resté longtemps penché sur la vitrine où elle repose dépliée, dans son obscurité accessible, comme les mouchoirs de Marie Stuart, à tout sujet britannique. Quelques mois après, Byron mourait à Missolonghi, dans la baie de Corinthe, non pas dans un combat mais à la suite d'une crise d'épilepsie, quelques semaines seulement avant que le pays qu'il voulait libérer ne se libère enfin de son occupant. Byron, we shall never ‹ roam › again mon frère, mon semblable rencontré l'autre hiver sous les espèces d'une lettre d'amour funèbre à la sœur pour la fille presque reniée avant même que, sous le visage d'une patrie conquise, Byron ne campe avec son armée à Missolonghi et ne meure à l'étranger sur le sol archaïque de la patrie enfant, sur le haut des falaises qui montent la sentinelle face à la mer, à l'estuaire dont l'autre rivage est noir, mon amour Joan tu m'as appris tout cela d'un seul coup: qu'on pouvait abandonner son enfant mort pour l'inhumer et se tuer pour une patrie étrangère, mourir avant la lutte finale. Moi qui ne serai jamais Lord, qui n'ai rien entendu de Byron avant sinon qu'il avait un pied bot, une fois rendu à Tottenham court road, et pendant que tu visitais seul les métopes volées aux Grecs (avant la mort de Byron) par Lord Elgin, je me sentais soudain voué comme le poète, riche de guinées, oui voué à une mort épileptique dans les jours qui précéderaient l'indépendance du pays d'un autre peuple. Conquérant apatride, je me sentais aussi près de Byron par mon enfant morte l'autre hiver dans un hôpital de Toronto où Michelle l'avait cachée, hors de nos frontières réelles, pour la dépayser jusqu'à ce qu'elle rende son dernier souffle. Devant ma guinness, noir estuaire, j'ai écrit quelques mots à Michelle, quelques mots qui, formés par coïncidence comme les lettres mêmes de Byron, comme les jambes agitées de notre enfant, ne seront jamais exposées sous la vitrine du British Museum et que nul citoyen d'un pays conquis ne viendra déchiffrer en espion, comme si, au fond de ce message d'un frère à sa sœur interdite, se trouvait un message codé du libérateur de Missolonghi à un peuple étranger. Michelle mon amour tout est fini entre nous. Et A que je ne verrai jamais et dont le cercueil blanc opaque se rendra sans rien au cimetière catholique de la ville reine, aura été notre seul lien. Bon courage, je suis de tout cœur avec toi, Pierre. Je ne pouvais quand même pas sauter dans l'avion pour courir à l'enterrement d'Elizabeth née de père inconnu, morte, selon la mort naturelle, à l'âge de 3 ans au Children's Memorial sur le Tottenham court road à Toronto. Peu possible, impossible. Seul, dans ce bar comme je les aime, j'écrivais ma lettre morte, devant ma bière, mal attablé à ce bar boisé que je devais quitter pour voler vers Missolonghi avec mes mercenaires, mes guinées, et un pays à libérer de son épilepsie. Après avoir cacheté l'enveloppe, et l'avoir rehaussée de deux Elizabeth deux, j'ai dit une prière pour l'enfant de Toronto enfermée dans son étui blanc et dont je ne me rappelle plus ce soir, dans la narcolepsie qui s'empare de moi avant de livrer la grande bataille, que les jambes si rondes, le visage abandonné, si démuni, les robes bleu ciel que Michelle lui avait achetées, le collier si doux que je lui avais acheté à Ottawa l'année d'avant, au congrès qui s'était tenu au Lord Elgin, [couper : et où, une fois, j'avais couché avec ‹ *ill.* › frigide que mes inventions affolaient et ne calmaient pas ;] cher petit ruban qu'elle portait au cou et dont l'étreinte, si douce fût-elle, m'associe à la maladie innommable qui l'enleva à Toronto tandis que, dans cette profusion d'alibis, j'étais inscrit au St James Hôtel quand je reçus le télégramme de Michelle et assis tristement dans un bar de Tottenham court road quand, le jour même et quelques minutes après avoir décodé la lettre de Byron à sa sœur, j'ai écrit à ma sœur qui revenait voilée en taxi du cimetière catholique vers son appartement au 221 ‹ Mome › Crescent en bordure du cimetière des juifs portugais qui ont fait la splendeur de Lagos. Combien d'heures se sont déroulées alors que je multipliais les guinness amères, que Joan se penchait sur la maquette du Parthénon tel que le retrouvèrent les Grecs le jour de leur libération, avant que Michelle se réfugie calmement dans la cuisine de son bachelor's et calfeutre joyeusement toutes les fuites pour fuir sous le gaz carbonique du réseau libre de York Eglinton, fuir oui fuir, pauvre mère abandonnée à son anonymat, mais fuir quoi sinon l'enfant même qui l'avait fuie sous terre, mon enfant, fuir, mais fuir, Michelle. Tout ce gaz t'a retenue ici, je veux dire là-même, tout près du berceau désert, et de la copie que le messager du CNR est venu glisser sous ta porte et, avec une naïveté cruelle, a insisté pour le laisser ailleurs que devant la porte que tu avais soigneusement refermée sur ton visage immobile. Quand j'ai appris tout cela de ta bouche ressuscitée, à mon retour de Missolonghi, dans cet appartement que tu as choisi exprès pour que nous l'habitions, moi l'Inhabitant, je n'avais pas idée de ta douleur Michelle et ne pensais alors qu'à tes mains chaudes que je redécouvrais et qu'à ton visage ravagé et pourtant si beau, à ton corps négligé de grande déprimée, à ton corps que je rêvais de conquérir pour oublier, Michelle, celui de notre enfant blond comme toi qui reposait sous le sol étranger et à qui je n'avais pas fermé les yeux avant qu'elle parte, Michelle, viens à moi, viens à moi. Où es-tu ? Stanzas to Augusta. I have no heart to spare and expect none in return. 16 janvier 1814. L'amour n'inceste qu'une seule fois celui qu'il choisit et, après, le laisse en proie aux contrefaçons. Qui a aimé est sans cœur. Le bonheur, Michelle, ne peut se trouver que dans le crime, sans quoi il est le point mort de tous mes actes. Ma sœur, mon enfant, Augusta et toi cadavre innommable que nous avons enfanté, je n'ai plus de cœur ni le temps d'aimer. Le crime successif que j'ai commis m'a mithridatisé (comme ce soir je le suis autrement), nulle autre entreprise d'amour ne peut plus m'intéresser, il me faut donc inventer autre chose que l'amour, que nos après-midi clandestins au Motel Medora, aux heures que je volais à Leacock, L and F, et toi aux laboratoires Desprex, trouver d'autre visage à transfigurer que le visage immobile de Joan, d'autres seins blancs à palper doucement, d'autres âmes à enlever que celle de Joan, mon dernier amour qui m'a permis de réinventer le précédent dont il a été la traduction diachronique et infidèle en langue anglaise à Montréal, tandis que c'est à Toronto, mais l'apprenant à Tottenham court road, que j'ai commencé ma double mort par Augusta, morte au Children's, et dont Joan, que j'avais laissée au British Museum au-dessus du manuscrit de Byron, est la seconde mort, la morte qui repose à l'instant même au laborat. du Scott Memorial. L'amour, c'est fini. Maintenant, j'ai ce discours à prononcer, ce cri à lancer, cri neuf et puissant que personne n'attend de moi et qui sera, en période pacifiste, mon cri de guerre. Lassé de tout, je vogue vers la Céphalonie où Byron insulaire d'origine, retrouvant l'île étrangère, a rompu avec son île d'amour pour aborder le rivage, la côte de Missolonghi, puisque chaque île n'est qu'une base d'opération de la révolution. Il avait 36 ans quand il est mort, m'a dit Joan, à peine avant de mourir à son tour, femme, par mes calculs et pour nulle cause. Mort naturelle que celle de Joan, mort naturelle comme était naturel l'enfant de Michelle inhumée pendant que son père commençait une promenade, St James place, près de Joan. Un cortège sans pompe traversait Toronto, l'autre, non moins funèbre, longeait les murs humides et secrets du Humane Society, ceux du St James Club où in absentia Byron fut élu président du « Committee » pour la libération de la Grèce, puis finalement la grille absolue du parc royal qui sépare la ville du crime de ses souveraines, grille sérielle de lances sans porteurs, semblable à la grille du cimetière catholique de Toronto que traversait Michelle un matin qui était précisément la nuit où j'avais rendez-vous avec une enfant que ma main criminelle a ressuscitée pour que le corps de l'autre, sur lequel peut-être, une vague ressemblance morphologique avec le mien était décelable, descende plus vite dans la bouche géométrique que les fossoyeurs avaient découpée dans la terre pour l'aliment impur et étranger, ma fille. Marché noir entre tous que cette opération qui me couvrait de deuil et me la faisait trahir, morte contre vive, Elizabeth inconnue et reniée contre Joan enfantée. L'enfant enterrée ce matin-là, honteuse, l'imperméable double qui recréait la nuit que les lampadaires du Mall conjuraient en vain, morte l'autre année, tuée pour de bon hier soir, j'ai fini de l'enfanter, fini aussi de poursuivre son image pure. Oui, j'ai fini, hier soir, mon pèlerinage commencé l'autre hiver dans le cercueil transparent où repose le manuscrit de Byron et Augusta et dont la cérémonie finale s'est déroulée hier, sous les yeux globuleux de nos demi-sœurs, dans une solennité irréprochable. Après Missolonghi, que s'est-il passé en Grèce ? Une série logique d'événements où Byron n'avait que faire. Médiateur crucifié à temps par une convulsion — à une époque où les traités de pharmacologie devaient ressembler aux manuels des chamans — Byron qui n'a aimé Augusta que parce qu'elle n'était pas étrangère mourut pour la Grèce parce qu'elle était étrangère: la révolution appelée par les Lords du St James Club, Byron l'a vécue comme l'envers de son seul amour, comme l'antiphonie du seul nom qu'il ne pouvait prononcer. X Ici, il faut continuer.

Dose maximum 200 mg QUOAD VITAM en effet ! Ma pauvre dose me rend semblable à ces inculpés à qui on administre 100 mg pour que, flambant soudain, ils racontent tout l'aveu suprême, la vérité. Erreur, je le sens bien ce soir, car la vérité une fois parcourue, je continue de révolutionner dans le rouge (je rev à 6500 comme disait Gilles, l'homme à la Austin Healy) et je dérape, je gaspille, j'invente presque ce qui jamais, en dépit de mes accoutumances, ne m'a été redonné sous l'éclairage implacable d'en ce moment. Jamais je ne me suis vu ainsi. La vérité, si je m'adressais à quelque greffier endormi, il ne saurait plus par quel bout la saisir ni m'obliger à la lui répéter, car à chaque aveu, et si vrai soit-il, ma vie change, Joan se rembrunit, Michelle se délie, et jamais deux fois je ne puis refaire le même trajet entre la vitrine de Byron au British M. et le bar de TC Road, ni la route du vol 221 Londres Lagos au-dessus du désert du Sahel, du désert de la brousse annonciatrice de la vallée du Niger, ni le chemin qui m'est pourtant si familier depuis la chambre jaune du St James et les grilles du parc qui, d'évocation en évocation, passent de ma gauche à ma droite, si bien que le Buckingham Palace se trouve dans mon dos ou par-dessus l'épaule de Joan, la masse floue que j'aperçois en entendant à nouveau les gloussements de ma victime et le cri, le cri unique comme mon enfant enterrée que Joan a échappé tellement ma science répressive la faisait ressembler à la jeune fille honteuse que je n'ai jamais rencontrée, qu'Elizabeth n'aura pas eu le temps de devenir.

Chaque évocation transfigure ce qu'elle prétend rendre : et je me demande à quoi tient cette obsession de revenir, aussitôt que l'alcool ou le Dunkelschock agissent, de revenir, dis-je, sur les lieux du crime, sinon pour revivre plus parfaitement encore des instants que l'état de veille n'ont pu épuiser, connaître. [*sic*] Le seul postulat du roman policier dit que l'assassin aime revenir sur les lieux du crime. Mais si parfait soit-il aux yeux du policier aveugle dont le rôle est de ne pas le comprendre, le crime ne peut se parfaire vraiment que par une reconstitution que son auteur anonyme refait bien avant la police et longtemps après que l'affaire est classée. Le crime est un visage absolu aperçu furtivement dans le clair-obscur prénatal et qu'on recherche désespérément à réinventer dans toute la splendeur de sa première apparition. Que s'est-il passé au juste ? Qui est-elle ? Pourquoi hier soir et selon un rituel hermétique, ai-je mis fin aux jours de Joan que j'aime encore cela est évident ? Pourquoi ce geste que tous les jurys imaginables qualifieraient de prémédité et qui me mystifie encore plus parce qu'il est prémédité ? L'amphétamine, je note cela au passage, concentre le champ de mémoire du sujet si bien qu'à forte dose elle épuise le souvenir et fait me [*sic*] graviter autour d'un centre obscur selon une orbitation mnémogénitale. Cet effet, mentionné nulle part, je l'expérimente encore ce soir alors que je meus comme un astre faible autour du soleil éteint qui luit, flambant nu, dans la nuit protohistorique des singes et que Joan, épicentre elle-même d'une constellation plus ancienne me fait revenir sur moi-même et m'oblige à regarder un soleil second/centre lointain qui change selon ma course, comme l'astre rouge qui descend chaque soir dans le golfe de Guinée en créant à chaque seconde de sa chute un ciel nouveau et en gaspillant ses effets pour la sœur de Roslyn dont l'appartement donne sur la mer. Roslyn a-t-elle les beaux yeux tristes de Joan pour voir cette chute crépusculaire ? J'aurais dû aller à son send-off et ne pas déplaire à Joan, je saurais qui elle est, quelle parenté la relie à sa sœur, quelle alliance endogamique existe entre nous deux, désormais privés de Joan, entre ma belle-sœur et le soleil fatigué qu'elle regarde chaque soir revenir sur les lieux du crime et, dans une explosion mescaline, se coucher dans l'eau mémoriale du golfe de Guinée, se noyer, grande mère du crime et de l'enfantement où je descends moi aussi, suspendu par des poulies fragiles au-dessus de mon avenir nautile, par des poutres fragiles qui contrôlaient la descente du cercueil à Toronto. Mon cercueil mémoire prend l'eau. Je coule au large de la côte des esclaves selon l'orbite ellipsoïdale que je parcours comme un fou depuis tout à l'heure en couvrant cet agenda, déjà le 21 octobre de l'an prochain, des signes passagers, trompeurs, mots images derrière lesquels, par les sens vagues que je leur connais et les collisions antinomiques que je ne peux éviter entre eux, je descends dans la mer noire qui m'attend, que j'atteindrai avant même que mon écriture soluble ne me retienne vraiment de faire noir. Le 21 octobre est passé, j'ai un tour d'avance et me retrouve aujourd'hui le 13 — non, c'est déjà le 14 — à une semaine du 21 octobre. La révolution ne se fera jamais ni d'ici le prochain week-end ni d'ici le 22 octobre 63, antidaté, à moins peut-être que ce soit faire la révolution que de l'en empêcher, jour après jour, comme l'anachorète en plein désert qui se grandit de chaque vision sexuelle qui le saisit. Je ne ferai pas la révolution, je ne ferai pas la révolution... Vous copierez cela cent fois. Il est grand de ne pas faire la révolution, grand d'y renoncer en croyant qu'on l'aurait réussie, plus grand encore de ne plus en parler du tout et de garder, de Témiscamingue, des Îles de la Madeleine, de Côteau Landing et jusqu'à la frontière du Vermont, le silence respectueux qu'on observe à l'église pendant les messes basses. Révolution, mot nègre. Le blanc évolue, lui, et manifeste par sa lenteur historique sa supériorité planétifiante : je suis blanc, blanc comme l'œuf du négrier Colomb, blanc d'œuf battu dont la mousse albuminoïde sert de base à la farlouche. Moi, me révolutionner ? Over mon dead body ! A-t-on idée ? Christ de tabernacle, il y a révolution et révolution ! Si par révolution vous entendez la révolution, vous perdez un joueur, joueur que je suis comme ces pauvres millionnaires qui finissent devant une roulette. Irish sweepstake passe encore, révolution jamais ! Et de toute façon les Irlandais n'ont fait la révolution que pour organiser un vaste sweepstake au profit des orphelins de la IRA morts au combat ivres morts ! [Révolution nationale au Québec, mon œil ! Elle finira par une riot [*sic*] comme celle pour Maurice Richard qui, Papineau sur glace, s'est empressé le jour même, de serrer la main de Campbell avant la galerie de presse. Décidément, il n'y a rien à faire dans ce pays, ni rien à espérer que quelques fuites coûteuses à Hyde Park pour y convaincre les promeneurs en anglais que le CF doit parler français et faire la révolution. Ma révolution, ta révolution, sa révolution, mais jamais goddam *notre* révolution, jamais le pronom possessif pluriel. Le régime confédératif permet la révolution au singulier et même plusieurs révolutions singulières. Seule la reine et le pape ont le droit de parler au pluriel et cela s'entend puisque Elizabeth est II et Jean 23. Les french peasoup mécontents qui se prennent pour Lénine finiront sur une boîte de Haig et Haig à Hyde Park ou au pied du très saint sacrement qui d'ailleurs, du moins selon la fantaisie des joailliers, ne danse jamais que sur un pied. Nos révolutions se feront au singulier, pour une raison très simple, c'est que le Canadien français connaît mal son français et commet des fautes à tout moment, fautes dont il se repent avec candeur. Maurice Richard ne voulait pas faire mal à l'arbitre quand il a étampé son poing dans la face. Papineau ne pensait pas à mal quand il a fait les immortels et pauvres discours devant son peuple. Même Chaput parle des révolutions comme ça, à l'occasion, mais il prend bien garde de les faire précéder du pronom possessif à la première personne du pluriel. Seul, je parle. Il y avait R. Barbeau, mais découragé du portrait qu'on lui a renvoyé, il tente d'y échapper en ressemblant aux pauvres CF qu'il rêvait de transformer à la minute.] Le CF fait plus de révolutions par minute que la M Benz 330 SL, le moteur tourne vite, comme moi cette nuit par l'action de ma drogue, mais il plafonne. La course n'est pas finie, mais le CF est brûlé, il dégage une entropie dangereuse. L'usure interne a déjà commencé d'être aussi grande que la puissance réelle. Microrévolution (développer). N'en parlons plus. Les esquimaux ont sans doute connu notre fièvre révolutionnaire/malaise séparatiste et combien de peuples, ceux qu'on ne nomme pas dans les manuels, les innommables, ont finalement renoncé, de guerre lasse, à leur cri strident ! Enterrés sous de grands ensembles, ces peuples gardent silence et mêlent leur singularité à la révolution plurielle obsessive des autres. Tout le monde ne peut pas réussir : et à ceux qui aiment en parler, Hyde Park, ses brumes, ses allées noires, ou les tavernes de Montréal où finissent nos plus beaux tempéraments. Tout cela me devient triste [*sic*], l'euphorie que j'ai voulue, mise à nu par l'épuisement, ressemble à une grande douleur qui appelle en vain tous les vocables à son secours et qui ne peut s'appuyer que sur mon basic french, langue maternelle pour orphelins, et sur toutes les langues étrangères que je ne parlerai pas mais qui, maternelles pour d'autres que moi, doivent les servir plus précisément. Tiens, si je recopiais sans y penser tous les chapitres du Baumstetter Pharmacology, je trouverais là moins de tristesse que dans les formules par lesquelles je tente, impuissant, de distraire l'intolérable lucidité consécutive à l'insémination dextrogyre qui me fait tourner sur moi-même et me dérouler comme un papyrus [illisible, hypocrite, apocryphe, trouvé dans une tombe quelque part dans un pays où les morts sèchent.] Qui se pencherait, chercheur dérisoire ou [collectionneur d'épigraphes papyrologues, qui fait un double fasciné par notre consanguinité] chercherait en vain dans les déchirures que je trace en bleu sur un projet d'avenir, un sens à mon récit ! Tandis que je m'y cramponne, il me désole et ne me conduit nulle part, à moins peut-être que cercle je circule autour d'un cadavre et que j'accomplisse ainsi la ronde de l'amour autour d'un centre mort, événement précis et nouveau. XX suite

Appendice II

« Paroles en miroir »

Les passages suivants constituent une sélection représentative des « paroles en miroir » qui relient *Trou de mémoire* à d'autres textes. Nullement exhaustive, cette sélection vise à démontrer la variété des stratégies de répétition utilisées par Aquin.

1. AQUIN, Hubert, *Journal* : voir *Trou de mémoire*, p. 68*.

> « Cette fois, je sais que je tiens le roman qui me brûle intérieurement et par lequel véritablement je prendrai possession de mon pays ambigu et maudit, doublement identifié par l'évocation d'une ancienne faillite et l'angoisse intellectuelle qu'elle provoque encore. » (6 août 1962)

> « J'écris ce roman. [...] : il est plus moi que moi-même. Il m'épuise sous tous mes aspects et, mieux encore, me révélera dans mon complexe existentiel le plus brûlant. » (6 août 1962)

> « Roman policier, axé sur la pharmacopée [...] Je vais m'acheter un traité de pharmacie. » (15 août 1962)

2. PoROT, Antoine, *Manuel alphabétique de psychiatrie*, p. 244 : voir *Trou de mémoire*, p. 118**.

> « [Le syndrome de Ganser] a pour noyau principal le "Vorbeireden" (répondre à côté), le "Vorbeihandeln" (agir à côté), le "Nichtwissenwollen" (vouloir ne pas savoir). Les malades, tout en montrant qu'ils ont entendu et compris font, comme par parti pris, des réponses approximatives ou équivoques ou bien absurdes et discordantes aux questions mêmes les plus simples et les plus élémentaires. [...] Le diagnostic est parfois délicat d'avec la simulation [*sic*]. » (p. 244)

PoROT, Antoine, *Manuel...*, p. 365: voir *Trou de mémoire*, p. 119*.

> « Toutes les sensations conjuguées de l'ivresse du peyotl sont d'une extraordinaire esthésie : les lueurs et les scènes sont vues, les douleurs et les béatitudes éprouvées. Un des caractères les plus frappants de cette ivresse est la concrétisation de la pensée. »

3. BALTRUŠAITIS, Jurgis, *Anamorphoses ou perspectives curieuses* : voir *Trou de mémoire*, p. 148*.

> « “Les Ambassadeurs”, de Holbein, remontent à 1533, la même année qu’une planche de Schön et que le portrait anamorphotique de Charles-Quint. Le tableau a été peint en Angleterre, où l’artiste s’est installé définitivement en 1532. Les deux ambassadeurs français, Jean de Dinteville, seigneur de Polisy (1504-1565), et Georges de Selve, évêque de Lavour (1509-1542), sont représentés grandeur nature devant une table ou plutôt un rayonnage couvert d’un tapis oriental. Derrière eux tombe un rideau de soie. Le pavement est un dallage de marbre incrusté reproduisant la mosaïque du sanctuaire de Westminster, exécutée au temps d’Henri III. Dinteville est d’une carrure robuste, accentuée encore par une large veste fourrée, à manches bouffantes. Il porte au cou l’Ordre de Saint-Michel. Le poignard qui pend à son côté indique son âge : il a vingt-neuf ans. » (p. 58)

> « Les deux ambassadeurs se dressent comme les supports des armes de la Mort, surchargées d’un étalage des Vanités. Combiné comme un blason, le tableau acquiert une noblesse hiératique et enrichit son symbolisme. » (p. 65)

Voir *Trou de mémoire*, p. 150-151.

> « [...] Holbein lui-même aurait exécuté vers 1517 deux crânes sur l’extérieur d’un diptyque avec deux jeunes garçons. Le symbole de la Mort y apparaît

> lorsqu'on referme le volet, dans la figuration des deux ambassadeurs, lorsqu'on se déplace». (p. 65)

Voir *Trou de mémoire*, p. 151.

> « Le visiteur avance pour voir les choses de près. Le caractère physique et matériel de la vision se trouve encore accru lorsqu'on s'en approche, mais l'objet singulier n'en est que plus indéchiffrable. Déconcerté, le visiteur se retire par la porte de gauche, la seule ouverte, et c'est le deuxième acte. En s'engageant dans le salon voisin, il lève la tête pour jeter un dernier regard sur le tableau, et c'est alors qu'il comprend tout : le rétrécissement visuel fait disparaître complètement la scène et apparaître la figure cachée. Au lieu de la splendeur humaine, il voit le crâne. » (p. 65).

4. BEAULIEU, Michèle, *Les Tissus d'art*, p. 71 : voir *Trou de mémoire*, p. 164*.

> « Au XIVème siècle les ateliers vénitiens aiment aussi les compositions à compartiments, dites compositions à meneaux, par analogie — à vrai dire assez vague — avec les remplages des fenêtres gothiques. »

5. VON BASSERMANN-JORDAN, Ernst et Hans VON BERTELE, *Montres, horloges et pendules*, p. 372-374 : voir *Trou de mémoire*, p. 201*.

> « À La Haye, Christian Huygens (1629-1695) construit sa première horloge à pendule sans accouple-

> ment rigide du pendule à la verge. [...] Huygens affirme à plusieurs reprises qu'il travailla indépendamment de Galilée. Certains contemporains estiment cependant qu'il eut pour le moins connaissance des tentatives de l'Italien en vue d'utiliser comme norme de temps le pendule à battements isochrones. »

VON BASSERMANN-JORDAN, p. 171; voir *Trou de mémoire,* p. 222.

> « *En combinant un ressort spiral avec le foliot circulaire*, en usage depuis lontemps déjà dans les instruments horaires portatifs, on *créa un nouveau régulateur isochrone* pouvant remplacer le pendule. » (Souligné par HA)

Appendice III
Documents épistolaires

[Hubert Aquin à Andrée Yanacopoulo]

Samedi soir 22 janvier [1966]

[...] J'avance tant bien que mal dans « Trou de mémoire » auquel je me suis remis depuis une semaine : il me souvient d'un temps où Joan se mourait comme d'elle-même en moi. Maintenant, j'essaye de ranimer un cadavre, je me cramponne à son fantôme sans pouvoir mettre mes doigts [sur] d'autre réalité que son départ. [...]

[Hubert Aquin à Pierre Tisseyre, de Nyon, Suisse, le 23 juillet 1966]

Cher Ami

Merci de votre aimable lettre.
Je suis en plein dans TROU DE MÉMOIRE : corrections mineures, recopie et, surtout, recomposition de toute la dernière partie (1/5 du livre environ). Car, j'ai jugé, après relecture et examen, que ma première composition était globalement à rejeter.

Cela n'a pas été facile à assumer pour son auteur! Mais maintenant je suis lancé à fond et je travaille. [...]

[Hubert Aquin à Pierre Tisseyre]

NYON, le 3 octobre, 1966

Cher Ami,

[...]
Pour ce qui est de TROU DE MÉMOIRE, je vous avoue bien franchement que j'ai perdu un peu le goût de le transcrire et de le terminer. Ces ennuis financiers et légaux finissent par agir sur moi, en cela du moins que je perds ma motivation à travailler dans la mesure où le produit de mon travail ne me rapportera peut-être rien. Car, depuis quelque temps, c'est dans ces termes que je me pose le problème. L'acharnement que met ma femme à durcir une situation légale que j'ai tenté par toutes sortes de concessions d'arranger à l'amiable, ne me permet pas d'espérer grand-chose de Montréal. Bien sûr, si vous pouviez me proposer un arrangement financier précis et sûr pour TROU DE MÉMOIRE, tout irait bien et je vous promets la livraison rapide du manuscrit. Mais comprenez qu'avant de vous soumettre le manuscrit et avant de m'engager à le publier à Montréal, je dois savoir ce qui m'attend ; je dois surtout pouvoir compter sur une certaine somme d'argent. Et cela, d'autant plus que je manque gravement d'argent en ce moment. Le problème

se pose dans ces termes et seulement dans ces termes. Vous seriez bien aimable de me dire si vous pouvez me garantir soit un arrangement, soit une certaine somme pour TROU DE MÉMOIRE. Mais, de toutes façons, cette fois je vous demanderais une avance sur droits d'auteur étant donné que je dois d'abord survivre avant de signer un contrat dont la rentabilité future est problématique.

Encore une fois je vous réitère mes remerciements pour la façon constante et amicale avec laquelle vous avez maintenu contact avec moi. Et je vous prie d'agréer, cher Ami, l'expression de mes meilleurs sentiments,

Hubert Aquin

69 route des TATTES D'OIE
NYON, Suisse.

[Pierre Grenier à Hubert Aquin]

En ce jour de Pâques, le 14 avril 1968

Cher collègue et ami,

J'ai lu, il y a trois jours, *Trou de mémoire*, et je reste obsédé à un point tel par la clameur silencieuse qui sortant du livre envahit tout mon espace mental qu'aujourd'hui, pour retrouver du calme, il me faut me délivrer de mes impressions premières — quoique j'aie le sentiment de ne pouvoir pas m'en déprendre de sitôt. Votre livre possède une beauté qui fulgure, dont l'effet est de grandir un peu plus chaque jour en moi depuis que je l'ai refermé. Il est l'œuvre d'un magicien, d'un envoûteur et c'est du pur sortilège. M'est avis que *Trou de mémoire* est l'*À rebours* de nos lettres : votre œuvre devrait marquer un tournant décisif ; avec elle, vient vraiment de naître la littérature *québécoise*. Avant il y avait la littérature canadienne-française et celle-ci traînera encore pendant des années. Mais désormais, par des références à votre livre, il nous devient possible d'imaginer ce que peut être notre vraie littérature : elle surgira donc, vous venez d'en sonner le franc départ.

Votre livre est beau, à mon humble avis, en ce qu'il se met soudain à exister psychiquement, en dehors de lui-même, dans une sorte de prolongement qu'il crée, et qu'il est tout entier destiné à créer. Tous les « effets secondaires » dont il est chargé ont le pouvoir de faire naître des réactions en chaîne, en plusieurs sens, chez le lecteur. Cette vertu opératoire ne consisterait pas tant à susciter une infinité de commentaires esthético-philosophiques ou littéraires — l'œuvre se révélant ainsi l'objet même de son propre pouvoir — mais de détourner le regard vers une beauté extérieure à la littérature, sourde, invisible, informe encore, faite d'attente et d'espoir et des cent mille possibles d'un Homme nouveau à naître ou des cent mille possibles d'une nation qui émerge enfin. *Prochain épisode*, peut-être, annonçait quelque chose. Aux dernières pages de *Trou de mémoire*, cette promesse est remplie : le livre se clôt sur l'attente d'un enfant, prodige inespéré dans un tel univers. Dès lors, oublié pour lui-même, votre livre ne finit que pour mieux vivre : pour se réaliser infiniment !

Certes m'échappent encore, après cette première lecture, la plupart des nombreuses intentions de votre livre ; aussi mes déductions actuelles sont-elles sujettes à un contrôle ultérieur. J'avoue tout de suite que je n'ai commencé à comprendre — du moins je le crois — que vers la fin. Au milieu du livre mes impressions se résolvaient obstinément en images plastiques. Je ne voyais qu'un dessin ascensionnel de formes fièvreuses, mouvantes et puissantes, tenture subtile pleine de moires et de réverbérations, sur laquelle étaient semés, éclats plus vifs et plus durs, les joyaux baroques des blasphèmes. Était-ce pur reflet ? Je ne voulais pas le penser. Et puis, peu après il m'a semblé que vous nous mettiez en garde contre une telle interprétation, je veux dire dans ces pages où vous parlez de ce tableau de Holbein, allégorie de la mort. Enfin je crus comprendre que le narrateur analysait sa propre image multipliée et déformée par un jeu de miroir, que ce narrateur, en somme, était à la recherche de son unité. Cette distance face à lui-même était créée dans l'œuvre par le rapport existant entre le texte et ce poste d'observation hors-texte que constituent les notes en bas de page. Et que révèlent ces miroirs ? L'homme canadien-français, mélange informe, anglicisé et colonisé, s'y trouve décomposé en plusieurs hommes ou en plusieurs formes ; ce sont nos refoulements historiques qui se personnalisent, nos traumatismes qui s'animent, nous parlent, nous provoquent. Le plus magnifique est qu'il existe dans ce monde fragmenté un puissant agent de réunion, un principe actif qui s'attaque aux éléments pour les purifier et les fondre en vue d'une vie nouvelle.

On a coutume de comprendre le baroque comme l'expression ultime d'un monde parvenu à son plus haut point de perfection et qui va se défaire. Avant de mourir il vibre intensément, donnant l'illusion d'une vie débordante mais qui en réalité s'échappe. Or un monde qui passe de l'ordre au désordre ressemble assez à un monde qui passe du désordre à l'ordre. Excepté que le premier annonce la mort et le second la vie. Peut-être est-ce la raison pour laquelle votre baroque se fait si poétique et possède, par-delà la mobilité incessante du point de vue, un lumineux point de fuite. Ce point est en réalité une matrice dans laquelle s'abîment toutes les anciennes formes, pour y être transformées, lieu resté longtemps stérile mais où l'œuf est enfin fécondé, où se prépare, où est commencée déjà la Grande Métamorphose québécoise.

Je souhaite à votre livre, cher ami, tout le succès qu'à mon avis il mérite et je vous envoie une poignée de main avec mes sentiments les meilleurs.

Pierre Grenier

[Hubert Aquin à Pierre Grenier]

Laval, le 19 avril 1968.

Cher ami,

Rarement — pour ne pas dire : jamais ! — je me suis senti « lu » avec tant de pénétration et tant d'acuité ! Je ne saurais formuler autrement la sensation que j'ai éprouvée en lisant et en relisant la lettre que vous m'avez écrite en ce jour de Pâques 1968.

À tout prendre, votre lettre (élogieuse, mais lucide) me récompense déjà — à elle seule — d'avoir osé publier ce roman « anamorphique ». Depuis quelque temps, j'étais véritablement hanté par ce livre « décomposé » et je doutais de jamais pouvoir le finir. Puis, quand j'en ai eu fini, cela ne m'a pas tellement apaisé : ce roman me semblait irrecevable ou bien trop chargé d'abomination, trop provocant sur le plan formel. Somme toute, je n'ai pas ressenti cette bienfaisante sécurité qu'il m'avait été donné d'éprouver après avoir écrit « Prochain épisode » et avant qu'il ne soit publié. « Trou de mémoire », au contraire, a continué de m'inquiéter, de me troubler et de me faire douter de moi.

Votre lettre a eu pour effet de m'inculquer une certitude intérieure que, depuis quelques semaines, je m'étais interdite. Depuis, deux autres témoignages (témoignages parlés) n'ont fait que consolider cette certitude intérieure... Demain, samedi le 20, paraîtront les premières critiques de « Trou de mémoire », mais je n'éprouve nulle inquiétude : je sais que ce livre inquiétant a été lu, compris, reçu par vous. Je sais, par conséquent, que je ne l'ai pas composé en vain, qu'il est donc lisible, compréhensible ; je sais que ce roman qui, même achevé, me terrifiait encore n'est pas dépourvu de finalité puisque d'autres lecteurs, sans doute, sauront percevoir, dans cette succession de perspectives, le sens ou la valeur de ce roman... Mais le sens de ce roman ne réside-t-il pas principalement dans sa forme même ? Mais cela, vous me l'avez dit à la fin de votre lettre lorsque vous me parlez de l'aspect matriciel du baroque. Et je puis vous dire que cela, vous me l'avez révélé.

Il m'arrivera sûrement de relire votre lettre. Vous comprendrez que je n'ose pas vous en remercier. Et, en attendant de vous revoir, je vous fais mes amitiés.

Hubert Aquin

[Refus du Prix du Gouverneur général
pour Trou de mémoire*]*

Son Excellence le Gouverneur Général du Canada,
Rideau Hall,
Ottawa.

Laval, le 15 avril 1969

Excellence,

Je me dois de vous informer que je refuse le Prix que vous m'avez décerné pour mon roman « Trou de mémoire ».

Vous comprendrez sûrement que mon refus délibéré est conforme à un engagement politique que j'ai publiquement assumé et que, ce faisant, je continue d'exprimer. J'en fais une question de principe.

Respectueusement,

Hubert Aquin

cc. Monsieur C. Gauthier
Conseil des Arts du Canada.

[Pierre Tisseyre à Hubert Aquin]

Montréal, 22 avril 1969

Monsieur Hubert Aquin
Hâvre-des-Iles
Apt. B-1003
Laval, Qué.

Cher ami,
J'ai bien reçu votre lettre et d'une certaine façon je ne puis que vous féliciter de la rigueur intellectuelle dont vous faites preuve en refusant le Prix du Gouverneur Général.

D'une autre façon, je regrette que vous ne puissiez profiter de cette somme qui vous aurait été fort utile et qui, même si elle est décernée sous le nom du Gouverneur général, provient de fonds publics que nous avons tous contribué à alimenter.

De plus, tout argent en provenance du Fédéral qui peut profiter à des Québécois, me semble singulièrement bien utilisé et c'est pourquoi je regrette qu'il retombe dans la trésorerie fédérale.

Je crois que nous touchons là la différence fondamentale qui sépare les idéalistes des pragmatistes.

Jacques Godbout, lui, n'avait pas hésité à empocher la somme. Vous êtes un pur parmi les purs.

Je me réjouis de savoir que vous allez travailler à un nouveau livre.

Croyez, mon cher ami, à mes sentiments les meilleurs.

Pierre Tisseyre
Président

Appendice IV
Extrait du journal

26 octobre 62. Vendredi soir

Épreuve de force : Nabokov vient de publier un roman dont la composition ressemble singulièrement à celle que j'avais commencé de donner au roman que j'écris depuis quelque temps. *Pale Fire* est un roman dont la forme est constituée de plusieurs formes de récit : poème, essais, souvenirs, analyses philosophiques, etc. Je suis devancé — et par celui qui, un été, m'a révélé l'efficacité de l'écriture verbigératrice pour rendre l'obsession sexuelle. Ce que j'imaginais en secret, et avec un sentiment certain d'être bien axé, voilà que j'en deviendrais en quelque sorte le plagiaire apparent.

Conclusion, après vingt-quatre heures qui se sont passées depuis la longue recension de *Pale fire* que j'ai dévorée hier, mon roman doit tirer sa force d'une invention formelle encore plus savante (mais sans virtuosité) — ce qui veut dire que, même sur le plan strictement formel, je m'engage à aller plus loin et plus profond que Nabokov lui-même. Donc les effets de contrepoint et de polymorphisme littéraire doivent être doublés (la surenchère régit le roman) — et je n'envisage ceci que dans le sens d'une construction plus savante dont le principe interne réside dans sa destruction. Ce n'est pas seulement le langage que je veux rendre inflationnaire, mais la structure même du roman qui, d'abord perçue comme solide et fascinante, doit révéler progressivement la complexité qu'elle dissimulait dans les premières phases. Au-delà de cette complexité, le lecteur cherchera de nouveau la structure (et je me charge de la lui chercher comme le critique de Nabokov a patiemment cherché les correspondances que *Pale Fire* lui promettait), mais cette structure, aperçue dans un éclair, puis poursuivie de page en page à travers tout le système des signes, le lecteur ne la retrouvera plus : elle se dérobera à sa quête confiante et à son attention. Le lecteur se trouvera médusé, trahi, mis finalement en présence d'une œuvre détruite, d'un chaos — alors que, selon les lois de tous les genres, il était en droit d'attendre le contraire. Après avoir annoncé une construction, je lui dévoilerai un amas de ruines. Trahison pure, ce roman doit l'être dans sa forme même et jusqu'au bout — ce qui signifie, en termes de méta-roman, que la destruction avouée se propose toutefois comme une forme nouvelle : mais qu'importe, je brûle les formes et je vais donner à ce roman ruiné le visage même qu'on trouve aux fouilles archéologiques. Quelques fragments nous font espérer l'ensemble logique dont ils faisaient partie. Et si justement il n'y avait pas de logique et que ces fragments aient été conçus comme fragments « absolus » (Amiel n'a-t-il pas écrit *fragments*... ?), si ces ruines ne témoignaient d'aucun édifice antérieur et étaient, même ruines, des constructions contemporaines ? Voilà soudain que tout n'est pas nécessaire et que tous les signes ne sont pas signifiants !

C'est mon roman. Apparemment j'emboîterai le pas à Nabokov, offrant récit sur récit, énigme sur énigme — en réalité ma démarche sera contraire : Nabokov dissimule sa construction derrière des formes diachroniques et apparemment indépendantes les unes des autres, mais soudain, les correspondances énigmatiques se multiplient pour le lecteur et les pièces disjointes sont rattachées entre elles selon un système rigoureux et forment un édifice dont l'unicité ne fait plus de doute. Ce que je veux faire — et qui me ressemble tant ! — c'est d'annoncer d'abord l'unicité de ma structure et, ce postulat étant posé, de multiplier les complexités pour finalement m'y abîmer avec déraison et dévoiler le tissu d'incohérences et d'incorrespondances de tous les indices. C'est à peu près comme si, dans le genre policier, je multipliais les énigmes au départ et me complaisais dans l'inflation des « pistes » (technique admise par le lecteur qui aime qu'on joue avec lui !) pour ne pas aboutir, en fin de compte, à la découverte de l'assassin, mais à l'aveu délirant du nonsens de cette enquête et, somme toute, à la destruction pure et simple de mon propre roman policier. Comme je situe le roman que j'écris au second degré policier, je dois détruire encore plus, donc édifier plus savamment encore les ruines que je ne dévoilerai qu'à la fin et dont l'évidence nie l'entreprise même du romancier ! C'est la guerre ! La guerre totale : car le signe, selon Ullman p. 12, étant «la partie d'une expérience susceptible d'évoquer l'expérience totale», je multiplierai des signes (apparents) qui n'évoqueront nulle totalité, ne se référeront à nul système préconçu de signifiés. Ainsi les parties de mon roman ne seront pas des parties d'un roman — mais des ensembles autistes, des chapitres schizophrènes réunis dans une même salle.

Appendice V

Illustrations

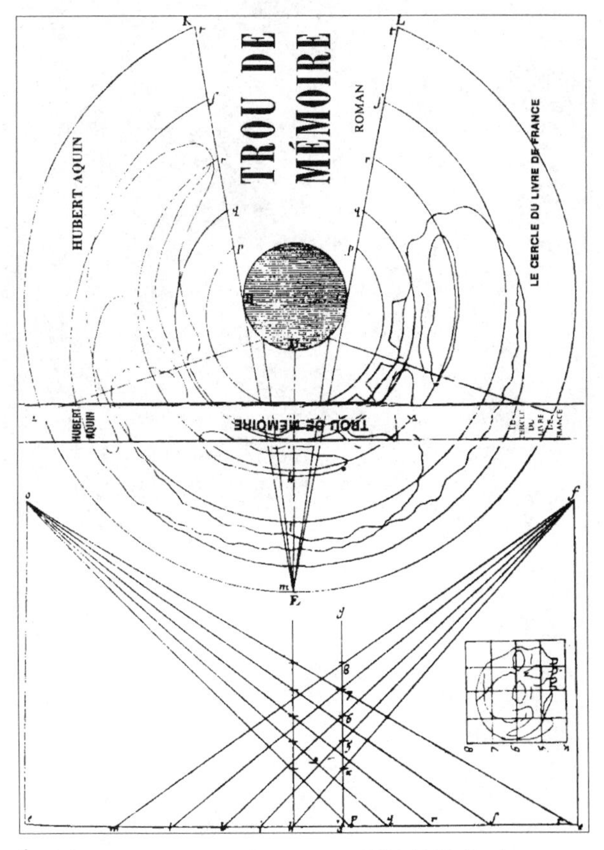

Édition originale de *Trou de mémoire*, CLF, 1968. Sur la couverture : anamorphose d'un crâne pour miroir cylindrique, par le Père Du Breuil (1649).

Hans Holbein, «Les Ambassadeurs», 1533, Londres, National Gallery. Reproduit avec la permission de la National Gallery.

Cette liste contient les mots de *Trou de mémoire* qui ne figurent pas dans les usuels (*Petit Robert 1*, *Lexis*) et qui peuvent poser un problème de lecture. Les néologismes faciles à comprendre (tel « soleiller »), les jurons et les mots qui ont fait l'objet d'une note ne sont pas inclus. Les références de page renvoient à la première occurrence dans le roman.

Addiction (88) : de l'anglais, (méd.) dépendance
Agace-pissette (106) : femme qui se plaît à aguicher les hommes
Amobarbital (69) : (méd.) barbiturique à action sédative
Angiose (175) : terme inusité, angiome

Badelaire (152) : (archaïsme) terme de blason désignant une épée courte, large et recourbée
Bandade (106) : de bander
Bébelle (76) : objet plus ou moins utile, jouet

Cathypnose (177) : (méd.) maladie du sommeil
Chloralose (72) : (méd.) drogue hypnotique
Crackpot (31) : cinglé

Désâmé (104) : crevé

Flyer (103): aller à toute vitesse
Fourreurs (22): fornicateurs

Graphorrée (122) : (méd.) besoin irrésistible d'écrire, se rencontrant dans certaines formes d'aliénation mentale
Goofballs (53) : barbituriques

Héraclitienne (62) : héraclitéenne, d'Héraclite

Jump (19) : saut ; effet de la drogue

Lagide (95) : de la dynastie des Lagides
Lungolago (175) : en italien, une rue qui borde le lac

Melpomène (144) : de Melpomène
Métylpropyl (105) : méthylprylone ? (méd.) drogue hypnotique dont l'action se rapproche de celles des barbituriques
Méprobamate (205) : (méd.) drogue utilisée comme anxiolytique et, à plus fortes doses, comme hypnotique
Mur-à-mur (89) : assurance absolue ou moquette

Nyctogène (132) : du Grec « nyx », nuit, et -gène

Paqueté (24) : ivre
Pavlovée (47) : de Pavlov
Phétotal (52) : sens obscur
Prépatence (172) : (méd.) phase d'une affection parisitaire qui s'étend depuis la contamination jusqu'à l'apparition des parasites chez le malade

Vasage vagomoteur (157) : faire du vasage, vasouiller
Vasolabilité (175) : (méd.) instabilité vasomotrice
Véronalide (76) : de véronal, un barbiturique
Vésuve (19) : de Vésuve

Table des matières

Publications de Janet M. PATERSON

Anne Hébert : architexture romanesque, Ottawa, Éditions de l'Université d'Ottawa, 1985, 1988, 192 p.

Moments postmodernes dans le roman québécois, Ottawa, Éditions de l'Université d'Ottawa, 1990, 126 p. Édition augmentée, 1993, 143 p. (Prix Gabrielle-Roy).

En coll. avec John LENNOX, dir., *Défis, projets et textes dans l'édition critique au Canada*, New York, AMS Press, 1993, 117 p.

Publications de Marilyn RANDALL

Le Contexte littéraire : lecture pragmatique de Hubert Aquin et de Réjean Ducharme, Longueuil, Le Préambule, « L'Univers des discours », 1990, 260 p.

ÉDITION CRITIQUE
DE L'ŒUVRE D'HUBERT AQUIN

I. *Itinéraires d'Hubert Aquin*,
par Guylaine MASSOUTRE

II. *Journal 1948-1971*,
par Bernard BEUGNOT

III. *ŒUVRES NARRATIVES*

1. – *Les Rédempteurs*,
par Claudine POTVIN et
Récits et nouvelles, par Alain CARBONNEAU

2. – *L'Invention de la mort*,
par André BEAUDET

3. – *Prochain Épisode*,
par Jacques ALLARD

4. – *Trou de mémoire*,
par Janet M. PATERSON et Marilyn RANDALL

5. – *L'Antiphonaire*,
par Gilles THÉRIEN

6-7. – *Neige noire*,
par Pierre-Yves MOCQUAIS

IV. *ŒUVRES DIVERSES*

1. – *Point de fuite*,
par Alain CARBONNEAU
et Guylaine MASSOUTRE

2-3. – *Mélanges*,
par Claude LAMY et Jacinthe MARTEL

4. – *Œdipe*, par Renald BÉRUBÉ

Parus dans la Bibliothèque québécoise

Jean-Pierre April
CHOCS BAROQUES

Hubert Aquin
JOURNAL 1948-1971

Philippe Aubert de Gaspé
LES ANCIENS CANADIENS

Noël Audet
QUAND LA VOILE FASEILLE

Honoré Beaugrand
LA CHASSE-GALERIE

Marie-Claire Blais
L'EXILÉ suivi de
LES VOYAGEURS SACRÉS

Jacques Brossard
LE MÉTAMORFAUX

Nicole Brossard
À TOUT REGARD

André Carpentier
L'AIGLE VOLERA À TRAVERS LE SOLEIL
RUE SAINT-DENIS

Denys Chabot
L'ELDORADO DANS LES GLACES

Robert Choquette
LE SORCIER D'ANTICOSTI

Laure Conan
ANGÉLINE DE MONTBRUN

Jacques Cotnam
POÈTES DU QUÉBEC

Maurice Cusson
DÉLINQUANTS POURQUOI?

Léo-Paul Desrosiers
LES ENGAGÉS DU GRAND PORTAGE

Pierre DesRuisseaux
DICTIONNAIRE DES EXPRESSIONS QUÉBÉCOISES

Georges Dor
POÈMES ET CHANSONS D'AMOUR ET D'AUTRE CHOSE

Jacques Ferron
CONTES

Madeleine Ferron
CŒUR DE SUCRE

Guy Frégault
LA CIVILISATION DE LA NOUVELLE-FRANCE 1713-1744

Jacques Garneau
LA MORNIFLE

Rodolphe Girard
MARIE CALUMET

André Giroux
AU-DELÀ DES VISAGES

Jean-Cléo Godin et Laurent Mailhot
THÉÂTRE QUÉBÉCOIS (2 tomes)

François Gravel
LA NOTE DE PASSAGE

Lionel Groulx
NOTRE GRANDE AVENTURE

Germaine Guèvremont
LE SURVENANT
MARIE-DIDACE

Anne Hébert
LE TORRENT
LE TEMPS SAUVAGE suivi de
LA MERCIÈRE ASSASSINÉE et de
LES INVITÉS AU PROCÈS

Louis Hémon
MARIA CHAPDELAINE

Suzanne Jacob
LA SURVIE

Claude Jasmin
LA SABLIÈRE - MARIO
UNE DUCHESSE À OGUNQUIT

Patrice Lacombe
LA TERRE PATERNELLE

Félix Leclerc
ADAGIO
ALLEGRO
ANDANTE
LE CALEPIN D'UN FLÂNEUR
CENT CHANSONS
DIALOGUES D'HOMMES ET DE BÊTES
LE FOU DE L'ÎLE
LE HAMAC DANS LES VOILES
MOI, MES SOULIERS
PIEDS NUS DANS L'AUBE
LE P'TIT BONHEUR
SONNEZ LES MATINES

Michel Lord
ANTHOLOGIE DE LA SCIENCE-FICTION
QUÉBÉCOISE CONTEMPORAINE

Hugh McLennan
DEUX SOLITUDES

Antonine Maillet
PÉLAGIE-LA-CHARRETTE

LA SAGOUINE

André Major
L'HIVER AU CŒUR

Guylaine Massoutre
ITINÉRAIRES D'HUBERT AQUIN

Émile Nelligan
POÉSIES COMPLÈTES
Nouvelle édition refondue et révisée

Jacques Poulin
LES GRANDES MARÉES

FAITES DE BEAUX RÊVES

Marie Provost
DES PLANTES QUI GUÉRISSENT

Jean Royer
INTRODUCTION À LA POÉSIE QUÉBÉCOISE

Gabriel Sagard
LE GRAND VOYAGE DU PAYS DES HURONS

Fernande Saint-Martin
LES FONDEMENTS TOPOLOGIQUES DE LA PEINTURE

STRUCTURES DE L'ESPACE PICTURAL

Félix-Antoine Savard
MENAUD, MAÎTRE DRAVEUR